Von Portia Da Costa sind außerdem lieferbar:

«Das Schloss der tausend Sünden» (rororo 24523)
«Der Club der Lust» (rororo 24138)

Portia
Da Costa ~ # Ich sehe,
was du brauchst

Erotischer Roman

Deutsch von Silke Bremer

Rowohlt Taschenbuch Verlag

Die Originalausgabe erschien 1995
unter dem Titel «The Devil Inside» bei Black Lace, London

Deutsche Erstausgabe
Veröffentlicht im Rowohlt Taschenbuch Verlag,
Reinbek bei Hamburg, Juli 2008
Copyright © 2008 by Rowohlt Verlag GmbH,
Reinbek bei Hamburg
«The Devil Inside» Copyright © 1995 by Portia Da Costa
Published by Arrangement with Virgin Books LTD., London, England
Redaktion Gabi Banas
Umschlaggestaltung any.way, Cathrin Günther
(Foto: Emely / zefa / Corbis)
Satz Stempel Garamond (PageOne)
bei Dörlemann Satz, Lemförde
Druck und Bindung CPI – Clausen & Bosse, Leck
Printed in Germany
ISBN 978 3 499 24708 8

Cyrian gewidmet,
denn er setzt den Maßstab …

Inhaltsverzeichnis

1. Kapitel ～ Wie neugeboren

Eines Morgens im Mai erwachte Alexa Lavelle auf der Sonneninsel Barbados wie neugeboren. Sicher, das war ein Gemeinplatz, doch es traf die Sache. Sie war nicht mehr derselbe Mensch wie am Tag zuvor.

Auch die Umgebung nahm sie anders wahr. Die Farben waren heller, die Geräusche klarer, die Gerüche so intensiv, dass ihr beinahe schwindelig wurde. Alexa lag immer noch zwischen den duftenden Baumwolllaken des breiten Hotelbetts und fühlte sich eigentümlich beschwingt, als hätte sie vom süßen Inselrum gekostet.

Sie fragte sich, ob sie vielleicht tatsächlich betrunken war. Am Abend zuvor hatte sie Kopfschmerzen gehabt. Jetzt aber spürte sie nichts mehr davon. Ganz im Gegenteil, sie hatte sich noch nie besser gefühlt. Ihr war danach, loszurennen, herumzuhüpfen oder Luftsprünge zu machen. Ihre Gliedmaßen prickelten von überschüssiger Energie, und ihre Haut fühlte sich seidenweich an und schimmerte matt.

Um sich darüber klar zu werden, was mit ihr geschehen war, ließ sie den vergangenen Tag Revue passieren. Ihre Erinnerungen waren vollständig und fügten sich nahtlos aneinander, gleichzeitig aber hatte sie das Gefühl, die Ereignisse wie durch einen Filter wahrzunehmen. Heute waren ihre Sinne geschärft, sodass ihre früheren Eindrücke im Vergleich etwas stumpf wirkten.

Sich räkelnd, atmete sie tief die salzige Meeresluft ein und machte eine weitere Entdeckung. Obwohl sie allein reiste und seit Urlaubsbeginn so enthaltsam war, dass sie kaum mehr an Sex dachte, war sie auf einmal erregt.

Alexa hatte schon immer Spaß am Sex gehabt – manchmal so viel Spaß, dass es ihr geradezu Angst machte –, doch im Moment verspürte sie ein heftiges Verlangen. Die körperlichen Anzeichen waren so intensiv, dass sie nicht zu leugnen waren.

Zwischen ihren Beinen und im Unterleib brannte das Begehren, von einem Mann ausgefüllt zu werden. Von keinem speziellen Mann, sondern von irgendeinem. Von einem kräftigen, ausdauernden Mann mit einem harten Ständer, der ebenso scharf war wie sie.

Verflixt nochmal, was ist nur los mit mir?, dachte sie und streckte sich genießerisch, obwohl sie immer noch halb fürchtete, dass sich das gleich wieder rächen würde. Sie wusste genau, weshalb sie Kopfschmerzen gehabt hatte, doch das reichte als Erklärung nicht aus.

Vor zwei Tagen war Alexa auf glitschigen Steinen ausgerutscht, hatte sich den Kopf angeschlagen und anschließend ein paar Stunden in der Inselklinik verbracht. Man hatte sie gründlich untersucht, aber nichts gefunden. Nach dem Sturz sei sie einen Moment bewusstlos gewesen, hatten die Ärzte gemeint, habe aber keine Gehirnerschütterung davongetragen. Bei der Entlassung hatte man ihr den guten Rat gegeben, alles «leicht und locker» zu nehmen – was im Ferienresort der St-James-Bucht auch nicht schwerfiel.

Am Abend zuvor allerdings hatte sie sich gar nicht leicht und locker gefühlt. In einer Art Dämmerzustand hatte Alexa auf dem Bett gelegen und gelitten, während unsichtbare Dämonen ihre Schläfen mit Speeren bearbeiteten. Zu benommen, um sich zu rühren, hatte sie sich vorgenommen, sich am Morgen erneut in Behandlung zu begeben. Jetzt war es Morgen, doch die Kopfschmerzen und die Dämonen waren verschwunden, die Sonne schien, und es war angenehm warm.

Wenn nur dieses unbezähmbare Verlangen nach Sex nicht gewesen wäre …

Genüsslich reckte Alexa die Arme der weißen stuckverzierten Decke entgegen, dann setzte sie sich auf und blickte sich um. All ihre Reiseutensilien waren in diesem Raum versammelt: ihre Kleider, ihre Toilettenartikel, ihre Souvenirs und Nippsachen. Und doch hatte sie das Gefühl, die Sachen gehörten ihr gar nicht. Ihr pinkfarbenes Strandkleid, das über der Lehne des Korbsessels hing, wirkte irritierend steif und «züchtig». Desgleichen der unförmige Bademantel. Sie erinnerte sich, wie gut ihr der Bademantel im Geschäft gefallen hatte, wie wohl sie sich in dem weichen Frottéstoff gefühlt hatte; jetzt auf einmal hätte sie es vorgezogen, wäre er glatt und frivol gewesen. Vielleicht ein ausgefallener, moirierter Seidenstoff. Rot, mit einem feuerspeienden Drachen auf dem Rücken.

Wie komme ich nur auf so was?, dachte sie, sich das sinnliche Bild vergegenwärtigend, dann fiel ihr ein, dass sie ein solches Kleid schon einmal gesehen hatte. Ihre neue Freundin Dr. Quine – die in der Cabana nebenan wohnte –, hatte einen scharlachroten Bademantel mit einem Drachen auf dem Rücken angehabt. Gestern hatte sie halbnackt am Pool gelegen und sich damit bedeckt. Die Ärztin hatte eine unglaubliche Figur, sie war schlank und gleichzeitig üppig und hatte die Angewohnheit, ihre Reize auch zu zeigen. Wie eine Göttin pflegte sie sich auf der Liege zu räkeln – im Schatten, denn sie hatte sehr blasse Haut – und ließ sich von ihrem attraktiven jungen «Begleiter» auf Französisch aus einem kleinen Buch mit weißem Ledereinband Gedichte vorlesen. Alexas Französisch war nicht besonders gut, doch ein paar Worte hatte sie aufgeschnappt. Vor allem Drews tiefer, samtiger Stimme hatte sie entnommen, dass es sich um erotische Verse handelte.

Alexa warf die Decke zurück, schälte sich aus ihrem weißen Baumwollnachthemd und untersuchte verwundert ihren Körper. Obwohl er genau wie ihr Kopf noch derselbe wie gestern war, meinte sie doch Veränderungen wahrzunehmen. Ihre wohlgeformten, festen Schenkel luden geradezu dazu ein, berührt zu werden, und das galt auch für ihr samtweich behaartes Geschlecht. Sie spürte, dass ihre hübsche, dunkle Muschi etwas von ihr verlangte, etwas, das sie ihr meistens nur mit kindischen Schuldgefühlen gewährte, dem sie jetzt aber voller Vorfreude entgegensah. Die dunklen Haarlöckchen wirkten heute Morgen besonders einladend zu weiterer Erkundung.

Auch ihre Brüste wirkten verändert. Runder, üppiger. Alexa wusste, das war reine Einbildung, doch sie hatte den Eindruck, die Spitzen zeigten keck nach oben und forderten sie dazu auf, sie zu streicheln und zu liebkosen.

Versuchsweise legte sie eine Fingerkuppe auf ihren sonnengebräunten Bauch und keuchte unvermittelt auf.

Von der Stelle dicht unterhalb des Nabels fuhr ihr ein Lustschauer bis in die Möse. Der Wunsch, dem Weg der Empfindung mit dem Finger nachzuspüren, war so stark, dass sie sich schockiert auf die Lippen biss. Es fühlte sich an, als habe ein Mann sie auf den Bauch geküsst und daran gesaugt und dann seine Hand an ihre Spalte gelegt.

Auf dem Nachttisch stand ein gerahmtes Foto ihres Verlobten, doch dessen lächelndes Gesicht gab ihr auch keine Antwort. Thomas jedenfalls hatte das Lustgefühl nicht bei ihr ausgelöst. Alexa hatte sich aufrichtig bemüht, während der Ferien an ihn zu denken, und sie versuchte es auch jetzt wieder, hatte aber das Gefühl, als wären sie durch mehr als eine Glasscheibe – oder ein Meer – voneinander getrennt.

Ach, Tom, es tut mir leid, dachte sie verwirrt, denn sie hätte liebend gern eine Verbindung zu seinem Foto hergestellt.

Das aber gelang ihr nicht, und stattdessen trat ihr ein anderes Bild vor Augen; ein so klares und verrucht-erotisches Bild, dass ihr das Blut in die Wangen schoss und sie wie verrückt zu zittern begann.

Sie lag nackt und verschwitzt auf diesem Bett, über ihr ein kräftiger, gesichtsloser Mann. Sie bewegten sich heftig, und der Fremde hatte seinen Schwanz tief in ihr versenkt. Alexa konnte erkennen, dass sie die Beine angezogen und die Arme um seine Hüften geschlungen hatte und mit den Fersen gegen seinen Po trommelte.

Das aber war noch nicht alles. So deutlich, wie sie ihr leeres weißes Zimmer wahrnahm, spürte sie, wie der Unbekannte in sie hineinstieß. Sein pulsierender Schaft dehnte und rieb sie, und er fühlte sich schwer an in der

Umklammerung ihrer Schenkel. Mit jedem Stoß drang er tiefer in sie ein und versetzte ihr weiches, feuchtes Inneres in Raserei.

Heiße Begierde flammte in Alexa auf, und als sie die Hand auf die Stelle presste, wo sein Glied war, spürte sie, dass sie bereits mehr als feucht war. Ihr Geschlecht war nass und glatt, die Schamlippen geschwollen und weit geöffnet. Sie war erfüllt von einer schweren, heißen Energie, fühlte sich gleichzeitig aber federleicht.

Mit einem Aufschrei warf Alexa die letzten Hemmungen ab und ergab sich dem Teufel in ihrem Leib. Sie zog die Beine an, trat wild um sich, stemmte den Rücken von den zerwühlten Laken hoch. Während ihre Finger tanzten, unternahm sie einen letzten Versuch, Thomas anzusehen, doch das Foto wirkte beinahe durchsichtig. In ihrer Vorstellung gab es nur den Mann, der sie in Besitz nahm, ohne ihr sein Gesicht zu zeigen.

Sie rieb sich schneller, wand sich auf der Matratze und wimmerte laut, als sie den Höhepunkt erreichte. Das Lustgefühl war so stark, dass ihre Beine bebten, sich ihr Unterleib zusammenzog und sie die Hände ins Laken krallte. Sie meinte Gesichter zu sehen: die Gesichter von Männern, die ihr eigentlich nichts hätten bedeuten dürfen, die sich aber dem leidenschaftlichen Schauspiel in ihrem Geist hinzugesellten, sodass es ihr den Atem nahm. Attraktive, sonnengebräunte Hotelgäste; lächelnde schwarzhäutige Boys in luftigen weißen Hosen, deren Hosenschlitz geöffnet war; Wildfremde, die alle bereit waren, ihr Lust zu bereiten. Sie sah sogar ihre neue Freundin Doktor Quine. Eine Frau – aber sie war nackt und ihr roter Mund begehrlich geöffnet.

Verflixt nochmal, was ist nur los mit mir?, fragte sich Alexa Lavelle erneut und bemühte sich, wieder zur Vernunft zu kommen.

Was passiert mit mir, und warum fühlt es sich so gut an?

2. Kapitel ～ Das Feuer schüren

An diesem Morgen verbrachte Alexa viel Zeit unter der Dusche. Erst duschte sie heiß und benutzte ausgiebig Seife, Shampoo und Duschgel, um den Nachtschweiß abzuwaschen, dann duschte sie so kalt wie möglich, um die seltsame Hitze in ihrem Körper zu mildern.

Natürlich half es nicht, und als sie auf die Veranda hinaustrat, wo bereits der Frühstückstisch gedeckt war, überkam sie der Heißhunger. Allerdings galt der Hunger nicht den Speisen, sondern dem Leben an sich. Und zwar speziell dem Leben in Form von Sex.

Es schien, als habe sich auch die Insel gegen sie verschworen. Die Düfte der üppigen Vegetation; der leichte Wind, der ihre überempfindliche Haut kitzelte; das intensive Blau des Meeres am Fuß des Gartens. Selbst das leise Schwappen der Wellen am perlweißen Strand erinnerte sie daran, wie ein schweißnasser Körper gegen den anderen klatschte.

Als sie auf dem weißlackierten Stuhl Platz nahm und sich Kaffee einschenkte, wurde Alexa bewusst, dass es schwer, wenn nicht gar unmöglich sein würde, sich gegen ihre gesteigerte Sinnlichkeit zu wehren. Ohne dass sie hätte sagen können, wie das zuging, spürte sie Dinge, die sie zuvor nicht wahrgenommen hatte; sie meinte beinahe, sie zu hören, zu sehen und zu fühlen. Sie war sich der Nähe anderer Menschen bewusst, die gerade an Sex dachten oder Leib an Leib gepresst und engumschlungen miteinander zugange waren.

Ob Beatrice und Drew in diesem Moment wohl gerade miteinander schlafen?, überlegte sie. In ihrer gegenwärtigen Verfassung waren die beiden die denkbar schlechtesten – oder besten – Nachbarn, die sie sich vorstellen konnte. Mit der bestens ausgestatteten Doktor Quine in der Nähe war es unmöglich, nicht an Sex zu denken, selbst wenn man eigentlich gar nicht dazu aufgelegt war. Aber *wenn* man dazu aufgelegt war und eine Art erotische Antenne besaß, die ständig nach Stimulierung suchte, war es die reinste Qual, Beatrice zur Nachbarin zu haben.

Gleichwohl freute Alexa sich auf die Erfahrung; wenn schon nicht der Ärztin, so doch Drews wegen. Sie musste sich eingestehen, dass er wirklich umwerfend aussah – einer der attraktivsten Männer, die sie je kennengelernt hatte.

Sie erinnerte sich noch genau an ihre erste Begegnung, wenige Stunden nachdem sie im Ferienresort eingetroffen war. Schon damals hatte er erotisch auf sie gewirkt, obwohl die seltsamen Veränderungen zu dem Zeitpunkt noch nicht stattgefunden hatten.

Sie war am Pool entlanggeschlendert und hatte sich gefragt, was sie hier eigentlich machte, weshalb sie über ihre Verhältnisse lebte und das Geld eines anderen ausgab – doch plötzlich hatte sie eine Vision gehabt. Ein Mann war am tiefen Ende des Pools die Badeleiter hochgestiegen. Wasser lief ihm über die Muskeln und die glatte, sonnengebräunte Haut; das Klischeebild eines männlichen Supermodels aus der Parfümwerbung, gleichwohl real und irgendwie jungenhaft. Sie hatte einen Blick auf seine langen, festen Schenkel und die tangaartige schwarze Badehose geworfen, dann aber bewusst woanders hingeblickt. Auch ohne den ersten Typen, der ihr über den Weg lief, im Geiste nackt auszuziehen, war es schon schlimm genug, dass sie Thomas zu Hause gelassen hatte und mit seinem Geld in Urlaub geflogen war.

Alexa kostete vom ausgezeichneten Kaffee und bemühte sich, nicht an Drew Kendrick zu denken. Stattdessen überlegte sie, welche Folgen ihre ungewohnte Gemütsverfassung – oder wie man das auch nennen wollte – auf ihren Verlobten Thomas haben würde.

Ihr Sexleben war eigentlich recht gut, obwohl es nicht unbedingt im Mittelpunkt ihrer Beziehung stand. Was sie zusammengeführt hatte und miteinander verband, war ihre Arbeit, ihr Geschäft; die kleine, immer mal wieder ums Überleben kämpfende, dann wieder florierende Computerberatungsfirma, für die sie seit anderthalb Jahren arbeitete. Damals, als die Firma noch im Aufbau begriffen war, hatte Thomas sie als Programmiererin und Netzwerktechnikerin eingestellt, und sie hatten von Anfang an gut miteinander harmoniert. Sechs Wochen später hatten sie miteinander geschlafen; nach zehn Wochen bot er ihr eine Partnerschaft an; und wiederum drei Monate später fragte er sie, ob sie sich mit ihm verloben wolle. Alexa hatte tagelang überlegt, ob sie für eine solche Verpflichtung verliebt genug sei, willigte schließlich aber ein. Damals war sie sich nicht sicher gewesen, ob es richtig war, und jetzt war sie sich immer noch nicht sicher. Zumal unter diesen Umständen …

Dass sie leichten Gewissens eine Menge Geld für einen Alleinurlaub verschleuderte, war ein schlechtes Zeichen. Tom hatte sich nicht beklagt. Er hielt sich für einen modernen Mann, der für die Gleichberechtigung der Frauen eintrat, und hatte gemeint, sie habe das Recht, ihre Erbschaft so auszugeben, wie sie es wolle. Von Barbados hatte sie geträumt, seit sie es mal im Film gesehen hatte, und obwohl er sie jetzt nicht begleiten konnte, hatte er ihr versprochen, später die Flitterwochen mit ihr auf der Insel zu verbringen.

Falls es jemals dazu kommt, dachte Alexa sarkastisch und erinnerte sich daran, wie sie Tante Julias Hinterlassenschaft aufgestockt hatte. Sie hatte etwas mehr Geld vom Konto von KL Systems abzweigen müssen als zunächst gedacht, und nur deshalb, weil sie das Buchhaltungsprogramm selbst geschrieben hatte – Tom war auf Datenbanken spezialisiert –, war es ihr gelungen, dies zu verheimlichen.

Sie war so in Gedanken versunken, dass sie zusammenfuhr, als sie in der Nähe Stimmen vernahm. Doch gleich darauf lösten die Stimmen mehr bei ihr aus, als ihr lieb war.

Schon wieder diese Sex-Sache, dachte sie, während sie von wilden erotischen Phantasien überflutet wurde. Einer der beiden Sprecher hatte eine tiefe, sehr männliche Stimme, sanft, vernünftig und ausgeglichen. Die andere Stimme war viel höher, auch wenn sie rauchig und erregend herausfordernd klang.

«Bitte nicht, Schatz ... ich bin noch nicht so weit», protestierte Beatrice hinter dem Windschutz, der die beiden Cabanas voneinander trennte. «Ich bin fix und fertig, du Nimmersatt. Ich brauche mehr Schlaf, um wieder zu Kräften zu kommen.» Drew und Beatrice hatten offenbar das Schlafzimmerfenster geöffnet – der Wind wehte aus dieser Richtung –, denn Alexa hätte schwören können, dass sie das Rascheln der Laken und die Geräusche eines spielerischen Gerangels hören konnte.

«Aber das ist die beste Tageszeit, Beatrice, und du lässt sie immer ungenutzt verstreichen.» Drew klang ein wenig gereizt. «Und du hast gesagt, du wolltest früh aufstehen und dich umsehen. Etwas körperliche Betätigung würde dir nämlich guttun, weißt du. Seit wir hier angekommen sind, hast du nichts weiter getan, als herumzuliegen und Liebe zu machen.»

«Aber das ist doch auch eine körperliche Betätigung», erwiderte Beatrice lakonisch. «Gut für Herz und Kreislauf, so gesund wie eine Rundumbräunung.»

«Du bist ein hoffnungsloser Fall!», erklärte Drew verärgert, doch Alexa hörte den liebevollen Unterton heraus. Bisweilen wirkte das Paar nebenan wie eine komplette Fehlbesetzung, doch sie spürte, dass beide im Grunde ineinander vernarrt waren. Und das, obwohl Beatrice wahrscheinlich doppelt so alt war wie ihr attraktiver Partner.

«Ja, ich weiß. Komm her und küss mich», sagte die Ärztin mit belegter Stimme. «Küss mich richtig!», befahl sie, wohl nachdem sie ein Küsschen auf die Wange bekommen hatte. «Und dann geh raus und spiel mit Alexa. Und vergewissere dich vorher, dass sie keine Nachwirkungen von dem Sturz mehr spürt.»

Alexa reagierte erschrocken, als sie ihren Namen hörte. Noch beunruhigender war das darauf folgende bedeutungsvolle Schweigen.

Sie war während ihres Aufenthalts im Resort bereits mehrfach Zeuge gewesen, wie die beiden sich küssten. Ihnen zuzuschauen war beinahe so, als hätte man Sex. Sie waren ein ungleiches Paar, und der Gegensatz zwischen ihnen war verblüffend. Drew war muskulös, sonnengebräunt und hatte akkurat geschnittenes, glattes schwarzes Haar, während seine Geliebte, die präraffaelitische Liebesgöttin, eine schlanke und doch kurvenreiche Figur, milchig-weiße Haut und hüftlanges, welliges rotes Haar hatte.

Alexa stellte sich vor, wie die nackte Beatrice, vom Schlaf noch ganz erhitzt, sich ihm entgegenbäumte. Sie presste ihre wohlgeformten Lippen leidenschaftlich und zärtlich auf Drews Mund. Mit den Fingerspitzen streichelte sie seinen Körper und ließ dabei keine Stelle aus. Vielleicht liebkoste sie sogar seinen Schwanz. Alexa hatte gestern am Pool gesehen, wie Beatrice ihren Begleiter in aller Öffentlichkeit gestreichelt hatte, und das hatte sie erregt. Drews Verlegenheit hatte sie noch mehr angemacht, und das galt auch für seine nicht zu übersehende Erektion. Dabei hatte sie sich zu dem Zeitpunkt noch gar nicht den Kopf angeschlagen gehabt.

Würde Beatrice nun Drews Hand ergreifen und sie sich auf die nackte Haut legen? Alexa meinte vor sich zu sehen, wie sich die langen cremeweißen Schenkel für die lustvolle Berührung ihres Geliebten öffneten. Drews Hände waren zärtlich, aber kräftig – er hatte Alexa erzählt, er sei ausgebildeter Masseur. Sie stellte sich vor, wie er mit dem Daumen über Beatrices Kitzler fuhr, dann verspürte sie auf einmal selbst einen intimen Kitzel.

«Oh …», stöhnte sie auf; der köstliche Kaffee war auf einmal vergessen. Das Feuer, das beim Aufwachen in ihr gebrannt hatte, war neu entfacht worden und loderte allenfalls noch stärker als zuvor. Ihre dünnen Jersey-Shorts – jetzt erst wurde ihr bewusst, dass sie sie deshalb ausgewählt hatte, weil sie hauteng waren und ihre Figur betonten – waren nach oben gerutscht und schnitten in ihre Spalte. Es wäre ein Kinderspiel gewesen, die Sitzhaltung ein wenig zu verändern und den Stoffkeil dazu zu benutzen, sich –

«Hallo, Alexa. Ein schöner Morgen, findest du nicht auch?»

Sie schreckte zusammen, und der damit einhergehende Ruck hätte beinahe die gewünschte Wirkung erzielt. Da ihr Geschlecht unter Spannung stand und sie Angst hatte, Drew könnte merken, dass sie sich hatte befriedigen wollen, richtete Alexa sich ganz behutsam auf und blickte in seine von einer modischen Sonnenbrille verdeckten Augen.

«S-stimmt», murmelte sie, sich ihrer eigenen Verlegenheit und Drews frischgewaschener, schimmernder Beinahe-Nacktheit überdeutlich bewusst. «Wirklich ein schöner Morgen. Wunderschön.»

«Darf ich mich zu dir setzen?», fragte er mit einem sehnsüchtigen Blick auf ihren Kaffee. «Du weißt ja, wie Beatrice ist. Sie steht erst mittags auf, und gegen ein wenig Gesellschaft hätte ich ehrlich gesagt nichts einzuwenden.»

«Oh. Bitte, nimm doch Platz», sagte Alexa und wünschte, sie hätte etwas weniger begehrlich geklungen. Aber er war einfach eine Augenweide, und mit ihren geschärften Sinnen vermochte sie dies viel besser zu würdigen als zuvor.

«Danke, du bist ein Schatz», murmelte Drew, nahm

die zweite Tasse vom Tablett und schenkte sich einen dampfenden schwarzen Kaffee ein. Alexa rutschte verräterisch auf dem Stuhl hin und her; beinahe hätte ihr erregter Körper laut nach seinem gerufen.

Drew Kendrick, bekleidet mit nichts weiter als einer himmelblauen Badehose, sah heute eher noch besser aus als sonst. Ihn so diskret wie möglich musternd, fragte sich Alexa, ob der dunkle Karamellton seiner Haut von einer Sonnenbank herrührte oder ob er Beatrice häufiger in die Tropen begleitete. Jedenfalls war er mit seiner bronzefarbenen Haut ein echter Hingucker.

Auch diesmal wieder wandte Alexas Interesse sich seiner Männlichkeit zu. Die Lycrabadehose war hell und dünn, und sie machte sich voller Erschrecken und auch Entzücken klar, dass sie den Umriss seines Glieds erkennen konnte. Es war so groß, so kräftig und wunderschön wie alles andere an ihm. Kein Wunder, dass Beatrice nachts so laut stöhnte.

Alexa schlug die Hände vors Gesicht und wandte sich errötend ab. Schon wieder diese verflixten Gedanken. Das Blut rauschte in ihren Adern, und ihr Verstand spielte ihr obszöne Streiche. Es war beinahe so, als führte ihr Zusatzsinn jetzt ein Eigenleben. Sie spürte, wie er sich gegen seine Grenzen aufbäumte und sich bemühte, sich auszudehnen und Drews geheime sexuelle Gedanken zu erfassen. Unwillkürlich versuchte sie herauszufinden, ob er sie begehrte; im nächsten Moment wollte sie auch schon, dass es so wäre, und stellte sich vor, dass er statt Beatrice sie selbst streichelte.

«Ist alles in Ordnung mit dir?», unterbrach Drew nichts ahnend ihren Dämmerzustand. «Du wirkst ein bisschen erhitzt. Soll ich Bea holen, damit sie dich mal untersucht? Vielleicht leidest du ja noch immer unter den Nachwirkungen des Sturzes.»

«Nein, danke. Ich fühle mich gut, wirklich. Ich habe nur schlecht geschlafen, das ist alles.» Ja, ich hatte die halbe Nacht über das Gefühl, ich hätte einen Eispickel im Schädel, und seit dem Aufwachen denke ich an nichts anderes als an wilden Sex!

«Meinst du wirklich?» Drew kniff die grauen Augen zusammen, dann rückte er die Sonnenbrille zurecht, was er anscheinend häufiger tat, wenn er nachdachte.

«Ja, es ist alles in Ordnung. Ich bin nur ein bisschen verspannt. Das wird bald vergehen. Schließlich kann man sich nirgendwo so gut entspannen wie hier, nicht wahr?» Sie vollführte mit der Hand eine ausladende Geste über die Fünf-Sterne-Anlage und die paradiesische Insellandschaft.

«Lass dich von mir massieren», meinte Drew unvermittelt und sprang mit einer geschmeidigen Bewegung auf. «Du weißt ja, ich bin Masseur. Das wird dich garantiert entspannen.»

Sein schelmischer Gesichtsausdruck schien zu sagen, dass es bei der Entspannung nicht bleiben würde, und Alexa vermutete, dass er das wohl ebenfalls garantieren konnte.

Sie schluckte, denn sie hatte die versteckte Andeutung verstanden, argwöhnte aber, sie habe es sich lediglich eingebildet. Toms Bild trat ihr vor Augen, dann war sie auch schon aufgestanden und blickte ins kühle Innere der Cabana. Da Beatrice nebenan schlummerte, würde es sich dort drinnen abspielen müssen.

«Ja, gern», sagte sie im vollen Bewusstsein der Folgen. Die Erregung strömte wie ein Voodootrank durch ihre Adern. «Soll ich mich» – sie stockte, ganz gefesselt von Drews männlichem Körper, der leicht vorgeneigt vor ihr stand – «vielleicht hinlegen?»

«Bleib hier», sagte Drew befehlend. Seine feste Stimme und sein entschlossenes Auftreten ließen erkennen, dass er bisweilen gegen seine dominante Geliebte aufbegehrte. Dann wandte er sich mit einem flüchtigen Lächeln ab und ging zu seiner Cabana zurück, wobei er Alexa freie Sicht auf seinen knackigen Hintern gewährte, der sich kraftvoll unter dem dünnen Nylongewebe bewegte.

Ich muss wirklich verrückt geworden sein, dachte Alexa. Ganz eindeutig. Sie fühlte sich verloren auf der gefliesten Veranda, verwirrt und ungeduldig. Ich begehre diesen Mann, und ich werde ihn auch bekommen. Ich werde mich von ihm am ganzen Körper berühren lassen – und das wird längst noch nicht alles sein. Weshalb kann ich nicht damit aufhören und an Tom denken?

Zum Teufel mit Tom!, sagte eine lüsterne Stimme in ihrem Kopf, als Drew um den Windschutz herumtrat. Er hatte sich eine dicke, zusammengerollte Matte unter den Arm geklemmt und lässig einen Jutebeutel geschultert.

«Komm her», kommandierte er. «Ich werde dich hier beim Windschutz massieren. Auf diese Weise sind wir im Freien, aber vor fremden Blicken geschützt.»

«Im Freien?»

«Ja, warum nicht?» Seine Augen und seine weißen Zähne blitzten. «Eine Massage in der frischen Luft ist besonders wohltuend. Die milden Lüfte an der Haut und so weiter. Zumal in diesem Klima.» Er wies mit dem Kinn auf die ausgewählte Stelle zwischen den beiden Cabanas, gleich neben dem durchbrochenen Windschutz aus weißen Ziegeln. «Du hast doch nicht etwa Angst vor mir, Alexa?»

Die Frage hätte auch Beatrice stellen können, und das machte Alexa Mut. «Überhaupt nicht», erwiderte sie mit einem, wie sie hoffte, nonchalanten Lächeln. «Ich freue mich drauf. Fangen wir an!»

«Mit Vergnügen.» Er breitete schwungvoll die Matte aus, dann musterte er Alexa forschend. «Du musst dich aber ausziehen, weißt du», sagte er, die Andeutung eines Lächelns um die Lippen – als bemühte er sich vergeblich, sachlich zu bleiben.

«Ich weiß», sagte Alexa forsch, doch ihre Nerven vibrierten, denn jetzt wurde es ernst, und sie musste sich entblößen.

Du hast es so gewollt, dachte sie und streifte vor Drews Augen das T-Shirt ab. Ist ja eigentlich nicht viel anders, als wenn man einen knappen Bikini tragen würde. Es ist sogar aufrichtiger. Natürlicher. Trotzdem nestelte sie eine Weile an dem winzigen BH-Verschluss herum. Dabei wurde ihr ganz heiß. Sie spürte, dass Drew sie provozierte und zwingen wollte, Farbe zu bekennen. Du traust dich nicht, hab ich recht?, meinte sie seine Stimme in ihrem Kopf zu vernehmen.

«Lass mich das machen», sagte er freundlich, trat hinter sie und machte sich energisch an dem Verschluss zu schaffen. Alexa atmete scharf ein, als der BH sich von ihren Brüsten löste; ihre Brustwarzen hatten sich unübersehbar versteift, pralle Knospen inmitten der rosigen, dunklen Kreise. Sie erwartete, dass Drew um sie herumlangen und sie berühren würde, doch stattdessen trat er wieder vor sie hin.

«Und der Rest?», fragte er mit herausfordernd schief gelegtem Kopf.

Ich muss! Ich muss!, dachte Alexa, ohne sich zu rühren.

«Würde es dir leichter fallen, wenn ich ebenfalls nackt wäre?», schlug er vor. Sein Lächeln vertiefte sich, ein weißes Killerlächeln. Als Alexa schwieg – sie brachte einfach kein Wort heraus –, fasste er dies als Zustimmung auf und schob die Daumen unter den Bund der Badehose.

Plötzlich hatte Alexa das eigenartige Gefühl, ihr Blick verhalte sich wie ein computerisiertes Zielerfassungssystem. Er fand ins Schwarze, ein besseres Wort gab es nicht dafür, und auf einmal befand sich Drews Geschlecht im Zentrum des Fadenkreuzes.

Wie alles an ihm war auch sein Schwanz beeindruckend. Lang, dick und fleischig, nicht ganz erigiert, nur leicht angeschwollen. Er war eindeutig erregt, sich seines Zustands aber entweder nicht bewusst oder auch daran gewöhnt. Alexa hatte einen trockenen Mund. Sie fragte sich, wie er bei seinem Beruf wohl die Distanz wahrte. Schließlich hatte er vermutlich jeden Tag nackte Frauen unter den Händen, und die Hübschen mussten auch eine Wirkung auf ihn haben.

«Siehst du, es tut gar nicht weh», scherzte er, dann streifte er mit einer schnellen, anmutigen Bewegung die Badehose ganz ab und schleuderte sie mit dem Fuß beiseite. «Und jetzt du», sagte er, dann hielt er inne; es sah beinahe so aus, als posierte er. Beinahe, aber nicht ganz. «Keine Sorge, Alex, mit Frauenkörpern kenne ich mich aus. Du hast nichts, was ich nicht bereits gesehen oder berührt hätte.»

«Dann ist es ja gut», entgegnete sie scharf, streifte zusammen mit den Shorts gleichzeitig auch den Slip ab und stieg unbeholfen heraus. «Jetzt, da ich weiß, dass meine Allerweltsfigur dich nicht weiter beeindruckt, fühle ich mich gleich viel besser!»

«Das habe ich nicht gesagt», brummte Drew, bückte sich, hob ihre Sachen auf und warf sie zu seiner Badehose. «Deine Figur macht einen mächtigen Eindruck auf mich. Und zwar schon die ganze Zeit.» Er warf einen Blick auf sein anschwellendes Geschlecht, dann grinste er entschuldigend oder verlegen.

Alexa tat so, als merke sie nicht, was vor sich ging, doch das war ein nahezu aussichtsloses Unterfangen. Sie stand splitternackt vor dem attraktivsten Mann der ganzen Insel, der – von der Sonnenbrille einmal abgesehen – ebenfalls nackt war und einen starken Eindruck auf ihr bereits überreiztes Geschlecht machte. Es war, als hätte er sie gestreichelt, noch ehe die Massage überhaupt begonnen hatte.

Er begehrt mich ebenfalls, dachte Alexa, als sie sich zögernd der Matte näherte und überlegte, wie sie sich auf die anmutigste Weise hinlegen könnte. Selbst wenn sein sich versteifender Penis vor ihren Blicken verborgen gewesen wäre, hätte sie sein Verlangen so deutlich gespürt wie ein Detektor Röntgenstrahlen. Hier gab es keine Zweifel, die sie sonst immer plagten, nach dem Motto «Ist er's oder nicht?» und «Tut er's oder nicht?». Sie wusste mit absoluter Gewissheit, dass Drew mit ihr schlafen wollte. Sie meinte beinahe, die erotischen Phantasien zu sehen, die in seinem Kopf abliefen und die er wahr zu machen gedachte.

Wortlos reichte er ihr wie ein splitternackter Kavalier die Hand und half ihr galant, sich auf der Matte niederzulassen. Alexa legte sich auf den Bauch; teilweise deshalb, weil ihr diese Lage für eine Massage am besten geeignet schien, vor allem aber deshalb, weil sie so ein wenig mehr von sich verstecken konnte. Ihre Nippel waren so hart, dass es schon peinlich war. Drew bedurfte keiner übersinnlichen Kräfte, um zu erkennen, dass sie erregt war; ihr Körper verlangte dringend nach der Massage.

Reglos daliegend und so verspannt, wie sie ihm gegenüber behauptet hatte, lauschte Alexa auf Drews Vorbereitungen. Sie hörte, wie er etwas aus seinem Jutebeutel nahm, dann wurden die Gegenstände nacheinander auf den Fliesen abgestellt.

«Ich binde dir das Haar zusammen, damit es nicht mit dem Öl in Berührung kommt», erklärte er.

Alexa war froh, dass er sie vorgewarnt hatte, denn sonst wäre sie bestimmt zusammengezuckt. Trotzdem zitterte sie ganz leicht, und sie konnte nur hoffen, dass Drew davon nichts mitbekam. Seine Berührung war seltsam unpersönlich, und kurz darauf hatte sie einen kleinen Pferdeschwanz.

Als sie sich vorzustellen versuchte, was Drew vor sich sah, wünschte Alexa auf einmal, sie hätte eine andere Frisur gehabt. Unverwechselbarer vielleicht … Bis gerade eben war sie mit ihrer mittleren Haarlänge eigentlich ganz zufrieden gewesen. Jetzt kam der Haarschnitt ihr einfallslos und gewöhnlich vor. Die Farbe ging in Ordnung – tiefschwarz, genau wie Drews Haar –, doch es ärgerte sie, dass sie nicht mehr daraus gemacht hatte. Einen Moment lang wünschte sie, sie hätte Beatrices Haar gehabt – eine hüftlange Mähne, die sich wellte wie ein Seidenumhang –, dann erwog sie stattdessen einen ganz kurzen Schnitt. Sie stellte sich einen frechen Bürstenschnitt vor, der gut mit ihren natürlichen Locken harmonieren würde.

Drews Haar, dachte sie träumerisch, wirkt ebenso perfekt und gesund wie alles an ihm. Dicht, glatt und glänzend, neigt es dazu, ihm als Schmachttolle in die Stirn zu fallen. Tut es das auch jetzt?, überlegte sie, als er sich über sie beugte und ihren nackten Körper musterte.

«Ich fasse dich jetzt an», warnte er sie vor, brachte sie aber trotzdem zum Zittern. Als seine Finger sie im Nacken berührten, wäre sie beinahe aus der Haut gefahren. «Entspann dich, Alex, lass einfach los», brummte er und ließ die Daumen über ihr Rückgrat kreisen. «Warum bist du so verspannt? Du bist im Urlaub. Der Sonnenschein sollte dich eigentlich entspannt und locker machen.»

«Manche Menschen werden einfach nicht entspannt», erwiderte sie sarkastisch, um eine unpersönliche Antwort bemüht. Drews Hände waren gleichzeitig kräftig und federleicht, und von der Berührung prickelte ihr die Haut. Er walkte ihre Schulterblätter, und obwohl das eigentlich ganz harmlos war, schossen die Empfindungen geradewegs in ihr Geschlecht. Beinahe hätte sie vor Verlangen aufgekeucht, als er mit einem ungeduldigen Brummen den Schenkel über sie hinweghob und sich rittlings auf sie setzte.

«Du bist so verkrampft, Alex, ich brauche einen besseren Halt», meinte er zur Erklärung, während sein Penis ihre Pofalte streifte. Während sich sein harter Schwanz in die Pofalte schob …

«Du musst mir helfen, weißt du», fuhr er fort, als wären sein Ständer und dessen Ruheort nicht weiter beachtenswert. «Du musst loslassen und aufhören, dich gegen mich zu wehren. Entspann die Muskeln und sag mir Bescheid, wenn es sich gut anfühlt.» Er hatte sich wieder den Halsmuskeln zugewandt und bearbeitete die verspannten Knoten energisch mit den Fingerspitzen.

Es fühlt sich jetzt schon gut an!, dachte sie leidenschaftlich und spannte unwillkürlich den Po an. Ob er merkt, dass ich ihn packe?, überlegte sie, nahm aber keine Veränderung im Massagerhythmus wahr.

«Alexa?», sagte er, hob ihren Arm an und schüttelte ihn sanft.

«Hör mal», keuchte sie, als er auf eine Stelle an der Innenseite des Ellbogens drückte, von der sie gar nicht gewusst hatte, wie empfindsam sie war. «Das ist deine Aufgabe, Herr Masseur. Merkst du nicht selbst, ob du's richtig machst?»

«Doch, schon», sagte er und drückte erneut zu, was sie aufstöhnen ließ. «Aber es ist viel einfacher, wenn ich ein Feedback bekomme.»

«Besser für wen?»

Darüber musste Drew lachen. Er rutschte an ihr herunter, wobei sein wippender Penis seidenweich über ihren Schenkel streifte. Alexa spürte, dass etwas Warmes auf ihre Haut tropfte, und Öl war es nicht, denn bislang hatte er lediglich ihre Schultern eingeölt.

Er ging in die Hocke, sein Hintern über ihren Fersen. Alexa spürte, dass seine festen, leicht behaarten Eier gegen ihre Knöchel drückten.

Er massierte sie jetzt energischer und weit intimer als zuvor. Er grub die Daumen in die Muskeln ihrer Pobacken und knetete sie systematisch durch. Er langte so fest zu, dass es eigentlich hätte wehtun müssen, doch er war dabei so geschickt, auf beinahe unheimliche Weise im Einklang mit ihrer Anatomie, dass der Druck kaum zu spüren war. Sie wand sich und stöhnte vor Behagen, als er die Pofalte dehnte, dann ärgerte sie sich, dass sie ihre Empfindungen so freimütig preisgab.

«Gut, hm?», meinte Drew, dessen warmer, frischer Atem auf einmal über ihren Rücken strich. «Willst du mehr? Sag es mir, Alexa. Na los, sag es schon.»

«Ja. Nein. Ich weiß nicht!», keuchte sie und erschrak, als er seine Hände auf einmal von ihrem Po nahm. «Du redest schon wieder mit mir. Du verwirrst mich.» Sie spürte, dass Drew abermals die Haltung veränderte. Geschmeidig beugte er sich vor und schob ihr die eingeölte Hand unter die Rippen. Mit einer geschickten, lässigen Bewegung drehte er sie auf den Rücken und brachte sie in Position wie ein Koch ein zartes Filet.

«Möchtest du nicht reden?», fragte er und machte mit Finger und Daumen eine Geste, als verschließe er seinen Mund.

«Ich bin es nicht gewohnt, mich in einer solchen Lage zu unterhalten», entgegnete sie und musste sich beherrschen, um nicht ihre Brüste und ihre Scham zu bedecken.

«Also, ich zu Anfang auch nicht.» Drew wandte sich ab und spannte Rücken- und Schultermuskeln an, als er sich Öl auf die Hände goss. «Aber Beatrice will es so. Sie redet ständig. Zumal beim Sex. Sie flüstert mir ins Ohr, verlangt dies und jenes … und macht mich mit allerlei Versprechungen heiß.» Er grinste, dann bog er seine langen, sich verjüngenden Finger und zog daran. «Sie schmeichelt, sie lobt, sie sagt mir, was ich tun soll.»

«Findest du das nicht ablenkend?» Alexas Stimme klang leise und ebenfalls abgelenkt.

«Manchmal schon», murmelte er und berührte sie wieder mit den Händen, «aber es gibt eine einfache Methode, sie zum Schweigen zu bringen.»

«Und die wäre?» Das Reden fiel ihr schwer, doch sie schaffte es.

«Überleg mal, Alex.» Drew lachte leise auf, und Alexa wurde bewusst, dass sich sein Ständer nicht zufällig an ihrem Schenkel rieb. Sie schloss die Augen und stellte sich die verstummte Beatrice vor, die makellosen roten Lippen fest um seine steife Rute geschlossen. Drew hatte die Hände um ihr Kinn gelegt, hielt sie fest und hatte endlich einmal die Oberhand.

Also, das würde ich gern mal sehen, dachte Alexa plötzlich. Sie hatte bereits vermutet, dass die fabelhafte Beatrice sich nur ungern unterwarf, und am wenigsten diesem Prachtexemplar von einem Mann, dessen Aufgabe es war, sie zu verwöhnen.

Drew hörte plötzlich auf, ihre Schultern zu massieren, und fuhr ihr mit den Fingerspitzen über die Stirn. Unwillkürlich öffnete sie die Augen, dann schnappte sie nach Luft. Sein Gesicht war nur eine Handbreit von ihrem entfernt; sein Atem ging so leicht, dass sie ihn nicht gespürt hatte, und seine Augen glänzten hinter der Sonnenbrille wie polierter Schiefer.

«Weshalb wehrst du dich gegen mich?», fragte er. Alexa nahm den frischen Minzegeruch seiner Zahnpasta wahr. «Hast du Kopfschmerzen? Ist es wegen deines Freundes? Oder liegt es an mir?»

«Nein!»

«Nein, was heißt das?», hakte er nach und neigte den Kopf, wobei sich sein Körper leicht an ihr bewegte. Er hatte inzwischen eine ausgewachsene Erektion, und Alexa, die seinem Blick noch immer auswich, starrte sie zu ihrem Schreck zwischen ihren Bäuchen hinweg an.

Eins musste sie Drew lassen; er sagte kein Wort und verzog nicht mal die Miene, obwohl ihre Musterung ihm anscheinend behagte, denn sein Glied zuckte.

«Nein, ich habe keine Kopfschmerzen», antwortete sie leise, sich deutlich bewusst, dass er ihren Mund betrachtete und sich wohl fragte, ob sie ihn ebenso geschickt zu gebrauchen verstand wie Beatrice.

«Dann wegen deines Freundes? Er wird doch wohl nichts dagegen haben, dass du dich einer therapeutischen Massage unterziehst?»

«Keine Ahnung. Ich glaube nicht. Er lässt mir so ziemlich alle Freiheiten.»

«Hmmm ...» Drew ließ sich das ernsthaft durch den Kopf gehen, die leichtgeöffneten Lippen nur Zentimeter von ihrem Gesicht entfernt. «Dann liegt es also an mir?»

Alexa wollte abermals den Blick abwenden, doch obwohl er sie losgelassen und die Hände neben ihrem Kopf auf der Matte liegen hatte, gelang es ihr nicht.

«Ja! Ja, es liegt an dir!», sagte sie streitlustig, mehr gegen sich selbst aufbegehrend als gegen ihn. Sie begehrte ihn mit Haut und Haar, doch ihr Stolz ließ nicht zu, dass sie es ihm leicht machte. «Als Erstes hör auf, mich zuzuquatschen, während du so intime Dinge mit mir anstellst, und zweitens hör auf, mich anzustarren! Das ist alles zu viel für mich, Drew, ich bin das nicht gewohnt.»

Sie spürte, dass er sich Gedanken über ihr Sexleben machte. Sie hätte ihm gern gesagt, er solle sich um seinen eigenen Kram kümmern, aber dann hätte sie ihm verraten, dass sie seine Gedanken «lesen» konnte. Dabei verstand sie ihre neue Gabe selbst nicht, geschweige denn, dass sie sie einem Mann hätte beschreiben können.

Als sich sein Mund vor ihrem Gesicht bewegte, spannte sie sich an, denn sie rechnete mit einer Bemerkung zu Tom, doch Drew sagte nur: «Möchtest du, dass ich die Sonnenbrille abnehme?»

«Kannst du ohne nichts sehen?», sprach sie den ersten Gedanken aus, der ihr in den Sinn kam.

«Doch, sogar sehr gut», antwortete er ohne Zögern.

«Warum zum Teufel trägst du sie dann?», sagte sie und wand sich unter ihm, wobei sie spürte, wie sein Schwanz an ihr scheuerte und warme Flüssigkeit heraustropfte.

«In der vergeblichen Hoffnung, dass mich die Leute dann ernst nehmen», antwortete er durchaus ernsthaft. Als er den Oberkörper noch etwas mehr nach vorn beugte, schienen seine grauen Augen hinter den dunklen Gläsern zu leuchten. «Ach, ich weiß schon, was du denkst. Du glaubst, ich wäre Beatrices Spielzeug. Ein Körper ohne Hirn.» Das sagte er mit einiger Heftigkeit, setzte sich unvermittelt auf, nahm die Sonnenbrille ab und schleuderte sie ohne Rücksicht auf das teure Designergestell und die empfindlichen Gläser von sich, sodass sie über die Fliesen schlitterte.

Auf einmal wirkte er bedrückt und nachdenklich. Sein Ernst stand in krassem Gegensatz zu seinem zuckenden Ständer, der sich immer noch in voller Pracht aufbäumte.

«Bist du das?», fragte Alexa, die das Geheimnis des seltsamen, aber attraktiven Paares lüften wollte, das für ihren Urlaub bereits eine solche Bedeutung gewonnen hatte. «Bist du Beatrices Spielzeug?»

«Manchmal schon», murmelte er zögerlich. Er legte die Hand demonstrativ auf seinen Schwanz und sagte: «Ich bin dafür qualifiziert.»

«Was meinst du mit ‹manchmal›?»

«Das heißt so viel wie ‹nicht immer›. Ich führe ein eigenes Leben. Ich treffe Entscheidungen.»

«Was für Entscheidungen?» Sie setzte ihm zu, und das war ihr bewusst.

«Tja.» Er zögerte wieder, dann beugte er sich erneut vor, stützte den Kopf auf die Hände und sah sie an. Jetzt, ohne die Sonnenbrille, bemerkte sie erst, wie hell seine Augen waren. «Wenn ich will, kann ich Sex mit dir haben.»

«Ist das schon ausgemachte Sache, du arrogantes Schwein?» Alexa schlug um sich, doch das brachte nicht viel, da sein Gewicht – und sein Penis – auf ihr lasteten.

Ohne ihren Protest zu beachten, sah Drew ihr unverwandt in die Augen, die geraden schwarzen Brauen fragend erhoben. «Was ist mit dir, Alex?», flüsterte er. «Triffst du Entscheidungen? Und wenn ja, wofür entscheidest du dich?»

Es war ein bedeutsamer Moment, doch Alexas Körper hatte bereits seine Wahl getroffen. Mit einem Laut, der ein halbes Seufzen und ein halbes Knurren war und sie selbst überraschte, hob sie die Arme und schlang sie um Drews schwitzenden Rücken.

«Ich schließe mich deiner Entscheidung an», sagte

sie, drückte ihre Lippen auf die seinen und nahm sein leises, triumphierendes Lachen in ihrem Mund auf.

Als er seine Zunge zwischen ihre Zähne gleiten ließ und sie forschend und unverfroren bewegte, weckte er damit alle möglichen dunklen Phantasien.

Alle erotischen Vorstellungen, die ihr Aufwachen begleitet hatten, stürzten wieder auf sie ein. Der Mann über ihr nahm die verschiedensten Rollen an, nicht nur die eines neuen, unverschämten, aber im Grunde freundlichen Geliebten. Außerdem sah sie einen Mann mit einer schwarzen Maske, der sie lüstern betrachtete, während er sie befingerte. Dann wurde sie von demselben Mann leidenschaftlich gefickt, während die barbusige Beatrice ihr zusah. Die Ärztin gaffte und gaffte – während sie ihrerseits Sex hatte. Eine junge Frau mit Lederkapuze saugte an dem einen Nippel und drehte den anderen zwischen den Fingern.

Das alles war bizarr und traumähnlich, doch unvermittelt kehrte Alexa wieder in die Wirklichkeit zurück. Drew hatte die Haltung verändert, ihr eine Hand zwischen die Schenkel geschoben und ihr Geschlecht berührt. Im nächsten Moment streichelte er auch schon ganz behutsam ihren Kitzler, genau, wie sie es sich vorgestellt hatte – es fühlte sich an, als werde sie vom Flügel eines Schmetterlings gestreift.

Sie stöhnte, und er gab einen Antwortlaut von sich, der in ihrem Mund und ihrem Geist widerzuhallen schien. Seine Fingerspitze schwebte weiter, dann tanzte sie in ihre Feuchte hinunter, während er seine Lippen von ihrem Mund löste.

«Ja», sagte er mit tiefer, selbstgefälliger Stimme. «Du hast deine Wahl getroffen, stimmt's? Jedenfalls dein

Körper. Du bist sehr feucht, Alex. Und das nur meinetwegen.»

«Bekommst du das alles auch von ihr?», wollte Alexa wissen. Ihre Stimme zitterte, ihre Beine bebten, und ihre Pobacken schlugen gegen die Matte. Er hatte seinen langen Zeigefinger in sie hineingeschoben.

«Was meinst du?», erwiderte er grinsend, während er den Finger langsam hin- und herbewegte. «Das hier?» Er zog den feuchtglänzenden Finger heraus und hielt ihn ihr vors Gesicht, so dicht, dass sie beinahe ihren eigenen Saft schmecken konnte.

«Nein!», seufzte sie, als er ihr den Finger mit frappierender Wirkung wieder hineinsteckte. «Nicht das … Du bist so … so verdammt clever. So hämisch. Ach, Gott!» Sein Daumen senkte sich auf den Kitzler, und augenblicklich begann er zu pulsieren und sich zusammenzuziehen. Ihre Möse umschloss ihn und pochte im Rhythmus ihres Herzschlags.

«Beatrice ist eine gute Lehrerin», flüsterte er, während er mit den Lippen über ihren Hals streifte. «Manchmal ist es schwer, ihr nicht nachzueifern.»

Alexa hörte nicht mehr zu. Ihre Lenden waren in Auflösung begriffen. Ihr Mund stand offen, sie keuchte. Sie brauchte Luft, Sauerstoff zum Atmen, doch der wurde verzehrt von den Flammen zwischen ihren Beinen.

«Bitte», flüsterte sie, als Drew den Finger aus ihr herauszog, dann stöhnte sie bedauernd auf.

«Dein Wunsch», ächzte er, während er an der weichen Stelle zwischen Hals und Schulter knabberte und seinen Schwanz in sie hineingleiten ließ, «ist mir Befehl.» Er ließ die Hüften kreisen, um seine Rute vollständig in ihr zu versenken.

Alexa kam nicht gleich, obwohl es sie nicht gewundert hätte. Sie verweilte ganz kurz vor dem Höhepunkt, ihr Kitzler bebte, während sie mit Hilfe ihrer gesteigerten Wahrnehmung Drews Empfindungen erkundete. Mit jedem seiner Stöße, die in einem faszinierenden Rhythmus aufeinanderfolgten, empfand sie doppelte Lust. Er war pure Kraft – dominant, bestimmend –, und sie gab sich seiner Erfahrung hin.

Dieser transzendente Zustand währte jedoch nur kurz, und als sich am Rande ihres Bewusstseins ein neuer Orgasmus aufbaute, schlüpfte Alexa wieder machtvoll in ihren eigenen Körper. Sie spürte, wie sie gedehnt wurde, wie er in sie stieß, sie öffnete; die Bewegungen seines Schwanzes übertrugen sich auf ihren Kitzler. Mit einem Aufstöhnen der Befriedigung und des reinen, unkomplizierten Glücks bäumte sie sich auf, um ihn noch tiefer in sich aufzunehmen. Drew wiederum suchte nach einer geheimen, empfindlichen Stelle in der Tiefe ihres Körpers; er suchte, suchte und suchte, und als er sie gefunden hatte, schrie er triumphierend auf …

Sie fest umklammernd, kam er unter lautem Stöhnen, während sein Schwanz leidenschaftlich zuckte und bebte.

Jetzt ist es passiert, dachte Alexa, als Drew sich von ihr hinunterrollte und sie sich an ihn kuschelte, als wären sie schon lange ein Liebespaar.

Ich habe es getan … Aber warum habe ich dann keine Schuldgefühle?

Du Schuft! Du solltest es nicht so genießen!, dachte die rothaarige Frau, die sich hinter dem Windschutz versteckt hatte. Ihren üppigen Körper bedeckte ein weicher sandfarbener Morgenrock aus Baumwolle, während sie ansonsten leuchtend bunte Kleidung bevorzugte. Aber grelle Farben waren beim Spionieren eher hinderlich …

Ach, Drew, mein Liebster, wie fühlt sich das für dich an?, fragte sich Beatrice, als sie beobachtete, wie seine festen, muskulösen Hinterbacken sich anspannten, während er in die junge Frau hineinstieß.

Es war nicht das erste Mal, dass Beatrice sich Gedanken darüber machte, wie es sich für einen Mann wohl anfühlen mochte, und sie sich, angestachelt von ihrer leidenschaftlichen Neugier, wünschte, für einen Tag das Geschlecht wechseln zu können. Länger würde sie nicht brauchen, denn mit ihrem Frausein war sie durchaus zufrieden – außerdem hegte sie die Vermutung, dass Männer, selbst wenn sie noch so gut ausgestattet waren, die Gipfel der Lust, die Frauen erreichbar waren, niemals erklimmen würden.

Ohne in ihrer Bewunderung für Drews Anmut und Kraft nachzulassen, richtete sie ihre Aufmerksamkeit nun auf die unter ihm liegende junge Frau, auf ihre neue Freundin, die sie ihm von Anfang an zugedacht hatte.

Du bist schon ein Goldstück, meine Liebe, dachte sie freundlich. Ein leuchtender Stern, nur ahnst du davon nichts.

Alexa Lavelle war Beatrice, die sehr empfänglich für Schönheit war, bereits am Tag ihrer Ankunft aufgefallen. Die junge Frau verfügte über gewisse Eigenschaften, die geradezu schmerzlich in die Augen sprangen. Alexa war verletzlich, ein wenig unsicher, hatte aber gleichwohl etwas Herausforderndes, Wildes an sich.

Eine Art unterdrückten Mutwillen, der hin und wieder aufflammte und Unheil anrichtete.

Aber sehr stark unterdrückt ist er nicht, hab ich recht, Süße?, überlegte Beatrice. Schließlich war Alexa ohne ihren Verlobten nach Barbados gekommen und hatte unbekümmert viel Geld ausgegeben.

Gut gemacht, Schwester, beglückwünschte Beatrice sie insgeheim. Sie hatte noch nie viel von Selbstbeschränkung gehalten, und das galt am wenigsten fürs Geld, wenngleich sie sich in dieser Hinsicht keine Sorgen zu machen brauchte. Mit ihrer Praxis und dank gewisser Beziehungen zu ehemaligen Patienten verdiente sie mehr als genug.

Wir haben viel gemeinsam, Alexa, sagte sie im Stillen zu der jungen Frau, die hinter dem Windschutz stöhnte. Zum Beispiel mögen wir beide Drew.

Beatrice beobachtete aus der Nähe, wie die junge Frau im Orgasmus mit den bebenden Beinen ausschlug. Drews heißer Schwanz steckte bestimmt ganz tief in ihr und dehnte und liebkoste sie. Beatrice erschauerte, als sie sich ihre Empfindungen vom Morgen vergegenwärtigte, als sie Drew mit einem Kuss und einer tastenden Berührung geweckt und ihm Obszönitäten ins Ohr geflüstert hatte. Ihr allzeit bereiter junger Hengst war augenblicklich in Erregung geraten und hatte seinen Schwanz kurz darauf dort untergebracht, wo es guttat.

Und dort ist er auch jetzt wieder, nicht wahr, meine Lieben?, dachte Beatrice und tastete nach ihrem Geschlecht, als Alexa die Fingernägel in Drews Rücken grub. Ohne zu zögern, schlug Beatrice den weiten Morgenrock auseinander und presste den Handballen gegen ihre Scham.

O ja, Alexa, ja, formte sie mit dem Mund, die Lustschreie der jungen Frau lautlos erwidernd. In den dichten roten Locken ihres Buschs suchte Beatrice nach der verlangenden Knospe des Kitzlers. Dann machte sie sich mit der nagellackverzierten Spitze ihres Zeigefingers darüber her. Als sie darauf drückte, zuckte und bebte der bereits angeschwollene Knubbel und war schon nach der ersten lüsternen Berührung bereit. Ganz versunken in die Lust des Paares hinter dem Windschutz, spürte Beatrice, wie ihre Spalte im Rhythmus ihres Keuchens zuckte. Sie presste sich einen Fingerknöchel auf den Mund und lehnte sich gegen die Mauer. Als sie den Höhepunkt erreichte, bekam sie weiche Knie.

Von der Woge der Lust nahezu geblendet, blickte sie zum strahlend blauen Himmel hoch, der zwischen den Palmwedeln hindurchfunkelte. Weit oben in dem Blau kreiste eine Möwe; ihr dünner Schrei drang an ihr Ohr, als wäre sie gemeint.

Ach Gott, das ist das Paradies, dachte Beatrice, während die Morgensonne den neuen Tag segnete.

3. Kapitel ～ Die Rückkehr

London war ein großer Schock. Jedenfalls für jemanden, der sich auf Barbados entspannt hatte. Mit Sonne, Meer und gutem Sex … Vor allem mit Sex.

Während sie ihren Körper im Badezimmerspiegel prüfend musterte, stellte Alexa sich vor, wie Drew Kendricks braungebrannte Hände, die noch dunkler waren als ihre Haut, sie zärtlich streichelten. Sie meinte beinahe, seine Spuren zu sehen; Male, die sich von seinen wiederholten Liebkosungen eingebrannt hatten und sie als Ehebrecherin brandmarkten.

Aber kann man überhaupt von Ehebruch sprechen, wenn man unverheiratet ist?, überlegte sie, sich durchaus bewusst, dass sie Haarspalterei betrieb, um ihrer quälenden Gewissensbisse Herr zu werden. Sie hätte bereitwillig zugegeben, dass sie sich schuldig fühlte, doch insgeheim war ihr klar, dass dem nicht so war. Der Urlaub auf Barbados war wunderschön und befreiend gewesen – und Drew Kendrick mit seinem makellosen Körper und seinem großen, unermüdlichen Schwanz hatte dazu am meisten beigetragen.

Du darfst nicht mehr daran denken, nahm sie sich vor. Es war ein Flirt gewesen, ein Seitensprung, ein vorübergehender Rückschlag in ihrer Beziehung zu Thomas. Das Problem dabei war, dass ihr Körper Drews Zuwendungen noch immer vermisste.

Und es war nicht nur ihr Körper, der so allerlei vermisste. Als sie sich umdrehte, hätte es sie nicht gewundert, wenn Beatrice in bunten Gewändern herangerauscht wäre. Sie vermisste die verruchten, aufregenden Vertraulichkeiten ihrer neuen Freundin, ihre Bemerkungen über das Leben und die Menschen in ihrer Umgebung. Ohne die Aussicht, zusammen mit Beatrice in einer Bar zu sitzen und ihren hemmungslosen Spekulationen über die sexuellen Vorlieben der vorbeikommenden Passanten zu lauschen, kam ihr der Tag beinahe leer vor.

Den reizvollsten Aspekt dieses Spiels – den Umstand, dass sie aufgrund ihrer gesteigerten Wahrnehmungsfähigkeit Beatrices ungeheuerliche Vermutungen häufig bestätigen konnte – hatte Alexa der Ärztin gegenüber nie erwähnt. Wenn Beatrice meinte, das distinguierte Paar am Nachbartisch unterhalte eine zivilisierte SM-Beziehung, hatte Alexa auf einmal alles deutlich vor sich gesehen. Die Frau, eine magere Blondine, in einem der Cabanas des Hotels an ein Korbbett gefesselt; die sehnigen Beine weit gespreizt, die Knöchel mit Hermèstüchern an den Bettpfosten festgebunden. Ihr Partner und wohl auch Ehemann hockte neben ihr auf der Matratze und machte sich mit den Fingern grob an ihrem Geschlecht zu schaffen.

Ach Gott!, dachte Alexa, als sie unvermittelt in die Gegenwart zurückkehrte. Ihr Spiegelbild war verräterisch. Ihre honigfarbene Haut war gerötet und ihre Hand unwillkürlich zwischen ihre Beine gewandert. Sie hatte sich gerieben, ohne es zu merken.

«Lexie? Was machst du da drinnen? Willst du nicht ins Bett kommen?»

Sie zuckte zusammen. Sie wusste, sie musste schleunigst ins Schlafzimmer gehen, schreckte aber aus irgendeinem Grund davor zurück. Es war nicht so, dass sie sich nicht mehr zu ihm hingezogen gefühlt hätte; ganz im Gegenteil. Sie begehrte ihn wie eh und je, konnte aber nicht aufhören, an andere Männer zu denken, und zwar meistens an Unbekannte.

Außerdem spürte sie, dass Tom ihr gegenüber befangen war. Als sie ihn in der ersten Nacht nach ihrer Rückkehr von der Insel berühren wollte, war er zurückgezuckt, als sei ihre Haut elektrisch aufgeladen. Er hatte etwas von wegen «zu viel gearbeitet» gemurmelt, sich auf die Seite gedreht und war eingeschlafen. Danach hatte sich die fixe Idee entwickelt, sie sei irgendwie «gebrandmarkt». Strahlte sie etwas aus, das nur ein Mann wahrnehmen konnte? Eine Schwingung, die Tom verriet, dass sie untreu gewesen war? Sie war jetzt seit fast einer Woche wieder in London, und bis jetzt waren sie nicht dazu gekommen, miteinander zu schlafen. Sie hatte bei ihm nicht einmal Begehren wahrgenommen, während ihr Körper vor lauter Frust schon ganz verspannt war.

«Lexie?», fragte er erneut, was Alexa ärgerlich werden ließ. Was fiel ihm eigentlich ein, ungeduldig zu werden, wenn er sie nicht einmal begehrte? Sie beschloss, auf Biegen und Brechen eine Änderung herbeizuführen, und streckte die Hand zum Handtuchhalter aus. Darüber hing die Geheimwaffe in ihrem Kampf.

Den königsblauen Body hatte sie an dem Tag gekauft, als sie sich entschlossen hatte, Toms Verlobungsantrag anzunehmen; am Abend hatte sie selbst sich ihm darin zum Geschenk gemacht. Seitdem hatte sie die Reizwäsche nur zu besonderen Anlässen getragen, doch der Sex war jedes Mal unvergesslich gewesen.

Der Body hatte sie auch etwas über ihr Sexleben im Allgemeinen gelehrt. Sie wusste jetzt, dass ihr Verlobter nicht gern den ersten Schritt tat und dass sie die Initiative übernehmen musste, wollte sie Sex mit ihm haben.

Als der dünne Stoff über ihren Körper glitt, genoss sie dessen Kühle. Heute machte sich das tiefe Blau auf ihrer Haut besser denn je, doch sie vermochte nicht zu entscheiden, ob das am Barbadosbraun lag oder an den Veränderungen, die in ihrem Inneren stattgefunden hatten.

Sie zupfte den Body zurecht, dann drückte sie die Druckknöpfe zu und streifte mit den Fingern über ihren Schamhügel, was ihr in Erinnerung rief, wie nötig sie es hatte. Obwohl die Berührung federleicht gewesen war, fiel ihre Reaktion unerwartet heftig aus. Sie spürte, dass sie feucht wurde und sich ihre Schamlippen wie eine Blüte entfalteten. Wenn das so weiterging, würde der Body zwischen ihren Beinen feucht sein, bevor sie auch nur das Bett erreicht hätte.

Sie posierte erneut vor dem Spiegel. Nachdem sie eine Woche lang eher dem Sex als üppigen Speisen zugesprochen hatte, war ihre Figur noch besser geworden.

Außerdem wäre es falsche Bescheidenheit gewesen, wenn sie sich nicht eingestanden hätte, dass sie ein einnehmendes, sogar hübsches Gesicht hatte. Das Haar allerdings beeinträchtigte im Moment dessen Wirkung, und die wilden Locken missfielen ihr wie damals, als

Drew sie ihr zum Pferdeschwanz zusammengebunden hatte. Aus einem plötzlichen Impuls heraus nahm sie ein Haarband und ein paar Haarnadeln aus dem Toilettenschrank, dann stellte sie sich wieder vor den Spiegel. Sie kämmte sich das Haar mit den Fingern, nahm es aus dem Gesicht und schob es hoch, dann fasste sie es zu einem festen kleinen Knoten zusammen.

Nun wirkte ihr Haar wie kurzgeschnitten, was ihrem Gesicht etwas Koboldhaftes verlieh – und ihr gefiel. Genau! Ab zum Friseur, dachte sie, bereits angetan von der bevorstehenden Veränderung.

Um nicht erneut von Tom gerufen zu werden, zupfte sie ein letztes Mal am Body und warf noch einen kurzen Blick in den Spiegel. «Unwiderstehlich», flüsterte sie, aber stimmte das auch? Es gab nur eine Möglichkeit, das herauszufinden.

Als sie ins Schlafzimmer trat, sah ihr Verlobter zunächst nicht einmal auf. Stattdessen blickte er unverwandt auf den Monitor seines Laptops, den er auf den Knien balancierte, wie er es häufig im Bett tat. Er tippte eilig etwas ein, dann schaute er stirnrunzelnd auf und drückte die Leertaste.

«Immer nur Arbeit und kein Vergnügen, Schatz», sagte sie leise, während sie sich ihm näherte.

Toms Augen weiteten sich, als er sie sah.

«L-Lexie», stammelte er verblüfft. Der Laptop rutschte etwas zur Seite.

In den wenigen Sekunden, bevor sie das Bett erreichte, hatte Alexa eine weitere Erkenntnis. Diesmal war sie noch stärker als gerade eben, so stark wie noch nie. Ihr Geist glich einem hochauflösenden Monitor, auf dem Toms Verwirrung dargestellt war.

Ja, er begehrte sie – deswegen brauchte sie sich keine Sorgen zu machen –, doch er war nervös. Wie sie befürchtet hatte, fühlte er sich seltsamerweise von ihr eingeschüchtert.

Seine Befangenheit steigerte ihre Erregung nur noch mehr. Sie fühlte sich mächtig, und das war neu für sie. Sie fühlte sich unwiderstehlich, selbstsicher, reizvoll. Sie war eine Jägerin, und dieser Mann war ihre Beute.

«Ich glaube, den brauchen wir nicht mehr», sagte sie, hüpfte aufs Bett und kniete sich neben Thomas. Verärgerung blitzte in seinen Augen auf, als sie seinen geliebten Laptop auf den Nachttisch stellte, doch mit einem befehlenden Blick erstickte sie seinen Zorn bereits im Ansatz. Bevor er protestieren konnte, richtete sie sich auf die Knie auf, beugte sich über ihn und drückte ihm ihre Lippen besitzergreifend auf den Mund.

Er gab ihr augenblicklich nach und hob die Hände, um sie zu streicheln, ließ von dem Vorhaben aber ab, als sie seine Handgelenke packte. Sie drückte seine Hände gegen das Kopfteil des Betts und saugte gierig an seinen Lippen, um ihn gefügig zu machen. Als sie spürte, wie er sich ergab, schob sie ihm die Zunge in den Mund.

Das Gefühl, die Kontrolle zu haben, war überraschend und erstaunlich erregend. Das Prickeln zwischen ihren Beinen steigerte sich augenblicklich zu einem Inferno. Sie wünschte sich genau solchen Sex wie auf Barbados. Wild. Leidenschaftlich. Gefährlich. Mit irgendeinem Mann, egal, wem …

Dass sie Toms Handgelenke gepackt hielt, schien ihn zu lähmen, obwohl er alles andere als ein Schwächling war und sie mühelos hätte abschütteln können. Doch das wagte er nicht, wie sie sich voller Erregung klarmachte. Mit einem Laut, der beinahe wie ein Knurren klang, steigerte sie die Intensität des Kusses.

Sie erkundete seinen Mund, leckte Zähne und Gaumen und trank seinen Speichel wie eine Biene den Nektar. Sie spürte, dass er sich aufrichten und sein Glied durch den Pyjama hindurch an ihr reiben wollte, doch mit einem inneren Lächeln versagte sie ihm die Berührung. Sie überließ ihm allein ihren Mund. Ihren Mund und die spitzenverhüllten Nippel.

«Lexie, bitte», wollte er sagen, obwohl sie ihre Zunge in seinem Mund hatte, doch anstatt ihn loszulassen, küsste sie ihn noch leidenschaftlicher. Sie war so erhitzt und erregt, als steckte ein Schwanz in ihr, und sie küsste, bis ihr der Mund wehtat.

Als sie sich von ihm löste, schnappten sie beide nach Luft.

«Ist das nicht besser, als immer nur zu arbeiten?», fragte sie, strich ihm übers Kinn und setzte sich auf. Seine Gesichtshaut erzitterte unter der Berührung, als hätte er einen elektrischen Schlag bekommen.

«Ja, doch ... schon.» Seine Stimme klang belegt vor Begehren und den Nachwirkungen des Kusses, und als sie seine Hände losließ, fuhr er ihr durchs Haar. «Ach Gott, Lexie, du bist so schön», keuchte er, streckte die Hand nach ihr aus und hätte beinahe aufgeschluchzt, als sie ihm auswich.

«Wenn ich so toll bin, weshalb hast du nicht gleich nach meiner Rückkehr mit mir geschlafen?», fragte sie, was nur halb als Neckerei gemeint war.

«Ich ... äh ... ich dachte, du wärst vielleicht müde vom Flug oder so.» Beschämt senkte er den Blick. «Ich war mir nicht sicher, ob du Lust hattest.»

Blödsinn!, sagte eine Stimme in Alexas Kopf, während ihr Körper ihr nahelegte, keinen Streit vom Zaun zu brechen.

«Ich habe Lust», sagte sie forsch und öffnete den ersten Knopf seines Pyjamas. «Zieh das aus, und dann küss mich richtig. Ich will dich nackt sehen und dich spüren.»

Tom gehorchte zitternd und befreite sich unbeholfen aus seinem Pyjama. Alexa ließ sich auf die Fersen nieder und schaute ihm zu. Aus irgendeinem Grund fand sie seine Unbeholfenheit anziehend, obwohl sie in krassem Gegensatz zu Drews geschmeidiger Anmut stand.

Ich bin verdorben, dachte sie versonnen. Auf Barbados hatte sie mit einem wahren Hengst geschlafen, mit einem perfekten Mannsbild, dessen einziger Lebenszweck darin bestand, Frauen Lust zu bereiten. Solchen Männern begegnete man im wirklichen Leben nicht oft.

Als Tom nackt war, hellte sich ihre Miene auf. Sein Schwanz war nicht ganz so prachtvoll wie der von Drew, doch er war bereit und hart. Mit frischem Elan warf sie sich auf Tom und presste ihn mit ihrem Gewicht und ihrem Schwung auf die Matratze.

Das war ebenfalls neu für sie. Alexa war es nicht gewohnt, oben zu sein. Aus Gewohnheit landeten sie meistens in der Missionarsstellung, die ihr zwar durchaus Lust bereitete und bisweilen ganz wundervoll war, der es aber an der Dynamik fehlte, nach der ihr im Moment der Sinn stand.

Wie sie ihn so niederdrückte, kam sie sich beinahe vor wie ein Vampir. Sie fiel wieder über seinen Mund her – fordernd und bestimmend – und machte sich auf ihm ganz lang. Sie küsste. Sie knabberte. Sie biss ihn in die Unterlippe, zunächst ganz behutsam, dann gieriger. Sein ausbleibender Protest stachelte sie noch mehr an. Langsam ließ sie die Hüften kreisen und rieb mit dem Spitzenstoff des Bodys an seinem Schwanz.

Plötzlich reichte ihr das einfache Reiben nicht mehr. Sie wollte seine Haut spüren und ihr Geschlecht unmittelbar stimulieren. Mit einem kehligen, ungeduldigen Laut löste sie sich von Toms Mund, bog den Oberkörper zurück und zerrte am zarten Stoff des Bodys. Sie riss die Spaghettiträger herunter, schälte sich aus dem blauen Spitzenstoff und entblößte ihre honigfarbenen, glatten Brüste. Seine Augen blitzten auf, als er ihre gleichmäßige Bräunung und die steifen Nippel sah. Um seinen Fragen zuvorzukommen, lächelte sie herausfordernd. Als er den Mund öffnen wollte, beugte sie sich wieder vor und brachte ihn mit ihren Lippen zum Schweigen. Ihn unablässig küssend, langte sie nach unten und öffnete den Body mit einem einzigen energischen Ruck.

Jetzt, da ihr Geschlecht bloßlag, glitt sie ein Stück zur Seite, spreizte die Beine und presste sich an Toms Körper. Nach kurzem Hin und Her spürte sie, dass ihre Schamlippen sich teilten, bis ihr Geschlecht flach an seinem Schenkel anlag.

Etwas runterkommen. Nicht rühren. Es in die Länge ziehen, dachte sie. Sie hatte das Gefühl, alles an ihr sei angeschwollen und stünde kurz vor der Explosion. Ihr Kitzler bebte am zuckenden Schenkelmuskel. Mit einer ruckartigen Bewegung der Hüften hätte sie jetzt kommen können, während Tom bewegungsunfähig und abwartend unter ihr lag.

Macht weiter, na los!, drängte der Dämon in ihr, der wilde erotische Kobold, der in den Kopfschmerzen auf

Barbados geboren worden war. Nimm ihn! Mach schon! Benutz ihn! Er gehört jetzt dir. Er ist leichte Beute. Komm endlich! Komm!

Langsam, beinahe zögerlich, bewegte sie sich, dann veranlasste eine Anwandlung von Großmut sie innezuhalten.

Tom hatte etwas Besseres verdient. Er hatte ihr nicht wehgetan und sie nicht betrogen. Vielmehr war sie ihm untreu gewesen und hatte ihn um Geld betrogen. Sein einziges Vergehen bestand darin, dass er so war, wie er eben war, und als sie ihn schwitzend und angespannt unter sich liegen sah, wurde ihr bewusst, dass sie im Grunde eigentlich recht zufrieden sein konnte. Manchmal – meistens – war er ein Workaholic, doch er war auch intelligent, auf eine zurückhaltende Art attraktiv und treu. Sein williger Körper presste sich an den ihren, und wenn sie ihn benutzte, musste sie ihnen beiden Lust verschaffen – sonst hätte sie den eigentlichen Sinn des Ganzen verfehlt.

Lächelnd setzte sie sich auf, ihr bereites Geschlecht noch immer an seinen Schenkel gedrückt. Tom blickte sehnsuchtsvoll zu ihr auf, sein Blick dunkel und unscharf, sein Mund Ausdruck reinen Verlangens.

«Bitte, Lexie», flüsterte er mit bebender Stimme.

«Was willst du, Tom?», fragte sie, obwohl sie die Antwort bereits kannte. Trotz der intimen Situation war ihr nach Lachen zumute. Sie waren beide in einem Drama gefangen, oder vielmehr in einer Komödie. Es war ein Spiel, das sie zum ersten Mal spielten, doch sie bezweifelte, dass Tom sich dessen bewusst war. Er war vollkommen auf Penetration fixiert.

«Bitte, Schatz, lass mich dich ficken», flehte er.

«‹Ficken›?», wiederholte sie spöttisch. «Du willst mich tatsächlich ‹ficken›?»

«J-ja», antwortete er noch leiser als zuvor. «Bitte, Lexie!»

«Dann soll es so sein», raunte sie mit rauchiger Stimme.

Mit einer Anmut und Geschicklichkeit, die sie selbst überraschte, schwang Alexa sich nach oben und brachte ihren Unterleib über Toms Becken in Position. Ihre Schenkelmuskeln spannten sich an, doch sie ließ sich nicht niedersinken. Sie verharrte in der Schwebe, während Tom aufstöhnte und sein pochender Schwanz an ihrem Bauch zuckte und vergeblich nach dem Eingang suchte.

«Warte!», zischte sie noch energischer als zuvor. Noch nie hatte sie so sehr die Oberhand gehabt …

Sie hatte den Eindruck, Toms Gesicht verzog sich, und einen Moment lang warf er den Kopf auf dem Kissen hin und her. Alexa lächelte in sich hinein; in ihrer Möse spürte sie ein schwaches, feuchtes Zittern, und dann ließ sie sich unvermittelt auf ihn nieder und beugte sich vor, um seinen Lustschrei in ihrem Mund aufzufangen.

«Ja! Ja!», frohlockte sie, seinen Schrei mit ihrem Mund dämpfend, während ihre Spalte in pulsierende Bewegung geriet. «Ja!», keuchte sie, während die besinnungslose Ekstase wie ein Springbrunnen losbrach und selbst in ihren Fingern und Zehen sprudelte.

Sie richtete sich auf, warf den Kopf zurück und schrie vor Lust, während Tom unter ihr zuckte und sich wand.

Er kam. Sie kam. Und in die Lust mischte sich ein Gefühl von Verwunderung.

In den Monaten, die sie zusammen waren, hatten sie schon viele Orgasmen erlebt. Eigentlich hatten sie nie Sex gehabt, ohne dass sie gekommen wären. Er war gekommen, und dann hatte er sie liebkost, bis auch sie gekommen war; oder sie war gekommen, und er hatte kurz darauf nachgezogen, während sie sich bereits wieder entspannte. Noch nie aber hatten sie gemeinsam den Orgasmus erreicht.

Heute war es ihnen zum ersten Mal gelungen. Es war das erste Mal, dass sie gleichzeitig gekommen waren.

4. Kapitel ～ Im Bann des Teufels

Es war, als hätte man einen Motor gestartet.

Alexa war froh, dass Tom am nächsten Morgen früh losmusste, da er sich im Norden mit einem Kunden treffen wollte, denn sie wusste nicht, wie sie ihm ins Gesicht sehen sollte. Ihren stillschweigenden Enthaltsamkeitspakt hatten sie jetzt mit Macht gebrochen, mit einer Nacht, deren Exzesse sie im Nachhinein erröten ließen.

Einmal war eindeutig nicht genug gewesen.

Obwohl Tom kurz nach dem ersten Liebesakt eingeschlafen war, hatte Alexa ihn ein zweites Mal dazu gebracht, ihr zu Diensten zu sein. In der Dunkelheit liegend, war sie zunehmend unruhig geworden. In ihrem Bauch und zwischen den Schenkeln hatte sich Spannung aufgebaut. Die soeben erlebte Lust und die neue Erfahrung des gemeinsamen Höhepunkts hatten sie weniger befriedigt als vielmehr angestachelt. Verschiedene Bilder gingen ihr durch den Kopf, Bilder von perversen Handlungen und dunklen Lüsten; und obwohl sie sich bemühte, ganz leise zu masturbieren, hatte ihr Körper nach der Berührung eines Mannes verlangt.

«Wa-was ist?», hatte Tom gemurmelt, als sie sich seine Hand zwischen die Beine legte. Obwohl er ganz verschlafen gewesen war, hatte er sie zu streicheln begonnen.

Und so war es bis in die frühen Morgenstunden weitergegangen. Sobald er wach war, hatte Tom leidenschaftlicher reagiert, doch gegen Ende hatte sie trotz seiner Erektion und seiner offenkundigen Erregung gespürt, dass ihr unersättliches Verlangen nach Sex ihn erschreckte. Als er aufstehen musste, hatte Alexa das Gesicht ins Kissen gedrückt und so getan, als ob sie schliefe. Sie hatte sich einen hoffnungslosen, rückgratlosen Feigling gescholten, weil sie es nicht fertigbrachte, sich Toms Fragen oder was sie sonst noch in seinen Augen lesen mochte zu stellen.

«Du musst damit Schluss machen», murmelte sie vor sich hin, als sie den Wagen in der Tiefgarage des Gebäudes abstellte, in dem auch die Geschäftsräume der Firma KL Systems untergebracht waren.

Es war ein ausgezeichneter Standort und viel teurer, als sie es sich leisten konnten. Auch dieser Umstand trug zu Alexas Schuldgefühlen bei. Sie hatte den Umzug befürwortet, während Tom zur Zurückhaltung geraten hatte, und jetzt hatte sie das Geld mit beiden Händen ausgegeben, anstatt sich ins Zeug zu legen und den Gürtel enger zu schnallen. Und Tom ließ sie darüber im Unklaren. Ihr Verlobter wusste noch immer nichts von ihren Ausgaben, doch bedauerlicherweise galt dies nicht für Quentin, ihren jungen Programmierer. Alexa wunderte sich, dass er sie noch nicht darauf angesprochen hatte.

Jedenfalls hatte sie sich bis vor kurzem gewundert. Gestern hatte sie den Grund für sein Schweigen herausgefunden, und diese Erkenntnis hatte sie gleichzeitig erschreckt und in Erregung versetzt.

Ihr Zahlengenie war in sie verliebt. Bis gestern hatte er seine Gefühle erfolgreich verborgen – wahrscheinlich deshalb, weil er in gleichem Maße in Algorithmen und die Programmiersprache C++ verliebt war –, doch nun hatte sie mit ihren geschärften Sinnen davon Wind bekommen. In seiner Nähe hatte sie sein Verlangen gespürt.

Sie waren der Ursache für einen Makro-Konvertierungsfehler nachgegangen, und er hatte ihr über die Schulter geblickt. Als sie den frischen Duft seines Eau de Toilette und seinen Männerschweiß geschnuppert hatte, war ihr ein Bild vor Augen getreten, das beinahe dazu geführt hätte, dass sie eine Datei gelöscht hätte.

Auf den Monitor blickend, hatte sie auf einmal vor sich gesehen, was Quentin sich in diesem Moment vorstellte. Nämlich sie selbst, den Oberkörper auf den Schreibtisch mit der Tastatur und den Ausdrucken gelegt, während er sie leidenschaftlich von hinten nahm. Er war halbnackt gewesen, und ihre Brüste waren zusammengepresst worden …

Ach Gott, schon wieder etwas, dem ich mich nicht zu stellen wage, dachte sie im Lift, dann gab sie sich einen Ruck.

Sie musterte sich in der verspiegelten Wand der Aufzugkabine und zählte im Stillen die Gründe für Quentins Verliebtsein auf. Und während der Lift nach oben fuhr, wuchs ihr Selbstvertrauen.

Sie war noch nicht beim Friseur gewesen, doch auch so war nicht zu übersehen, dass sie sich verändert hatte. Sie strahlte, wirkte lebendiger und irgendwie überlebensgroß. Vielleicht war das eine Folge des neuen Make-ups, das sie versuchsweise aufgelegt hatte, doch sie spürte, dass die Ursache tiefer lag.

Ihr Aussehen hatte mit Sex zu tun. Sie strahlte animalische Sinnlichkeit aus. Thomas war anscheinend entschlossen, dies zu übersehen, doch bei Quentin hatte sie wohl einen Nerv getroffen.

Also, Quent, was fangen wir jetzt damit an?, dachte sie schelmisch, mit Blick auf ihr eindrucksvolles Spiegelbild. Sie hatte einen kurzen, engen schwarzen Rock gewählt – Tom hatte gemeint, sie sehe darin nuttig aus – und dessen Wirkung durch ein ärmelloses schwarzes Seidentop und eine rote Jacke mit gepolsterten Schultern ein wenig gemildert. Das war Power-Dressing und nicht sehr subtil, doch die starken Farben brachten ihr zigeunerhaftes Aussehen viel besser zur Geltung, als gedeckte Farbtöne es vermocht hätten.

Ich hätte schon immer so was anziehen sollen, dachte sie, als sie aus dem Lift trat. Und Schuhe mit hohen Absätzen! Die Absätze ihrer schmalen, hochhackigen Schuhe klackerten provozierend und hatten einen gewissen Hüftschwung zur Folge. Die schwarzen Wildlederschuhe hatten im Schuhschrank viel zu lange ein Schattendasein gefristet – und auf «besondere» Anlässe gewartet –, und die alte Alexa hätte sie niemals tagsüber getragen. Die neue Alexa aber hatte sie ohne Bedenken angezogen, denn zusammen mit den feinmaschigen schwarzen Strümpfen sahen sie einfach toll aus.

«Morgen, Quent!», rief sie munter, als sie das Büro betrat – auch dies ganz im Einklang mit ihren neuen Neigungen. Es hatte keinen Zweck und war auch witzlos, dem Thema auszuweichen, deshalb konnte sie es auch gleich angehen.

«Du hast doch nicht etwa die Nacht durchgearbeitet?», meinte sie, als sie die geröteten Augen ihres jungen Kollegen bemerkte, der aussah, als habe er sich wiederholt sein kurzgeschnittenes braunes Haar gerauft.

«Doch, ja», antwortete Quentin verlegen. «Ich wollte das Datenübertragungsprogramm für Cornell Associates testen. Du weißt ja, dass sie dringend darauf warten.»

«Ja, ich weiß.» Im Moment fiel es ihr schwer, sich auf die Firmenkunden und deren Forderungen zu konzentrieren. Einen großen Medienkunden wie Cornell sollte man eigentlich nicht warten lassen, und wenn sie mit den Gedanken bei der Arbeit gewesen wäre, hätte sie das Projekt persönlich vorangetrieben, anstatt sich auf Quentins Pflichtbewusstsein und seine Tüchtigkeit zu verlassen. Der Junge war ein wahrer Könner, und auf einmal sah sie ihn in neuem Licht.

«Du bist ein tüchtiger Mann, Quent», lobte sie ihn mit unverhohlener Wärme. Seine Augen leuchteten dankbar auf. «Ich weiß gar nicht, was wir ohne dich anfangen würden.» Sie rückte ihm ein Stückchen näher, sodass sie seinen Körpergeruch wahrnahm. Aus irgendeinem Grund fand sie ihn erregend. «Hast du's hingekriegt?»

«Ja … ja, hab ich», antwortete er, wobei der Stolz auf seine Arbeit und seine angeborene Schüchternheit in seinem Gesicht den üblichen Guerillakrieg austrugen. «Jetzt läuft es rund … Wir können es jederzeit installieren.»

Unwillkürlich trat Alexa vor und küsste ihn. Er zuckte zusammen, als hätte sie ihn geohrfeigt, und seine stoppelige Wange errötete unter ihren Lippen.

«Du bist ein Schatz», sagte sie leise und wich zurück. Sie war ebenfalls aufgewühlt und vermochte es kaum zu verbergen. «Du hast das Raumschiff mal wieder gerettet, Wesley.» Sie legte ihm die Hand auf den Arm, als wollte sie ihn ablenken. Quentin war ein großer Star-

Trek-Fan, und dass sie ihn mit dem altklugen Wesley Crusher verglich, war ein Dauerscherz.

«Mir wär's lieber, du wärst nicht so herablassend zu mir», sagte er und reckte mit gequältem Blick das Kinn.

Alexa war geschockt. Nicht so sehr deshalb, weil sie ihn beleidigt hatte, sondern weil seine mürrische Aufsässigkeit etwas in ihr zum Beben brachte. Bis gestern hatte sie Quentin nicht als sexuelles Wesen wahrgenommen, doch nun wurde ihr klar, dass sie sich geirrt hatte. Auf seine verdrossene, jungenhafte Art sah er gut aus, und sein junger Körper war zwar hager, aber anscheinend auch kräftig.

«Tut mir leid, Quentin», sagte sie leise. «Wir nehmen deine Arbeit für selbstverständlich, und das ist nicht richtig. Du bist ein riesiger Gewinn für uns, und ich werde dafür sorgen, dass Tom dein Gehalt erhöht.»

Quentin blickte sie an, als wollte er fragen: Wovon denn?, was ihr ihre finanziellen Mauscheleien in Erinnerung rief.

«Also, ich mache uns erst mal Kaffee», schlug sie rasch vor. «Und du siehst aus, als solltest du dir mal das Gesicht mit kaltem Wasser waschen.»

«Ja, mach ich. Danke», murmelte er, dann trat er auf den Flur, der zur Toilette führte. «Tut mir leid, dass ich so gereizt reagiert habe», fügte er hinzu und blieb in der Tür stehen. «Das war unangebracht. Entschuldige. Ich bin halt müde.»

Alexa schwieg. Als er sich umdrehte und ihr seinen schmalen, knabenhaften Rücken zuwandte, lächelte sie jedoch.

In der winzigen Büroküche bereitete Alexa Kaffee zu, war mit den Gedanken aber nicht recht bei der Sache. Noch immer sah sie Quentins verärgertes Gesicht und die lüsternen Visionen vor sich, mit denen sie sich gestern beschäftigt hatte.

Wie er wohl im Bett sein mochte?, überlegte sie und erschrak darüber, wie leicht ihr diese Vorstellung fiel. Ich werde noch verrückt, dachte sie, als sie auf einmal sich und Quentin beim Sex vor sich sah. Noch verrückter, setzte sie im Stillen hinzu, als sie an den letzten Abend und die Forderungen dachte, die sie an Tom gestellt hatte.

Ihre Hand zitterte so sehr, dass sie das Kaffeepulver auf die Arbeitsfläche verschüttete. Es war verrückt, aber sie war erregt, entflammt, und auf einmal prickelten ihr sämtliche erogenen Nerven. Nach einer solchen Liebesnacht hätte jede normale Frau für einen ganzen Monat genug gehabt. Aber ich bin nicht mehr normal, dachte sie, schloss die Augen und presste das Becken gegen den Rand der Arbeitsplatte. Und der junge Quentin ist so nah und so süß …

Tu's nicht, dachte sie und wandte sich zur Tür. Selbst wenn man verlobt und so gut wie unter der Haube war, war es bestenfalls heikel, Liebe und Arbeit zu vermischen. Was sie jetzt aber vorhatte, war komplett bescheuert, das denkbar Schlimmste überhaupt. Dennoch konnte sie nicht anders.

Na los!, drängte eine andere Stimme – die Stimme, die auch dafür gesorgt hatte, dass sie gestern Abend über Tom hergefallen war. Und zwar immer wieder, bis sie beide erschöpft gewesen waren. Es ist ganz leicht, sagte die Stimme. Und du brauchst es. Wie willst du in dieser Verfassung den Tag überstehen?

An der Toilettentür blieb sie stehen und lauschte auf die Stille und das letzte hoffnungslose Aufbäumen des gesunden Menschenverstands. Wenn sie jetzt hineinging, konnte das ein Dutzend verschiedene Katastrophen nach sich ziehen, doch sie schlug alle bösen Vorahnungen in den Wind und legte die Hand auf die Klinke.

Quentin stand mit geschlossenen Augen und weit vorgebeugt am Waschbecken, die Wange an den Spiegel gedrückt. Offenbar suchte er Kühlung am Glas. Alexa spürte, dass er gegen die gleichen Dämonen kämpfte, die auch ihr zusetzten, doch sein Gewissen leistete anscheinend stärkeren Widerstand.

Ihre eigenen Dämonen hatten leichtes Spiel. Zumal jetzt, da sie Quentins Rücken sah. Er hatte das Hemd ausgezogen, um sich zu waschen, und sein drahtiger Körper war bis zur Hüfte nackt. Der junge Programmierer konnte es nicht mit Drews göttlichem Körper aufnehmen und auch nicht mit Toms muskulöser Figur, doch seine Arme und Schultern waren keineswegs unattraktiv.

Als Quentin sie bemerkte, riss er die Augen auf und suchte im Spiegel ihren Blick.

«Alexa», flüsterte er, stieß sich vom Waschbecken ab und drehte sich um, sein Gesicht eine Maske der Unschlüssigkeit und des Begehrens. Offenbar hatte er gerade an sie gedacht – nach ihr gelechzt –, und mit ihrem Erscheinen hatte sie alles nur noch schlimmer gemacht. Oder besser.

«Ich …», setzte er an und streckte ihr verwirrt die schmalen Hände entgegen.

Noch nie war sich Alexa ihrer neuen «Gabe» so deutlich bewusst gewesen wie in diesem Moment. Sie hatte das Gefühl, sie könne die Gedanken ihres Kollegen lesen und schmecke sein rasendes Verlangen. Seine Gedanken und sein Verlangen, seine Ängste und Hoffnungen lagen offen zutage. Er hoffte, dass sie aus eben dem Grund hereingekommen war, der sie hierhergeführt hatte, fürchtete aber auch, ihr Verhalten falsch zu deuten.

Als hätte sie dies schon tausendmal getan, trat Alexa auf ihn zu, dann blieb sie stehen, während ihre Beute sich in der Falle wand. Zwischen ihr und dem Waschbecken gab es kein Entrinnen, und Quentins Mund – ein weicher Mund, wie zum Küssen geschaffen – öffnete sich hilflos, ohne dass ein Laut herauskam.

«Sag nichts», flüsterte Alexa, drückte ihm den Zeigefinger auf den Mund und bewegte ihn langsam auf der Unterlippe hin und her. Der junge Mann öffnete unwillkürlich den Mund und saugte verzückt an ihrem Finger, während sich seine Lider flatternd schlossen.

Überrascht von Quentins sinnlicher Reaktion, ließ Alexa sich gegen ihn sinken. Sie spürte Feuchtigkeit zwischen ihren Beinen, und ihr Kitzler pulsierte, als küsste Quentin nicht ihren Finger, sondern ihr Geschlecht. Ohne nachzudenken, raffte sie den Rock hoch, öffnete die Schenkel und rieb sich an ihm. Sich langsam wiegend und keuchend vor Lust, spürte sie seinen harten Ständer an ihrem Bein.

Sie nahm den Finger aus seinem Mund und schlang die Arme um ihn, dann küsste sie ihn und schob ihre Zunge zwischen seine feuchten, sich bereitwillig öffnenden Lippen. Sein Mund und seine Zunge waren nachgiebig und fügsam; während sie sie erkundete, verspürte sie ein wachsendes Triumphgefühl.

Es war genau so wie gestern Abend. Sie vermochte ihn ebenso mühelos zu lenken wie Tom. Sie konnte ihn nehmen, konnte alles mit ihm tun, seinen Körper erforschen, wie es ihr gefiel. Sie konnte über seinen harten

Schwanz nach Belieben verfügen, und diese Vorstellung hatte zur Folge, dass ihr Kitzler pochend anschwoll.

Ihr verlangender Körper gewann vollständig die Oberhand. Ihr Geschlecht rief nach seinem Schwanz, lockend und fordernd, erfüllt vom brennenden Verlangen, berührt zu werden. Sie wollte nackt sein. Ungeschützt. Sich an Quentins Körper wiegend, ließ sie die Arme sinken und zerrte an ihrer Kleidung.

Da Quentin ganz benommen war, hatte sie etwas Mühe, doch nach einer Weile hatte sie den Rock bis zur Hüfte hochgeschoben.

«Hilf mir, Quent», zischte sie ihn an, ihre eigene Stimme kaum mehr wiedererkennend. «Zieh mir den Slip runter. Ich will, dass du mich anfasst.»

Während er an ihrer Unterwäsche herumfummelte, weiteten sich seine Augen. Alexa wünschte, sie hätte heute Morgen etwas Extravaganteres angezogen. Ihr Slip war hübsch – weiß mit pinkfarbenem Blumenmuster –, doch etwas Gewagteres hätte sie passender gefunden. Vielleicht einen Fummel aus schwarzer Spitze und Satin oder einen halb durchsichtigen scharlachroten Stringtanga?

Quentin jedoch war hingerissen. Er zog ihr den Baumwollslip bis auf die Knie hinunter, dann erstarrte er, gefangen vom Anblick des seidigen Haardreiecks.

Alexa reichte es ebenfalls. Sie ergriff Quentins Hand und schob sie sich ohne weitere Umstände zwischen die Beine.

«Reib mich, Quentin», befahl sie ihm leise. «Reib mich fest und bring mich zum Kommen. Ich hab's nötig.»

«Aber Alexa –», keuchte er, kam aber nicht weiter, da sie ihm den Mund mit den Lippen verschloss.

Während seine Fingerspitzen unbeholfen durch ihre weichen Löckchen strichen, schloss Alexa die Augen und konzentrierte sich auf ihr Verlangen. In der Hitze von Barbados war es geboren, gedieh aber auch in diesem weit kühleren Klima. Sie machte sich Quentins Zunge gefügig und stöhnte ihm in den Mund, als er ihre empfindlichste Stelle gefunden hatte. Seine Berührung war ungeübt, beinahe grob, doch das war genau das, was sie wollte. Aufgrund ihrer heftigen Beckenbewegungen verlor sie den Kontakt zu seinem Finger, doch es gab ihr einen besonderen Kick, ihn zu leiten.

Nach einer Weile fand der lernfähige Quentin genau den richtigen Rhythmus. Die flache Fingerkuppe senkte sich auf ihre Lustknospe und schob sie hin und her, vor und zurück. Die Liebkosung war plump und einfallslos, die Wirkung jedoch ließ nicht lange auf sich warten. Ohne jede Vorwarnung wurde Alexa vom Orgasmus überwältigt. Ihre vor Lust verzerrten nassen Lippen lösten sich von Quentins Mund, und sie sank gegen ihn und das Waschbecken.

Noch pulsierend und leise keuchend, spürte sie, wie er sie umfasste und stützte. Undeutlich wurde sie sich seiner Zärtlichkeit bewusst. Wie umsichtig er trotz seiner eigenen Erregung doch war …

«Ach, Quent, du bist ein Schatz», flüsterte sie. Eigentlich hätte sie sich schämen sollen, doch stattdessen war sie stolz. Sie hatte gespürt, was sie wollte, und es sich genommen. Vielleicht – wahrscheinlich sogar – würden sich später Gewissensbisse einstellen, doch im Moment war sie vollkommen frei davon.

Und Quentin begehrte sie. Mit ihren geschärften Sinnen nahm sie eine chaotische Mischung aus Erschrecken, verzweifeltem Begehren und einer so starken Erregung wahr, dass sie beinahe das Gefühl hatte, davon versengt zu werden. Auch Verärgerung spürte sie; seinen unterdrückten Zorn darüber, dass sie genommen hatte, ohne zu geben, dass sie ihn benutzt hatte, ohne ihm zu erlauben, sie zu ficken.

Ein Bild trat ihr vor Augen, das gleiche wie gestern, doch in diesem Raum. Sie hatte sich über das Waschbecken gebeugt, das Gesicht dicht am Wasserhahn und die Wange ans Porzellan gepresst, während Quentin sie leidenschaftlich von hinten nahm. Er erniedrigte sie und knurrte ihr Obszönitäten ins Ohr, während ihre Nerven vor Erregung vibrierten.

Auf einmal wusste sie, was sie zu tun hatte. Lächelnd löste sie sich von ihm, drehte sich auf dem Absatz um, beugte sich über die Spüle und stützte das Kinn auf die verschränkten Arme. Sie stellte die Füße auseinander, spreizte – soweit der in Kniehöhe hängende Slip dies zuließ – die Schenkel und drückte lüstern den Po heraus.

«So», gurrte sie, als er zögerte. «Das hast du doch gewollt, oder nicht?»

Seine Antwort klang wie eine Mischung aus Schluchzen und Schluckauf, doch dann vernahm sie das beruhigende Klirren der Gürtelschnalle und das Sirren des Reißverschlusses. Alexa langte mit einem Arm hinter sich und fand das Gesuchte. Sie schloss die Finger um seinen dicken, samtigen Schaft, der sich in Anbetracht der schlanken Figur seines Besitzers erstaunlich kräftig anfühlte. Sie zog leicht an der entblößten, klebrigen Spitze, führte sie an die richtige Stelle und spannte die Muskeln an.

«Tu's, Quentin!», flüsterte sie, als sie spürte, wie das

harte Ding an ihrer Spalte ein Stückchen in die verlangende Öffnung glitt. «Ja, Süßer, ja!», gurrte sie, als er endlich die Initiative übernahm und das Becken vorschob.

Besitzergreifend drückte sie den Po noch weiter heraus – und unterdrückte einen triumphierenden Aufschrei, als ihre Möse erst aufzuseufzen schien und seinen Schwanz dann in sich aufnahm.

Ach Gott, was habe ich getan?, dachte sie, als sie im Spiegel ihr Gesicht sah. Ihre Wangen waren gerötet, sie schwitzte, und ihre Pupillen waren dunkel und geweitet. Der helle Lippenstift war verschmiert.

Ich sehe aus wie eine billige Nutte, dachte sie, und ich werde es mit Quentin tun. Er ist erst einundzwanzig und arbeitet für meinen Verlobten und mich. Habe ich das wirklich nötig?

Doch, das hast du, flüsterte die dunkle Stimme in ihrem Kopf. Es gefällt dir! Du findest es toll! Und jetzt hör auf zu jammern und genieße. Er ist so süß …

Keuchend hob sie den Kopf und sah das mutwillige Funkeln in der Tiefe ihrer grünen Augen. Als sie das Becken kreisen ließ, stöhnte Quentin auf – ein Laut wie ein Trompetensignal. Sie spannte die Muskeln an und liebkoste seinen pulsierenden Schwanz, und er hob den Kopf, als hätte er einen Befehl vernommen. Ihre Blicke trafen sich im Spiegel.

«Alexa», keuchte er, doch sie spürte, dass er sie gar nicht sah. Auch Quentins Augen waren jetzt geweitet, doch sein Blick war unscharf, die großen Pupillen fast schwarz. Er gehörte ihr jetzt genau wie Tom gestern Nacht, und das Gefühl stieg ihr dermaßen zu Kopf, dass sie beinahe losgelacht hätte.

Mit einem flüchtigen Lächeln, das für einen Moment seine Betäubung zu durchdringen schien, senkte sie wieder den Kopf, legte die Wange auf den Arm und schob ihm abermals ihren nackten Po entgegen. Bediene mich, bedeutete die Geste. Schenk mir Lust. Gib mir alles, was du hast.

Gehorsam begann Quentin sich zu bewegen und flüsterte ihr zusammenhangloses Zeug ins Ohr. Seine Stöße waren unsicher und undiszipliniert, doch der Winkel war perfekt, und die Tiefe stimmte auch. Mit seinen langen Fingern hatte er ihre Schenkel fest gepackt, damit er noch tiefer in sie hineinstoßen konnte. Zwischen den Schamlippen prickelte der Kitzler so heftig, als wollte er protestieren, deshalb veränderte sie ein wenig die Beinstellung und begann ihn zu reiben. Die kleine Knospe fühlte sich hart an und war glatt von ihrem Saft, und obwohl sie Mühe hatte, bei Quentins wilden Stößen den Druck beizubehalten, schaffte sie es dennoch, sich weiter zu reiben.

Quentin kam rasch, doch Alexa hielt mühelos mit ihm Schritt. Der Orgasmus explodierte unter ihrer Fingerspitze. Sie spürte, wie Quentins Schwanz irgendwo im Zentrum eines sich schließenden Rings zuckte, und sein wilder Lustschrei hallte im Waschraum eigentümlich wider. Alexa gab keinen Laut von sich, nur ihr Mund zuckte an den makellosen Fliesen und verschmierte den Lippenstift wie Blut. Auf einmal kam es ihr wichtig vor, die ganze Erfahrung in ihrem Inneren zu verschließen und sich dem hinter ihr stehenden Mann gegenüber nicht verletzlich zu zeigen.

Dass sie selbst beim Orgasmus noch Überlegungen anstellen konnte, erschreckte sie. Vielleicht bin ich ja vom Teufel besessen?, fragte sie sich benommen. All die

Veränderungen. Die Sexgier. Die Bedenkenlosigkeit …
Irgendetwas hat mich in Besitz genommen, eine andere
Erklärung gibt es nicht. Und während ihr armes, ent-
kräftetes Opfer sich von ihr löste, ließ auch sie sich erschöpft zu Boden sinken.

Als sie sich aufgerappelt und ihre Kleidung zurechtgerückt hatten, waren sie beide verlegen.

«Geh heim, Quent», drängte Alexa, als sie den Slip
hochgezogen, den Lippenstift neu aufgetragen und die
Schlieren von den Kacheln abgewischt hatte. In siche-
rem Abstand mühte sich der junge Programmierer mit
den Knöpfen seines zerknitterten weißen Hemds ab. Er
sah aus, als habe er einen Schock erlitten, als hätte ihn
ein Vorschlaghammer getroffen oder als wäre er von
Aliens entführt worden. Offenbar hatte er Mühe, seine
Bewegungen zu koordinieren. Alexa hingegen staunte,
wie «normal» sie sich fühlte.

«Du bist müde», sagte sie mit sanfter Stimme.
«Nimm dir den Tag frei. Ich kümmere mich um alles.»

«Aber –», setzte er an.

Alexa fiel ihm ins Wort.

«Quent. Geh nach Hause.»

«Aber was ist mit … Ich meine, wie soll es jetzt weitergehen?» Dass sich seine Lebensgeister wieder regten,
fand sie seltsamerweise aufreizend.

Nein! Nicht schon wieder!, dachte sie erschrocken.
Wir haben doch gerade erst …

«Ich weiß nicht, was eben passiert ist, Quentin»,
meinte sie mit geheuchelter Gelassenheit, während ihr
Körper sich bereits neu entflammte. «Ich fühle mich in
letzter Zeit sehr merkwürdig. Die Hälfte der Zeit über

weiß ich nicht, was ich tue. Ich muss über alles nachden-ken. Mir ... über alles klar werden.» Das klang dumm und banal, und Quentin wirkte verletzt. «Schau mal, Quentin, lass mir ein bisschen Zeit. Dann reden wir dar-über. Versprochen.»

Erstaunlicherweise gab er sich damit zufrieden und trottete folgsam wie ein Lamm nach Hause. Alexa blieb allein im Büro zurück und fühlte sich genau so verwirrt, wie sie ihm gegenüber behauptet hatte.

Sie trank einen Schluck lauwarmen Kaffee, dachte an Barbados und verglich ihr Aufwachen am ersten Mor-gen auf der Insel mit ihrem halb ekstatischen, halb ver-ängstigten derzeitigen Zustand. Ihr sexuelles Verlangen war ein ungezähmtes Monster, brachte aber auch solch extreme und erhebende Momente mit sich, dass sie im Nachhinein das Gefühl hatte, ihr bisheriges Leben habe sich im Schongang abgespielt. Oder im Nebel.

Es ist wunderbar, dachte sie, sich unbewusst über den Körper streichelnd: über Schenkel, Bauch und Scham. Aber ich darf nicht so weitermachen, sonst bekomme ich Schwierigkeiten. Werde verhaftet. Oder es passiert etwas noch Schlimmeres. Ich brauche Hilfe. Anleitung. Rat. Ich muss mit jemandem sprechen, der mich versteht.

Mit Beatrice.

Alexa wunderte sich, dass sie nicht schon eher darauf gekommen war. Beatrice Quine war nicht nur Ärztin; sie war auch eine Frau, und zwar eine äußerst sinnliche. Sie hatte selbst miterlebt, wie dieser Wahnsinn angefan-gen hatte, und auf einmal hatte Alexa das Gefühl, die Ärztin leide an der gleichen Krankheit wie sie. Oder je-denfalls in abgeschwächter Form. Falls man denn von einer Krankheit sprechen wollte.

Sie weiß bestimmt Rat, dachte Alexa. Beatrice hatte sich auf der Insel ausgesprochen einfühlsam gezeigt. Ihr Wissen und ihre Freimütigkeit waren erschreckend gewesen. Alexa sah noch immer ihre leuchtenden braunen Augen vor sich …

Aber wie soll ich die Sache angehen?, überlegte sie, während sie den Becher mit dem viel zu starken Kaffee leerte. Im Urlaub waren sie miteinander umgegangen wie alte Freundinnen, hatten aber bisher erstaunlicherweise keinen Vorstoß unternommen, den Faden wieder aufzunehmen.

Ach Gott, ich hab mich nicht mal mit Drew verabredet, dachte Alexa schaudernd. Und dabei habe ich mit ihm geschlafen!

Wahrscheinlich war die Absicht dabei gewesen, im normalen, «wirklichen» Leben wieder zur Normalität zurückzukehren. Oder es zumindest zu versuchen. Ein Teil von ihr, der furchtsame Teil, hatte sie davon überzeugt, dass ihr genau dies gelingen würde, wenn sie ihren Seitensprung als eine schöne Phantasie betrachtete. Auf diese Weise hatte sie auch noch die letzten Reste von schlechtem Gewissen abschütteln können.

Alexa setzte sich auf den Drehstuhl, fasste den PC-Bildschirm in den Blick und runzelte die Stirn, als sie die muntere, scrollende Botschaft las. Mit der Maus schaltete sie den Bildschirmschoner aus und klickte auf das Symbol ihres persönlichen Terminkalenders.

Nach der Rückkehr von Barbados hatte sie Beatrices Adresse und Telefonnummer aus dem Psion überspielt, den sie stets dabeihatte, sich aber auch ernsthaft gefragt, ob sie je davon Gebrauch machen würde. Jetzt war der Moment anscheinend gekommen.

Beatrice Quine unterhielt eine Privatpraxis, deshalb konnte Alexa, wenn sie einen Termin ausmachte und bereit war, dafür zu zahlen, sie auch ohne Weiteres «konsultieren». Zwar fragte sie sich, woher sie das Geld für eine Privatbehandlung eigentlich nehmen sollte, doch der andere Teil von ihr – der sie auch dazu gebracht hatte, diesen unschuldigen Jungen von einem Programmierer praktisch zu vergewaltigen – gab kaltblütig zu bedenken, dass sie sich einfach aus der üblichen Quelle bedienen könne. Und zwar vom Konto von KL Systems. Das sich ohne Wissen des «K» im Firmennamen in alarmierendem Tempo leerte.

Ihre Skrupel hintanstellend, nahm Alexa den Hörer ab und wählte.

«Guten Morgen, hier ist die Praxis von Doktor Quine», meldete sich eine weibliche Stimme.

Alexa klebte die Zunge am Gaumen. Es war töricht gewesen zu glauben, Beatrice ginge persönlich dran, doch irgendwie hatte sie das gehofft. Es hätte eine solche Erleichterung für sie bedeutet, wieder die seidenweiche Stimme zu vernehmen, sich von ihr trösten und zu einem umfassenden Geständnis bewegen zu lassen.

«Hallo, kann ich Ihnen helfen?», fragte die Unbekannte. Alexa fiel auf, dass auch diese Stimme äußerst angenehm klang, wenn auch etwas forscher und geschäftsmäßiger als Beatrice mit ihrer gedehnten, erotischen Sprechweise.

«Äh … ja …», stammelte Alexa, die auf einmal fürchtete, sich zum Narren zu machen. «Ich hätte gern einen Termin bei Doktor Quine.»

Es entstand eine Pause, und man hörte, wie in einem Terminkalender geblättert wurde. «Sind Sie bereits Patientin bei Doktor Quine? Es tut mir leid, aber ich habe Ihre Stimme nicht erkannt.»

«Nein, bin ich noch nicht. Ich ... ich wusste nicht ...» Alexa stockte. Ihre Hoffnungen waren am Boden zerschellt.

«Also, dann können wir Ihnen im Moment leider keinen Termin anbieten», fuhr die junge Frau freundlich fort, als bedauerte sie außerordentlich, Alexa hängenzulassen. «Soll ich Ihnen vielleicht einen Kollegen empfehlen? Jemanden mit einer ähnlichen Ausrichtung wie Dr. Quine?»

«Nein, danke. Schon gut», erwiderte Alexa entschieden. «Ich möchte mit Doktor Quine persönlich sprechen. Ich habe sie kürzlich auf Barbados kennengelernt und würde mich gern mit ihr unterhalten.» Ach Gott, wie dämlich sich das anhört, dachte Alexa. Irgendwie kitschig ...

«Einen Moment bitte.» Es wurde still in der Leitung, als hielte die Sprechstundenhilfe die Hand auf den Hörer.

«Wie war Ihr Name noch gleich?», meldete sie sich wieder, ihr Tonfall noch immer freundlich und hilfsbereit, aber auch mit einem unerwartet munteren Unterton, so als hätte der Name «Barbados» etwas in ihr zum Klingen gebracht. «Vielleicht kann ich Ihnen ja doch weiterhelfen.»

«Lavelle. Alexa Lavelle.»

«Bitte gedulden Sie sich noch einen Moment», meinte sie entschuldigend. Es entstand eine weitere Pause, dann meldete sich die junge Frau wieder. «Hallo, Ms Lavelle, tut mir leid, dass ich Sie habe warten lassen. Wäre es Ihnen morgen um fünfzehn Uhr recht? Frau Doktor hat dann noch einen freien Termin.»

«Ja, gern. Vielen Dank!» Alexa hätte vor Erleichterung beinahe aufgeschluchzt. Sie bekam feuchte Augen. Sie begriff nicht, was mit ihr vorging oder weshalb sie ausgerechnet mit Beatrice sprechen wollte und nicht mit einem anderen Arzt oder einem Psychologen. «Das wäre großartig! Phantastisch! Also abgemacht.»

«Gut. Ich trage Sie dann ein. Finden Sie hierher?»

«Nein.» Sie hatte nicht die geringste Ahnung, wo die Praxis lag! «Aber das geht schon. Ich habe schließlich die Adresse. Ich nehme mir ein Taxi. Kein Problem.»

«Gut, dann wäre das also geregelt. Wir freuen uns darauf, Sie morgen bei uns zu sehen. Auf Wiedersehen, Ms Lavelle.»

«Wiedersehen», murmelte Alexa und legte auf. Ja, auf ein Wiedersehen, wer immer Sie sind.

Auf einmal war sie in Hochstimmung. Am liebsten wäre sie lachend umhergehüpft. Sie war beinahe ebenso erregt wie zuvor mit Quentin, ohne dass sie sich auf ihre Reaktion hätte einen Reim machen können.

Bis jetzt war sie immer nur widerwillig zum Arzt gegangen.

Und ich habe mich auch noch nie so aufwändig auf einen Arztbesuch vorbereitet, dachte sie am nächsten Tag, nach einer Nacht mit wenig Schlaf und fieberhafter Masturbation.

Da Tom auf Geschäftsreise war, hatte sie die Wohnung für sich allein, und ihre Gedanken hatten eine beunruhigende Richtung eingeschlagen. Die emotionalen Veränderungen, die mit ihr stattgefunden hatten, verfestigten sich immer mehr, und sie musste ständig an Sex denken.

An Sex mit Quentin. Sex mit Drew. Sex mit einer Gruppe von Unbekannten, genau wie in ihren karibischen Phantasien.

Zu ihrem Kummer kam Tom nur hin und wieder in diesen Träumereien vor. So selten, dass sie sich schließlich zu fragen begann, ob sie ihn überhaupt jemals richtig begehrt hatte. Sie hatte es geglaubt … Gestern Abend ganz bestimmt. Aber jetzt? Und was die Liebe betraf … Darüber wagte sie nicht nachzudenken.

Am frühen Abend versuchte sie, die Arbeit zu erledigen, die tagsüber liegen geblieben war. Nachdem Quentin gegangen war, hatte sie das Interesse an den Projekten verloren, die sie eigentlich mit äußerstem Nachdruck hätte weiterverfolgen sollen – darunter auch der wichtige Cornell-Auftrag –, das Büro abgeschlossen und alles schleifen lassen. Das war vollkommen unverantwortlich, doch sie hatte nicht anders gekonnt. Den Nachmittag über war sie wie verrückt shoppen gewesen und hatte noch mehr Geld ausgegeben, das ihr nicht gehörte. Sie hatte sich für den Besuch bei Beatrice ausgestattet – und zwar gleich mit mehreren Garnituren.

Seit wann kauft man sich für einen Arzttermin neue Klamotten?, fragte sie sich. Seit neuestem, flüsterte der Dämon, der vollständig Gewalt über sie gewonnen hatte.

Um ihre schwindende Glaubwürdigkeit als ernst zu nehmende Geschäftsfrau wenigstens ansatzweise wiederherzustellen, hatte Alexa sich ein neues Kostüm gekauft. Dabei redete sie sich ein, das sei genau das Richtige für zukünftige Kunden und die lüsternen, spöttischen Blicke von Ärzten.

Das Kostüm aus unverschämt teurem Gabardine mit grauen Nadelstreifen wirkte nicht nur seriös, sondern auch sexy. Zumal dann, wenn sie ein Mieder darunter trug. Das war die nächste Extravaganz, die sie sich geleistet hatte. In einem Kaufhaus hätte sie ein hübsches Teil für ein paar Pfund erstehen können, doch in der South Molton Street hatte ihre Kreditkarte lautstark protestiert.

Du!, hatte sie ihre zwanghafte Neigung zum Geldausgeben direkt angesprochen. Bist du vielleicht ein Verwandter des Teufels, der mich zwingt, ständig Sex haben zu wollen? Der meine Phantasien in Beschlag nimmt und mich zu Dummheiten verleitet, die mir hinterher leidtun?

Gestern Nacht, nach mehreren schlaflos verbrachten Stunden und nachdem sie vergeblich zu ihren ansonsten verlässlichen Schlafmitteln Zuflucht genommen hatte – einem Becher Malzkaffee mit Milch und zehnminütiger Lektüre des Handbuchs eines neuen Buchführungsprogramms –, war ihr auf einmal unangenehm warm geworden. Ihre Haut begann zu jucken. Nicht physisch – sie hatte weder Ausschlag noch eine Hautreizung, die sie mit Salbe hätte behandeln können –, doch desto beunruhigender. Unter der Haut baute sich langsam eine diffuse Hitze auf, so lästig wie ein Juckreiz an einer Stelle, wo man sich nicht kratzen konnte.

Verärgert hatte sie das Handbuch weggelegt, im Ohr Quentins abgehackten Schrei nach Alexa!, der gefolgt wurde vom Brandungsrauschen von Barbados. Drew Kendricks tiefe Stimme hatte an ihrem Ohr Obszönitäten geflüstert, und sie hatte gemeint, seine Finger zwischen ihren Beinen zu spüren.

Dagegen hatte nur ein Mittel geholfen, und nach einer Reihe von Orgasmen war sie dann endlich eingeschlafen.

Am Morgen war sie früh aufgewacht und hatte dem

Wunsch nach sexueller Befriedigung widerstanden, was sie jetzt bereute. Ein Anruf von Tom hatte alles noch weiter kompliziert und ihr in Erinnerung gerufen, wie wenig er ihr bedeutete. Sie hatte versucht, etwas Begeisterung für das von ihm skizzierte Projekt aufzubringen – hatte sich *ernsthaft* bemüht –, doch ihr Interesse hatte selbst in ihren Ohren geheuchelt geklungen. Zum Glück hatte Tom nichts gemerkt und das Gespräch mit einem munteren «Ich liebe dich, Alex!» beendet.

Als sie im Büro ankam, musterte Quentin sie vorwurfsvoll. Sie hatte keine Ahnung, was er von ihr erwartete, doch nach der gestrigen Erfahrung hatte er sich sichtlich in Schale geworfen. Er trug ein hübsches neues Sakko, das Alexa noch nie an ihm gesehen hatte, und hatte sein ansonsten formloses Haar mit Gel in Form gebracht. Etwa zehn Sekunden lang starrte er sie an, dann öffnete er den Mund und klappte ihn wieder zu. Bei seinem zweiten Versuch hob Alexa die Hand.

«Bitte, Quent», sagte sie und hoffte, ihr Lächeln fiele nicht zu süßlich und zu aufgesetzt aus. «Sag nichts. Wir werden uns in Kürze unterhalten, versprochen.»

Der junge Programmierer gab sich damit anscheinend zufrieden. Er hob die schmalen Schultern und wandte sich mit einem Anflug von Resignation den anstehenden Arbeiten zu.

Na prima, Lavelle, dachte Alexa, die ihm nur mit halbem Ohr zuhörte. Eigentlich hättest du mit ihm über das Vorgefallene reden sollen, aber du weißt es natürlich wieder besser …

Am schlimmsten dabei war, dass Quentins Bemühungen, sein Äußeres zu verbessern, durchaus erfolgreich gewesen waren. Eigentlich war er ein recht attraktiver

Bursche; ihr war das bisher bloß nicht aufgefallen. Unter seiner schüchternen Fassade funkelte ein wahres Juwel.

Bitte nicht schon wieder!, dachte Alexa, sich an den Tag zuvor erinnernd. Was Quentin an sexueller Finesse fehlte, hatte er mit seiner an Raserei grenzenden Leidenschaft wieder wettgemacht. Sie achtete darauf, ihm nicht zu nahe zu kommen, doch als er ihr am Computer ein neues Hilfe-Menü zeigte, das er für ein Projektplanungsprogramm geschrieben hatte, schnupperte sie unwillkürlich seinen Duft.

Auch sein Duft war neu, erinnerte sie aber nur daran, wie er gerochen hatte, als er in ihr gewesen war. An den männlichen Moschusduft, den scharfen Schweißgeruch, der sie in Erregung versetzt hatte. Als sie beobachtete, wie seine Finger über die Tasten flogen, stellte sie sich vor, dass seine hellen Fingerkuppen sie berührten.

Nein!

Sie lobte unverbindlich das Menü, dann rettete sie sich an ihren eigenen Rechner.

Es wäre Wahnsinn gewesen, mit Quentin ein Verhältnis zu beginnen. Er war nicht das, was sie wollte, das wusste sie, sondern nur ein verlockender Zeitvertreib. Ein Spielzeug. Ein Junge, Herrgott nochmal!

Aber wen wollte sie dann?

Tom? Danach sah es eigentlich nicht mehr aus.

Drew Kendrick?

Möglicherweise. Wahrscheinlich. Doch es ging nicht nur um ihn. Sie wollte ihn wiedersehen – ja, sie wollte wieder mit ihm schlafen! –, doch er war nicht die Lösung für ihr Problem.

Dabei hatte sie nicht die geringste Ahnung, wie dies aussehen könnte.

5. Kapitel ~ Circe

Nachdem Quentin gegangen war, um bei einer Firma eine Systeminstallation durchzuführen, und sie mehrere Kunden mit allerlei Ausreden abgewimmelt hatte, verließ auch Alexa das Büro.

Nicht ohne Schuldgefühle machte sie sich klar, dass sich ihre Einstellung zu KL Systems verändert hatte. Ihre ernsthafte Besorgnis über ihren mangelnden Einsatz hatte binnen weniger Tage einer leicht hysterischen Gleichgültigkeit Platz gemacht. Sie sah zu, wie Toms geliebte Firma den Bach runterging, und brachte es nicht fertig, etwas dagegen zu unternehmen. Sie hätte sich gern mehr engagiert, und ein kleiner Teil von ihr nahm noch immer Anteil, doch der vermochte sich in den aufgewühlten Wogen ihres Sexlebens nicht zu behaupten.

Beatrice wird mir bestimmt helfen, dachte Alexa, als sie aus dem Gebäude trat. Sie wird schon wissen, was zu tun ist.

Das Problem dabei war, dass Beatrice ihre Probleme womöglich noch vergrößern würde. Die Ärztin würde vielleicht sogar meinen, sie sei gar nicht krank, und ihr stattdessen noch mehr Sex verschreiben.

Nach einer Taxifahrt fand Alexa sich auf einer der bekanntesten Londoner Einkaufsstraßen wieder.

Was mache ich hier eigentlich?, fragte sie sich, als sie merkte, wie die inzwischen wohlbekannte verletzliche Benommenheit von ihr Besitz ergriff. Eingelullt vom Verkehr und dem Gedränge der Touristen und Käufer, würde auch sie jeden Moment in einen luxuriösen Laden treten, sich in die Designer-Abteilung begeben und Sachen anprobieren, die sie sich nicht leisten konnte.

«Mein Gott, reiß dich doch endlich mal zusammen!», sagte sie laut, womit sie den forschenden Blick eines jungen Mannes auf sich zog. Auf seinem einnehmenden Gesicht erschien ein Grinsen, das Alexa unwillkürlich erwiderte. Er hatte strohblondes Haar und machte einen durchtrainierten, maskulinen Eindruck. Sie verspürte einen Anflug von Begehren, dann machte sie auf dem Absatz kehrt und ging in die entgegengesetzte Richtung, während ihre Brustwarzen hart wurden und sie am ganzen Leib zu zittern begann.

Ach Gott, es passiert schon wieder! Ein Wildfremder ... Ein blonder Typ von der Straße ... Es hätte nicht viel gefehlt, und ich wäre mit ihm mitgegangen. In ein Hotel. Oder zu einem geparkten Wagen. Ich hätte mich küssen und ihn seine Hand in mein Höschen schieben lassen.

Ziellos schlängelte sie sich zwischen den Passanten hindurch und bog in eine Nebenstraße ab, eine schmale, noch exklusivere Einkaufsstraße, die ihr zuvor gar nicht aufgefallen war.

Die Läden waren klein und wirkten schlicht und gleichzeitig teuer. Als Alexa stehen blieb und eine Auslage betrachtete, bekam sie einen Schock.

Die Waren dieser Boutique waren mit absichtsvoller Nachlässigkeit arrangiert. Auf einem fleischfarbenen

Seidentuch lagen Kleidungsstücke. Nichts passte zusammen, es gab keine Schaufensterpuppen, und alles wirkte wie zufällig angeordnet. Und doch hatte der Laden eine deutlich erkennbare Ausrichtung. Die Boutique – auf einem einfachen weißen Schild stand in schmaler schwarzer Schrift «Circe» – verkaufte Damenunterwäsche, die allein zur Verführung bestimmt war.

Alexa konnte über die hier ausgestellten Waren, die hauchdünnen Stoffe und die knappen Schnitte nur staunen … Wären die Teile aus Nylon oder Viskose hergestellt, dann hätte man sie als Fähnchen bezeichnen können, doch sie waren weder billig noch ordinär. Sie waren aus reiner Seide und französischer Spitze und die nahezu unsichtbaren Nähte so fein gearbeitet, dass es sich um Handarbeit handeln musste. Preisschilder waren keine zu sehen, das wäre zu vulgär gewesen, doch die Reizwäsche kostete unverkennbar ein Vermögen. Alexa schätzte, dass das weiße Mieder in der Mitte des Schaufensters teurer war als ihr neues Kostüm.

Nein, das wirst du nicht tun, dachte sie und blieb auf dem Bürgersteig stehen. Sie spürte, wie es sie zu der Glastür und den dahinter ausgestellten Waren zog, war sich aber bewusst, dass sie bereits weit über ihre Verhältnisse gelebt hatte. Gute Arbeitskleidung wie zum Beispiel das Kostüm, das sie jetzt trug, gingen gerade noch in Ordnung. Aber superteure Unterwäsche? Ausgeschlossen!

Gleichwohl ließ sie den Blick durchs Schaufenster schweifen.

Das Mieder war nicht das einzige prachtvolle Teil in der Auslage. Wie wäre es zum Beispiel mit dem durchbrochenen BH aus schwarzem Satin? Oder mit dem winzigen Stringtanga aus taubengrauer Spitze? Wenn sie weniger kosteten als hundert Pfund, wäre das gerade noch erschwinglich –

Während sie mit ihrem schlechten Gewissen haderte und die Handtasche mit den Kreditkarten befingerte, wurde sie von einem wohlvertrauten Fieber erfasst.

Da sie wusste, dass das Gefühl nicht von innen gekommen war, sondern von außen, blickte Alexa sich verwirrt um. Ein Mann und eine Frau betraten gerade lachend Arm in Arm den Laden, und sie spürte, dass die Hitze von *ihnen* ausging.

Herrgott nochmal, was nun?, dachte Alexa, die das Begehren des Paares gespürt hatte, noch ehe sie auf die beiden überhaupt aufmerksam geworden war. Ohne zu zögern, folgte sie ihnen in den Laden.

Begrüßt wurde sie vom hellen Gebimmel einer Glocke. Die Boutique war größer, als sie von der Straße aus wirkte, und das Liebespaar befand sich bereits am anderen Ende des Raums und unterhielt sich mit der Verkäuferin. Die Frau nickte Alexa freundlich zu und formte mit dem Mund lautlos die Worte: «Ich kümmere mich gleich um Sie», dann wandte sie sich wieder dem Pärchen zu. Froh darüber, dass man sie in Ruhe ließ – sie hasste es, von Verkäufern unter Druck gesetzt zu werden –, trat sie vor ein Gestell mit wundervollen Seidenfummeln, die an einer langen, funkelnden Chromstange einzeln an kleinen Kleiderbügeln hingen. Sie zog einen zitronenfarbenen Slip von der Größe einer Diskette hervor und musterte derweil ihre Beute diskret von hinten.

Sie waren sicherlich ein bemerkenswertes Paar, und Alexa vermochte sich nicht zu entscheiden, wer von den beiden besser aussah. Der Mann – der Ehemann, setzte

sie im Stillen hinzu, denn sie trugen beide goldene Ehe-
ringe – war groß gewachsen und dunkelhäutig. In seinen
schokoladebraunen Augen blitzte der Schalk, und ständig berührte er seine hübsche Frau. Sie wirkte wie ein
Wesen aus einem Märchen: eine schlanke, lächelnde
Aristokratin mit dem Körper einer Verführerin und glat-
tem schwarzem Haar, das im Kleopatra-Stil geschnitten
war.

Genau meine Farbe, überlegte Alexa und dachte
kurz an den zweiten Termin, den sie gestern gemacht
hatte. Nein, Lavelle, es hat keinen Sinn, dir einen Bubi-
kopf schneiden zu lassen, dafür ist dein Haar zu kraus.
Als sie bemerkte, dass sie die Frau und deren Mann allzu
zudringlich anstarrte, wandte sie ihre Aufmerksamkeit
wieder der Unterwäsche zu.

Die erste Garnitur, die sie von der Stange nahm, war
pinkfarben. Nicht der Farbton, den sie für gewöhnlich
wählte, sondern eine exquisite Versuchung. Der BH war
sehr weich und zart, die glänzenden Seidenkörbchen
diagonal geschnitten und wundervoll geformt, ohne
Bügel und Polster. Die fühlen sich bestimmt wundervoll
an auf der Haut, dachte sie träumerisch und stellte sich
vor, wie der hauchdünne Stoff von einer Männerhand an
ihre Brüste gedrückt wurde. Der hochgeschnittene Slip
diente eher der Verführung als der Verhüllung. Mit dem
Schlimmsten rechnend, warf sie einen Blick aufs Preis-
schild. Der Preis war so hoch, wie sie erwartet hatte. Die
Garnitur kostete nicht ganz so viel wie ihr maßgeschnei-
dertes graues Kostüm, aber groß war der Unterschied
nicht.

Während sie noch mit dem Geld haderte, das sie mit
größter Wahrscheinlichkeit ausgeben würde, drang ein

leises, verführerisches Kichern an ihr Ohr. Die schlanke, schwarzhaarige Frau lehnte sich an ihren Mann und ließ sich von ihm offenbar eine Anzüglichkeit ins Ohr flüstern.

«Nein, Julian, bitte. Nicht schon wieder!», hörte Alexa «Cleo» sagen, während ihr Mann ihr augenzwinkernd an den Po fasste, worauf er sich abwandte und einen Halbslip aus blaugrauer Seide betrachtete.

«Kommen Sie zurecht?»

Als sie von einer rauchigen, eigentümlich vertrauten Stimme angesprochen wurde, hätte Alexa beinahe das pinkfarbene Seidenhöschen fallen lassen.

«Ja … danke», antwortete sie und wandte sich der Verkäuferin zu, die nur einen Meter von ihr entfernt stand. «Hübsche Sachen haben Sie hier. Ich kann mich nur nicht entscheiden.» Sie lächelte die junge Frau an, die ganz anders wirkte als die öligen, super gepflegten Damen, die normalerweise in solchen Läden bedienten. Außerdem kam ihr nicht nur die Stimme bekannt vor.

Die Figur der jungen Frau und der rötliche Schimmer ihres kurzgeschnittenen Haars ließen sie stutzen, und dann machte es bei Alexa auch schon klick.

Weshalb ist mir das nicht gleich aufgefallen?, dachte sie. Dabei liegt es doch auf der Hand. Das Haar war viel kürzer, das Gesicht jünger und etwas strenger, und die Kleidung – ein fetischartiges Outfit aus Vinyljeans und hautengem Top – stimmte nicht, doch auf einmal meinte sie Beatrice Quine vor sich zu sehen. Oder eine Doktor Quine aus der Rocky Horror Picture Show oder als Punk …

Beatrices Doppelgängerin machte es nicht im Mindesten verlegen, angestarrt zu werden. «Ja, da sind schon ein paar tolle Teile dabei, nicht wahr?», erwiderte sie leichthin, dann deutete sie mit dem Kinn auf die Umkleidekabinen am anderen Ende des Ladens. «Wenn Sie möchten, können Sie gern etwas anprobieren.»

«Danke. Ja, vielleicht», antwortete Alexa hölzern. Die junge Frau machte sie extrem nervös, weshalb sie unwillkürlich aufatmete, als sie sich entfernte, hinter der Kasse Platz nahm und in einer Zeitschrift zu blättern begann.

Seltsam, dachte Alexa und setzte ihre Suche fort. Bildete sie sich die Ähnlichkeit nur ein, oder sah die punkmäßige Verkäuferin in diesem teuren West-End-Unterwäscheladen wirklich der High-Society-Ärztin ähnlich?

Als sie sich bis zum Ende der Stange vorgearbeitet hatte, beschäftigte diese Frage sie noch immer, und sie hatte zum Anprobieren eine Handvoll Wäschestücke ausgewählt, die sie sich allesamt nicht leisten konnte. Sie hielt sie nacheinander hoch, betrachtete voller Bedauern jedes einzelne Traumteil und wollte sie sich gerade aus dem Kopf schlagen, als sie aus den Augenwinkeln eine Bewegung wahrnahm.

Wie unter einem inneren Zwang nahm Alexa die pinkfarbene Garnitur und ein paar andere Sachen und stürmte praktisch im Laufschritt zu den Umkleidekabinen.

«Die möchte ich anprobieren!», rief sie der Verkäuferin über die Schulter zu. Die junge Frau blickte lächelnd von der Zeitschrift auf.

Ihr Lächeln hätte Alexa beinahe innehalten lassen. Es war ein wissendes Lächeln voller Komplizenschaft und beinahe so etwas wie stillschweigendem Einverständnis; als wüsste die junge Frau genau, was das Pärchen vorhatte und weshalb Alexa den beiden folgte.

Schon wieder eine Ähnlichkeit mit Beatrice, dachte Alexa und zog zitternd den schweren Vorhang beiseite.

Die Umkleidekabine war klein, aber luxuriös ausgestattet, mit einer weißlackierten Trennwand zu beiden Seiten und einem Ganzkörperspiegel an der Rückwand. Der dicke, mohnrote Teppich umschmeichelte ihre Zehen, als sie die Schuhe auszog, und der Vorhang und der Stuhl mit dem Brokatbezug hatten genau den gleichen Farbton. Unter anderen Umständen hätte Alexa sich Zeit gelassen und ganz entspannt verschiedene Teile anprobiert, doch im Moment interessierte sie sich vor allem für die Vorgänge hinter der Trennwand zu ihrer Rechten und nicht für ein paar Seidenfummel, die ihr Budget gesprengt hätten.

Sie vernahm ein Kichern und das Geräusch eines sich öffnenden Reißverschlusses, dann das Rascheln hastig abgelegter Kleidung. Alexa, die den Atem anhielt, fand, dass es in ihrer Kabine verräterisch still war, deshalb entkleidete sie sich ebenfalls, als das Pärchen nebenan zu schäkern begann.

Während sie erst die Jacke und dann das Mieder auszog, hatte sie das Gefühl, im Spiegel eine andere Person vor sich zu sehen. Als sie ihren schlichten Baumwoll-BH ablegte, sah sie nicht ihre eigenen Brüste vor sich, sondern die eleganten weißen Halbkugeln «Kleopatras», deren dunkle Nippel gerieben und liebkost wurden. Die Berührungen des dunkelhaarigen Mannes waren besitzergreifend und beinahe dreist. Er erhob vollständigen Anspruch auf den schlanken Körper seiner Frau und konnte über ihre Reize verfügen.

Du Schuft!, dachte Alexa, beugte sich vor und passte ihre Brüste in den weichen, pinkfarbenen BH ein. Vor

ihrem geistigen Auge sah sie die Frau in der Nachbarkabine, splitternackt auf hochhackigen Schuhen, die
Hände auf den Kopf gelegt, während ihr Mann sie überall berührte. Er hatte es darauf angelegt, sie zu domini-
ren und an die Grenze zu führen; er wollte sie zum
Schreien bringen, während sie sich bemühte, möglichst
leise zu sein. Mit einer Hand spreizte er grob ihre Möse,
schob seine Finger rein und wieder raus und drückte mit
dem Daumen auf ihren Schamhügel, während er sich
mit der anderen Hand an ihrem Po zu schaffen machte.
Die Frau stellte sich auf die Zehenspitzen, biss sich auf
die Lippen und schwankte, als er ihr einen Finger langsam in den Anus schob.

«Ju! Ach Gott, nein!», hörte Alexa die Frau sagen,
dann bekam sie selbst weiche Knie. Sie hatte nicht den
geringsten Zweifel, dass ihre «Vision» der Realität entsprach.

«Bitte, Liebster. Nicht das!», stammelte die Frau mit
ekstatisch verzerrter Stimme. Sie wurde höher gehoben.
Sie tänzelte und schwankte. Der eingedrungene Finger
ließ sie vibrieren.

«Du magst es doch!», zischte der Mann, den sie
Ju nannte, dann murmelte er etwas Unverständliches.
Trotzdem meinte Alexa vor sich zu sehen, was sie auf
sein Geheiß anstellte. «Cleo» zupfte jetzt an ihren Nip-
peln und drehte sie zwischen den Fingern, während ihr
Mann ihren Kitzler und ihren Hintern bearbeitete.

Mit zitternden Händen machte Alexa den BH-Verschluss zu. Obwohl die Körbchen federleicht waren,
taten ihr die Brüste weh. Sie blickte auf die Garnitur. Es
war sinnlos, weitere Teile anzuprobieren, trotzdem zog
sie den Rock aus. Irgendwie passte das zu der ganzen

verruchten Situation. Sie wollte Reizwäsche im Wert von mehreren hundert Pfund am Leib tragen, die ihr noch nicht einmal gehörte; sie wollte sie an der Haut spüren, während sie lauschte; und sie wollte, dass die Wäsche feucht wurde von ihrem Saft.

Im Spiegel sah sie, dass ihre sonnengebräunte Brust vor Erregung gerötet war. Ihre harten Nippel zeichneten sich unter dem BH-Stoff ab. So leise wie möglich schob sie ihr weißes Höschen herunter. Als sie den pinkfarbenen Slip vom Bügel nahm, hielt sie inne und hätte ihn beinahe fallen lassen … denn nebenan war ein lautes Stöhnen zu vernehmen.

Was macht er jetzt? Was zum Teufel stellt er mit ihr an?, fragte sie sich; vorübergehend hatte sie den Faden verloren. Mehrere lüsterne Szenarien gingen ihr durch den Kopf, als sie in den kostbaren Seidenslip schlüpfte, der zwar perfekt passte, aber unglaublich klein war. Der grazile Zwickel klebte ihr in Sekundenschnelle an der Haut. Jetzt muss ich das kaufen, dachte sie benommen, als ihr Saft das zarte Baumwollfutter benetzte.

«Entspann dich», flüsterte nebenan die verführerische Männerstimme. «Öffne dich für mich, Schatz. Tu es, ja, so. Halt still.»

Die Stimme hatte einen warmen Klang und war so eindringlich, dass Alexa sich unwillkürlich durch den hauchdünnen Slip hindurch zu reiben begann. Irgendwie tut er es mit ihr, dachte sie. Er fickt sie, und dabei hat er Schwierigkeiten.

«Oh, Ju … Ach Gott! Oh! Oh! Oh! Oh!» Die Frau stöhnte und ächzte, gedämpfte Lust- und Schmerzensschreie.

«So ist's gut, Schatz», gurrte der Typ. «Noch etwas

weiter. Beweg den Arsch. Lass mich rein ... Ach Gott, Celeste, du bist so geil!»

«Allmächtiger!», flüsterte Alexa beinahe lautlos, denn jetzt endlich sah sie vor sich, was er mit seiner Frau anstellte.

Das war doch nicht möglich. Das konnte er doch nicht tun ... Wie konnte sie das an einem öffentlichen Ort nur zulassen?

Alexa sah diesen Ju und seine Frau Celeste jetzt deutlich vor sich. Die schöne Frau hatte sich über die Stuhllehne gebeugt, und der Schwanz ihres Mannes war tief in ihrem Hinterteil versenkt. Abgesehen von den Schuhen war sie nackt, während er vollständig bekleidet war; und er nahm sie in einem Akt der Liebe und der Demütigung, während er mit den Händen ihre Brüste knetete.

Alexas Po prickelte jetzt ebenfalls, und der Kitzler stand unter ihren Fingern in Flammen. Sie biss sich auf die Lippen, rieb ihre Scham durch den hauchdünnen Slip hindurch und rubbelte heftig ihre Lustknospe. Genau wie die unbekannte Celeste beugte sie sich nach vorn; einen Moment lang wünschte sie, deren Stelle einzunehmen. Sich von einem geheimnisvollen Liebhaber demütigen, sich missbrauchen und unterwerfen zu lassen. Drew Kendrick begegnete sie gern auf Augenhöhe, und Tom und den jungen Quentin hatte sie beide fertiggemacht. Jetzt aber verlangte es sie nach dem Gegenteil, nämlich der passiven Rolle. Sie wäre gern das Lustobjekt gewesen, dessen der Mann sich bediente.

Aber vielleicht brauchte es ja gar kein Mann zu sein?

Einen Moment lang sah sie das blasse, ernste, bedrohliche Gesicht der Verkäuferin vor sich. Und wenn sie auf einmal den Vorhang aufzog und sah, was mit der teuren Reizwäsche passierte, die noch gar nicht bezahlt war? Der pinkfarbene Slip war inzwischen nass und roch nach ihren Säften. Also, wenn das kein Grund war, jemanden zu demütigen!

Es war sonnenklar. Die bezaubernde, punkige junge Frau würde Alexa packen und sie erniedrigen ... Vielleicht müsste sie sich mitten im Laden nackt ausziehen? Den eintretenden Kunden ihren nackten Hintern präsentieren. Sie dazu auffordern, ihre Backen zu öffnen. Ihre Rosette vorzeigen und sie zum Eindringen ermuntern ...

Alexa ließ sich geräuschlos auf den Teppich sinken, stützte den Oberkörper auf den Stuhl und überließ sich ihren Phantasien. Untermalt vom schamlosen Gestöhn aus der Nachbarkabine, sah sie sich an einem langen Gestell mit Unterwäsche lehnen, während der unbekannte Ju ihren Po erkundete – erst mit den Fingern und dann mit dem Schwanz. Er drang in sie ein und stieß grob in sie hinein, während seine Frau und die Verkäuferin zusahen; beide betasteten freimütig ihren Körper, die eine ihre Brüste, die andere das Geschlecht.

«O nein ... o nein ...», flüsterte sie, als der Orgasmus einsetzte, was sich anfühlte, als habe man sie mit einer Pinzette zwischen den Beinen gezwickt. Sie musste sich beherrschen, um nicht um sich zu schlagen und die Beine unter dem Vorhang hervorzustrecken. Alle Nerven zum Zerreißen gespannt, legte sie den Daumen auf den Kitzler und hätte beinahe den Stoff des Slips in ihre Spalte gedrückt, als sie mit den Fingern die pulsierende Öffnung reizte.

Der Orgasmus schien eine Ewigkeit zu dauern, und

mehrmals hätte sie beinahe laut aufgeschrien. Schließlich aber bekam sie ihren Körper wieder unter Kontrolle.

Verflixt nochmal, was mache ich hier eigentlich?, dachte sie und rappelte sich hoch. Im Spiegel bot sie einen fürchterlichen Anblick. Das Haar hing ihr wirr ins Gesicht, auf der Brust und am Hals hatte sie rote Flecken, die zarte Unterwäsche war verrutscht, und eine Brust und das schwarze Schamhaar schauten hervor.

Ich sehe schon wieder aus wie eine Schlampe, dachte sie verärgert und darum bemüht, die Geräusche nebenan zu überhören. Celeste und Ju waren immer noch miteinander zugange, so viel war klar. Und wenn sie ihr beider Keuchen und das rhythmische Klatschen hörte, dann musste es auch im Laden zu hören sein. Bislang hatte die Verkäuferin sich noch nicht blicken lassen, und Alexa hatte den Eindruck, Vorfälle wie dieser könnten für sie gang und gäbe sein.

Ist das der Grund, weshalb sie noch nicht nach mir gesehen hat?, überlegte sie und versuchte, ihr Haar und die neue Unterwäsche in Ordnung zu bringen. Kommt es häufiger vor, dass Kunden es sich in den Umkleidekabinen selbst besorgen?

Sie brauchte eine Weile, ihr Aussehen wiederherzustellen, doch schließlich war Alexa zufrieden. Als sie aus der Umkleidekabine trat, war es nebenan ruhig. Sie hoffte, dass ihre eigene Eskapade in Anbetracht des Getöses, das Mr und Mrs Ju veranstaltet hatten, unbemerkt geblieben war.

«Wären Sie so nett, mir dafür eine Tüte zu geben?», sagte sie beherrscht und legte ihren weißen BH und den Slip auf die Theke. «Die pinkfarbene Garnitur gefällt mir so gut, dass ich sie gleich anbehalten möchte. Ich hoffe, das macht Ihnen nichts aus?»

«Aber überhaupt nicht», erwiderte die Verkäuferin beiläufig. Ohne dass sich auch nur ein einziges glattes rotes Härchen auf ihrem Kopf bewegt hätte, langte sie unter die Theke, zog einen schmalen weißen Karton und etwas Seidenpapier hervor und packte Alexas Baumwollsachen von Marks & Spencer so sorgfältig ein, als wären sie aus der feinsten Seide, die es im Circe zu kaufen gab.

Um zu überspielen, dass diese kleine Prozedur ihr irgendwie unter die Haut ging, kramte Alexa umständlich die Kreditkarte hervor. Es hatte etwas Erregendes, einer anderen Frau dabei zuzusehen, wie sie mit ihrer Unterwäsche hantierte, und sie hatte den Eindruck, die Verkäuferin behandele den Slip mit ganz besonderer Wertschätzung, so als gefiele ihr deren schwacher weiblicher Duft.

Sie ist eine Lesbe, dachte Alexa, bei der es plötzlich klick gemacht hatte. Auf ihre überstrapazierte Kreditkarte blickend, hatte sie eine Vision vom Sexleben ihres Gegenübers. Eine Vision, in der sie selbst eine Rolle spielte.

Auf einem einfachen schwarzen Seidentuch erblickte sie ihren eigenen nackten Körper und das Dreieck zwischen ihren weit gespreizten Schenkeln. Die Verkäuferin liebkoste wie ein Pony, das an einem Salzstein leckt, ihr Geschlecht. Mit ihrer langen rosigen Zunge schleckte sie die duftenden Säfte. Die kräftigen, geschickten Hände hatte sie Alexa unter den Po geschoben, und da sie sich weit vorgebeugt hatte, war auch ihr eigener Hintern deutlich zu sehen.

Ein leises Räuspern holte Alexa jäh aus ihren Phantasien. Ihre «Geliebte» hielt ihr mit einer Hand den Karton entgegen und bat mit der anderen diskret um die Kreditkarte.

«Entschuldigen Sie. Ich war mit meinen Gedanken ganz woanders», sagte Alexa, der das Blut verräterisch in die Wangen schoss.

«Ja, hier ist es nicht schwer, sich ablenken zu lassen», murmelte die junge Frau und zog die Karte energisch durch das Lesegerät, während sie einen Blick zu der besetzten Umkleidekabine warf.

Alexas Gesichtsröte vertiefte sich. Sollte sie eine Bemerkung machen? Andeuten, was sie gehört hatte? Offenbar wusste die Verkäuferin genau, was dort vorging, und nahm es einfach hin. Aber ob es ihr auch recht war, wenn andere davon wussten?

«Das sind Stammkunden», meinte sie, als sie Alexa einen Stift und den Beleg reichte.

Alexa zuckte innerlich zusammen, als sie den Betrag sah, fand sich aber damit ab, da es gewissermaßen ein Koppelgeschäft gewesen war. In einem M & S wäre eine solche Erfahrung völlig undenkbar gewesen, gab ihr Dämon zu bedenken, und das zauberte ihr ein Lächeln ins Gesicht. Die Verkäuferin lächelte zurück, als wäre auch sie sich der Zusatzleistung bewusst.

«Ich würde mich freuen, Sie wieder hier begrüßen zu können», sagte sie, als Alexa Karte und Quittung entgegennahm und sich zum Gehen wandte.

Diese Bemerkung war eine unverbindliche Floskel, wie sie in allen Läden im ganzen Land hundertmal am Tag geäußert wurde; als Alexa jedoch den Kopf hob und in die großen, aufmerksamen Augen der Verkäuferin sah, welche die Farbe von poliertem Schiefer hatten, wurde ihr bewusst, dass die Bemerkung nicht so unschuldig gemeint war, wie sie geklungen hatte. Die fremde junge Frau musterte sie ebenso freimütig und interessiert, wie Beatrice es auf Barbados getan hatte. Damals hatte sie geglaubt, sich zu täuschen, doch mit ihrer neuen Gabe, die immer noch stärker wurde, war ein Irrtum ausgeschlossen.

Sie begehrt mich! Sie ist eine Lesbe und begehrt mich!, dachte Alexa amüsiert, als sie aus der parfümierten Circe-Boutique ins Freie stürmte.

Ach Gott, und ich glaube, ich begehre sie ebenfalls …

Es war ein Glück, dass Fausto so geschwätzig war. Nachdem Alexa ihren Wunsch erläutert und dafür die unangebrachte Anerkennung ihres Friseurs entgegengenommen hatte, konnte sie sich entspannen, während er beim Schneiden in einem fort plapperte.

Die Episode im Circe war in jeder Hinsicht erstaunlich. Das, was sie getan hatte; was sie mit angehört hatte; und ihre Phantasien bezüglich dessen, was sie mit der Verkäuferin anstellen würde, falls sie sie besser kennenlernen sollte.

Das ist eine neue Welt, dachte sie, als die feuchten schwarzen Locken auf den Boden fielen. Eine Welt in der Welt. Was wäre wohl passiert, wenn ich vor dem Barbados-Urlaub dorthin gegangen wäre? Vielleicht wäre mir gar nichts aufgefallen. Oder ich hätte geglaubt, da müht sich jemand mit zu enger Kleidung ab …

Außerdem hätte sie geglaubt, die PVC-gekleidete Verkäuferin habe es lediglich darauf angelegt, Aufmerksamkeit zu erregen, denn für Leute mit verrückter Kleidung, extremem Haarschnitt und mehrdeutigem, affektiertem Verhalten hatte sie im Allgemeinen nicht viel übrig.

Doch es hatte sich einiges verändert. Sie hatte sich verändert. Und ihre damaligen und ihre jetzigen Bedürfnisse waren wie zwei Paar Schuhe.

Und genau darum geht es heute Nachmittag, dachte sie entschlossen. Darum, den Dämon zu zähmen, ihn unter Kontrolle zu bringen, mich so verhalten zu lernen, dass ich Tom nicht verschrecke. Und Quentin. Beatrice wird schon wissen, wie man damit umgeht, tröstete sie sich, und spielte mit einer Haarsträhne, die ihr in den Schoss gefallen war, dann wurde ihr auf einmal bewusst, wie lang sie war. Sie blickte zum ersten Mal aufmerksam in den Spiegel, seit sie Platz genommen hatte.

Ach Gott, jetzt war es passiert! Fausto hatte bereits jede Menge Haar abgeschnitten, und der Rest hatte krause, glänzende Locken gebildet, die sich an ihren Kopf schmiegten. Die Frisur war raffiniert und elfenhaft, und sie wirkte damit gleichzeitig erfahren und mädchenhaft. Zehn Sekunden später bedauerte sie, diesen Schritt nicht schon eher getan zu haben. Viel eher …

«Gut, nicht wahr?», meinte Fausto, offenbar zufrieden mit der Verwandlung, die er bewirkt hatte.

«Ja, o ja», flüsterte Alexa, eine Locke zögerlich betastend. «Sehr gut sogar. Ich hätte mir die Haare schon vor Jahren schneiden lassen sollen.»

«Und jetzt wird getrocknet», fuhr Fausto triumphierend fort. «Etwas Spray zur Festigung. Vielleicht noch ein bisschen zerwühlen? Etwas mehr Dynamik. Ja, so ist's gut!»

Die Kosten des Haarschnitts waren allerdings gar nicht gut. Der Preisunterschied zwischen ihrem normalen Schnitt und einer neuen Frisur vom Chef des Friseursalons war gewaltig. Schaudernd reichte Alexa wieder einmal ihre Kreditkarte über den Tresen, das Trinkgeld zahlte sie aus der Geldbörse.

Als sie auf die Straße trat und auf ihre Armbanduhr sah, folgte der nächste Schock. Es war schon halb drei, sie hatte noch nicht zu Mittag gegessen und sollte um drei in Beatrices Praxis sein. Sie verspürte zwar keinen Hunger, hatte sich aber irgendwie vorbereiten wollen. Sich genau überlegen, was sie sagen würde. Sie wollte, dass sie die Einzelheiten ihrer Erfahrungen parat hatte, und zwar so geordnet und logisch wie möglich. Jetzt aber war fraglich, ob sie die Praxis überhaupt noch rechtzeitig erreichen würde, geschweige denn, dass sie sich mental auf das Treffen vorbereiten konnte.

Zum Glück bekam sie gleich ein Taxi, und als sie sich nervös in den Ledersitz zurücklehnte, versuchte sie, ihre Gedanken zur Ruhe zu bringen und ihre Notlage in Worte zu fassen.

Was um Himmels willen aber sollte sie sagen? «Ach, Beatrice, ich bin ständig geil. Ich will immerzu Sex und werde von Phantasien geplagt. Wenn nicht von meinen eigenen, dann von denen anderer Leute.»

Das klang absurd, doch es war die Wahrheit.

6. Kapitel ～ Ein Arztbesuch

Alexa hatte nicht erwartet, so nahe dem Zentrum ein solches Haus vorzufinden. In dieser guten Lage musste es mindestens eine halbe Million Pfund wert sein, was darauf schließen ließ, dass Beatrices Praxis gut lief.

Das Haus war aus grauem Stein erbaut, hatte hohe Fenster mit Mittelpfosten und lag etwas zurückgesetzt von der Straße, der gepflegte Garten umgeben von einer niedrigen Mauer, an die sich eine kräftige Eibenhecke anschloss. Alexa fragte sich, ob die Gartenarbeit zu Drews Pflichten gehörte, dann fiel ihr ein, dass er ja eine eigene Massagepraxis unterhielt oder wie man das nannte. Er war keine männliche Mätresse, obwohl Beatrice auf Barbados häufig diesen Eindruck hatte entstehen lassen.

Trotzdem machte es Spaß, die Wahrheit ein wenig zu verdrehen. Alexa stellte sich Drew vor, wie er mit nacktem Oberkörper und schweißüberströmtem sonnengebräuntem Rücken die Erde umgrub. Sie hatte den Eindruck, es sei erst gestern gewesen, dass sie ihn zuletzt nackt gesehen hatte, und meinte auf einmal zu spüren, wie er seinen Schwanz in sie schob. Am Schließhaken des Eingangstors hantierend, hatte sie die gleichen Empfindungen wie auf der Insel; ihr weiches Innere verlangte danach, von seiner Rute ausgefüllt zu werden, während ihr der Duft seines Eau de Toilette in die Nase stieg.

Grundgütiger, Alexa, reiß dich zusammen!, ermahnte sie sich, als sie vor der schwarzlackierten Tür stand. Das ist genau das, was du vermeiden willst ... Das ist der Grund, weshalb du hier bist. Zeig um Himmels willen etwas mehr Selbstbeherrschung.

Tief durchatmend betrachtete sie die Namensschilder aus funkelnder Bronze, jedes mit einem eigenen Klingelknopf. Auf Drews Schild standen lediglich sein Name und eine ungewohnte Berufsbezeichnung, und sie war versucht, den dazugehörigen Knopf zu drücken. Bei ihm wäre sie sich eines warmen, unkomplizierten Empfangs sicher. Er würde sie freundschaftlich aufnehmen, obwohl sie miteinander Sex gehabt hatten. Vielleicht würden sie sogar in seinem Bett landen ...

Nein! Hör auf damit! Deshalb bist du ja gerade hergekommen, dachte sie zornig. Sie wollte ihre Sexgier beherrschen lernen, anstatt sie weiter anzustacheln; und mit einem Anflug von Bedauern und voller Erwartung drückte sie den anderen Knopf. Den von DR. MED. BEATRICE A. QUINE.

Ziemlich weit weg ertönte im Haus eine Glocke, und es dauerte eine volle Minute, bis geöffnet wurde. Insgeheim hoffend, es wäre Drew, und mit Beatrice rechnend, reagierte Alexa überrascht – und ein wenig enttäuscht –, als sie eine Krankenschwester in nüchternem weißem Kittel vor sich sah – eine ziemlich großgewachsene schlanke Blondine.

«Hallo, kann ich Ihnen helfen?», sagte die Krankenschwester. Ihre haselnussbraunen Augen musterten sie freundlich, aber gleichgültig. Alexa hatte nicht den Eindruck, sie werde erwartet.

«Ich … ich habe einen Termin bei Dr. Quine. Wir sind sozusagen befreundet. Wir haben uns auf Barbados kennengelernt.»

Auf einmal wurde Alexa unter dem Blick der Krankenschwester ganz warm. In diesen funkelnden Augen zeigten sich Wissen und ein unübersehbarer Anflug von Belustigung.

Spielt sie etwa mit mir?

Alexa fragte sich, ob die junge Frau vielleicht genau wusste, wer sie war, und sie absichtlich dazu zwang, Erklärungen abzugeben. Steckte vielleicht sogar Beatrice dahinter? Vielleicht war das ja ein geheimer Test. Solche Spielchen hatte sie auch auf Barbados veranstaltet.

«Ich verstehe. Treten Sie ein. Sie werden erwartet», sagte die Krankenschwester mit einem reizenden Lächeln. «Bitte hier entlang.» Sie trat anmutig beiseite, um Alexa vorbeizulassen, dann zeigte sie zur Treppe. «Doktor Quine ist noch beschäftigt, aber sie hat mich gebeten, mich um Sie zu kümmern. Bitte folgen Sie mir, die Praxis befindet sich oben.»

Überrascht vom plötzlichen Stimmungswandel, stieg Alexa hinter der jungen Frau die Treppe hoch.

«Ich heiße übrigens Camilla. Camilla Fox.» Die Krankenschwester wandte sich auf dem Treppenabsatz um und schenkte Alexa wiederum ein reizendes Lächeln. «Beatrice hat mir alles über Sie erzählt. Ich hoffe, Sie leiden nicht mehr unter Kopfschmerzen.»

«Äh, nein, eigentlich nicht», erwiderte Alexa verwirrt. Was zum Teufel hatte sie Beatrice auf der Insel erzählt? Irgendetwas Inkriminierendes? Irgendwelche Peinlichkeiten, von denen diese Frau wusste?

Als Camilla weiterging, befand sich Alexas Gesicht auf einmal auf gleicher Höhe mit ihrem strammen, runden Hintern. Der Kittel war kompromisslos schlicht, hatte aber einen guten Schnitt und war aus feiner, teurer Baumwolle. Der strahlend weiße Stoff umschmeichelte eine tolle Figur; der züchtige knielange Rock gab den Blick auf die Waden frei, die so manchem Topmodel zur Ehre gereicht hätten. Zumal in den tiefschwarzen Strümpfen mit schnurgerader Naht.

Sie sieht toll aus, dachte Alexa, als sie Camilla über einen holzvertäfelten Flur folgte. An den Wänden hingen Gemälde, die ihr irgendwie bekannt vorkamen, dazwischen Beatrices gerahmte Diplome.

Woher nimmt sie nur diese Leute?, fragte Alexa sich, ihre Aufmerksamkeit wieder auf die Krankenschwester richtend. Erst Supermann Drew Kendrick und jetzt die schlanke, blonde Camilla. Kannte Beatrice denn nur außergewöhnliche Menschen?

In der Mitte des Flurs wurde Alexa in einen kleinen, behaglich eingerichteten Raum mit warmen Creme- und Brauntönen geleitet. An den Wänden hingen mehrere William-Morris-Drucke. Es war ein Wartezimmer, hatte aber nichts gemein mit den grausigen, nichtssagenden Räumlichkeiten, mit denen man als Patientin des öffentlichen Gesundheitssystems vorliebnehmen musste.

Camillas nächste Bemerkung war ein Schock für Alexa.

«Würden Sie sich jetzt bitte ausziehen?», sagte sie und streckte die Hand aus, um Alexas Handtasche entgegenzunehmen.

«Ausziehen?»

«Ja, natürlich.» Camilla lächelte, als erklärte sie einem begriffsstutzigen Kind eine Selbstverständlichkeit. «Wenn Sie angezogen sind, können wir Sie nicht untersuchen.»

Ach Gott, das ist ein Spiel!, dachte Alexa verwirrt, als sich auf einmal ihre spezielle Gabe einschaltete. Als sie Camilla die Tasche reichte und dabei deren Finger berührte, spürte sie das von ihr ausstrahlende sexuelle Interesse. Die weißgekleidete Krankenschwester war nicht ganz so unschuldig, wie sie wirkte, und unter ihrem gestärkten makellosen Kittel war ein dunkles Begehren verborgen.

Sie ist eine Lesbe. Genau wie die Verkäuferin im Circe.

Während sich der Gedanke herauskristallisierte, begriff Alexa, dass Camilla nicht hinausgehen würde, damit sie sich in Ruhe ausziehen könnte. Das gehörte mit zum Spiel, war vielleicht sogar eine Variante, die sich die Krankenschwester selbst hatte einfallen lassen. Und da knöpfte sie ihr auch schon die Jacke auf. Während Alexa noch bedauerte, dass sie nach der verrückten Episode vom Vormittag keine Gelegenheit zum Umziehen gehabt hatte, nahm Camilla ein Clipboard mit einem Formular vom viktorianischen Schreibtisch.

«Wie ist es um Ihren allgemeinen Gesundheitszustand bestellt, Miss Lavelle?», fragte sie, während Alexa sich aus dem Seidenmieder befreite. Dabei riss sie den runden Perlenknopf ab, der in hohem Bogen auf den Teppich flog. Da sie nicht wusste, ob sie sich danach bücken oder darüber hinweggehen sollte, murmelte sie, sie fühle sich gut. Dann errötete sie heftig, denn die Krankenschwester starrte ihren pinkfarbenen Seiden-BH an, als wäre sie heute Morgen ebenfalls im Laden gewesen und hätte mitbekommen, welche Ereignisse sie zum Kauf veranlasst hatten.

«Der ist aber hübsch», bemerkte Camilla und trat, ehe Alexa wusste, wie ihr geschah, hinter sie und öffnete den Verschluss. Dann langte sie unter Alexas Armen hindurch und nahm ihn ihr von den Brüsten.

«Wundervoll», flüsterte Camilla, während Alexa auf die fremden und sehr weiblichen Hände schaute, die einen Moment ihre Brüste umfassten und sich dann aus ihrem Blickfeld zurückzogen. «Der steht Ihnen wirklich. Sie haben ganz entzückende Brüste. Genau, wie die Frau Doktor sie geschildert hat.»

Frau Doktor? Geschildert?

Während sie fasziniert und befremdet beobachtete, wie ihre Nippel hart wurden, versetzte sie sich im Geiste nach Barbados zurück.

Drew hatte ihre Brüste gesehen. Drew hatte sie gestreichelt und geküsst. Aber hatte sie nicht immer das Bikini-Oberteil angehabt, wenn Beatrice in der Nähe war? Sie erinnerte sich an eine diffuse Angst, eine gewisse Befangenheit, deren Ursache sie erst jetzt begriff. Das war ihre unschuldige Reaktion auf die subtilen Offerten einer Frau gewesen. Sie war in Deckung gegangen, weil es sie erschreckt hatte, begehrt zu werden. Beatrice hatte sich mit nacktem Oberkörper – und meistens auch ohne Höschen – gesonnt, doch Alexa hatte sich bedeckt gehalten. Um eine Reaktion zu verbergen, die ihr unangenehm gewesen war ...

«Und jetzt bitte noch der Rest», murmelte Camilla und trat vor Alexa hin, das Clipboard wieder in der

Hand. «Wir wollen Doktor Quine doch nicht unnötig warten lassen.»

«Ja, sicher», erwiderte Alexa und machte sich an ihrem Rock zu schaffen.

Sie hat ihren Spaß dabei!, dachte sie verärgert, Camilla dabei beobachtend, wie sie sich geheimnisvolle Notizen machte. Ob sie wohl auch so selbstgefällig tun würde, wenn sie wüsste, dass ich sie durchschaue und weiß, dass sie sich zu mir hingezogen fühlt?

Aber fühle ich mich auch zu ihr hingezogen?

Diese Frage schloss sich logischerweise an. Um ein Haar hätte sie sie laut ausgesprochen. Was empfinde ich?, überlegte sie, als das Rockfutter über ihre Schenkel glitt. Bin ich ebenfalls lesbisch?, fragte sie sich, als sie das Kleidungsstück mit dem Fuß ein Stück fortschleuderte. Camilla hielt inne, bückte sich, hob den Rock auf, faltete ihn sorgfältig und legte ihn auf einen Stuhl.

Wahrscheinlich schon, erkannte Alexa und dachte an ihre Phantasien bezüglich der Verkäuferin im Circe und ihr aufkeimendes Verlangen, das sie auf der Insel noch geleugnet hatte.

Aber was war mit Drew? Und mit Tom? Mit Quentin? Dann bin ich wohl bisexuell, dachte sie und sah auf einmal bildlich einen Penis vor sich, ohne zu wissen oder auch nur wissen zu wollen, wessen Schwanz das war.

Das Bild und die damit einhergehenden Vorstellungen ließen sie heftig erröten. Als sie den Blick senkte, bemerkte sie, dass die Röte ihr die Brust hochkroch. Abermals bedauerte sie, dass sie nicht den Weitblick besessen hatte, nach Hause zu gehen und sich umzuziehen. In der Umkleidekabine des Circe war sie feucht geworden, und die Spuren an ihrem dünnen, pinkfarbenen Höschen waren deutlich zu erkennen. Camilla würde bestimmt gleich wieder einen Eintrag auf ihrem geliebten Clipboard machen!

Nackt bis auf die Schuhe, die Strümpfe und den Slip, kam Alexa sich vor wie eine aufgetakelte, aber unerfahrene Stripperin. Dass ihre Schuhe nagelneu und die Absätze sehr hoch waren, dass die Strümpfe mit Zierborte gesäumt waren und der Slip beinahe durchsichtig, machte es auch nicht besser. Noch nie zuvor hatte sie sich so entblößt gefühlt, und sie würde sich bestimmt nicht nackter fühlen, wenn sie schließlich auch noch das letzte Kleidungsstück abgelegt hätte.

Camilla hingegen wirkte umso hygienischer und makelloser. Sie blickte Alexa einmal, zweimal, dreimal an, und nach jedem Blick machte sie gewissenhaft einen Eintrag. Alexa konnte noch immer die Erregung der Krankenschwester spüren, doch der Umstand, dass sie sich nach außen hin nichts anmerken ließ, verunsicherte sie. Camillas leicht gebräunte Haut wirkte glatt und kühl, und das Oberteil ihres weißen Kittels hob und senkte sich im Rhythmus eines gleichmäßigen Atems. Alles an ihr war makellos, angefangen von den Kappen der polierten schwarzen Schuhe bis zu ihrem wundervoll frisierten goldblonden Haarschopf, der von einem gestärkten, untertellergroßen Häubchen gekrönt wurde.

«Ich glaube, das reicht fürs Erste», sagte die Krankenschwester, von ihrem Clipboard aufblickend. «Wenn Sie dort drüben Platz nehmen möchten, führe ich dann die erste Untersuchung durch.»

Alexa hatte zahllose Einwände, war aber dermaßen verwirrt, dass sie keinen einzigen äußerte. Als sie auf dem

weichgepolsterten Sofa Platz nahm und den Velours-
bezug an den Schenkeln spürte, hallten ihr die Fragen
monoton im Kopf wider.

Weshalb werde ich untersucht, wenn ich doch nur
ein wenig plaudern wollte? Weshalb sollte ich mich im
Wartezimmer ausziehen? Und wieso untersucht mich
die Krankenschwester, wenn ich einen Termin bei Beatrice habe? Ich weiß, sie kann es gar nicht erwarten,
mich von Kopf bis Fuß zu betatschen, aber widerspricht
das nicht dem Berufsethos?

Nach einer Weile kam Camilla herüber, setzte sich neben sie und legte ein paar Utensilien auf den niedrigen
Tisch. Alexa hatte gar nicht bemerkt, woher sie es genommen hatte, doch auf einmal hielt sie ein Stethoskop in der
Hand, den Ohrbügel hatte sie sich um den Hals gelegt.

Der erste Teil der Untersuchung war enttäuschend
unpersönlich. Ohne zu erklären, weshalb sie das machte
und nicht die Ärztin, führte Camilla einige routine-
mäßige und harmlose Untersuchungen durch. Mit unterschiedlichen Instrumenten sah sie Alexa in Augen, Ohren und Mund, maß den Blutdruck, die Temperatur und
den Puls.

Hin und wieder streiften die weichen Fingerspitzen
der Krankenschwester über ihre Haut, und jedes Mal
erschauerte Alexa. Camillas Berührung war federleicht,
eigentlich gar keine richtige Berührung, löste aber gleichwohl Lustgefühle aus. Auf einmal überlegte Alexa, wie
sie wohl als Geliebte wäre …

Bestimmt raffiniert und einfallsreich und mit einer
subtilen, unangestrengten Technik. Vor ihrem geschärften geistigen Auge sah sie Camilla anmutig zwischen
Beatrices langen, blassen Beinen knien und die feuchte,

rosige Zunge in der offenen Spalte der Ärztin versenken. Alexa wusste mit an Gewissheit grenzender Sicherheit, dass genau dies erst kürzlich stattgefunden hatte und bald wieder stattfinden würde, wahrscheinlich, ehe der Tag vorüber war. Dann aber sah sie Camilla auf einmal zwischen ihren eigenen Beinen knien, und sie erschauerte. Das war zu viel, das wollte sie verdrängen.

«Tut mir leid, habe ich kalte Hände?», fragte die Krankenschwester mit einem Funkeln in den Augen.

«Nein … Nein, es geht schon.»

«Dann ist es ja gut, denn jetzt muss ich Sie abhorchen.»

Alexa hielt still, als ihr behutsam auf den Rücken geklopft und sie gebeten wurde, zu husten; was dann geschah, stellte ihre Selbstbeherrschung jedoch auf eine harte Probe.

Ohne jede Vorwarnung und mit einem schwachen Grinsen untersuchte Camilla plötzlich die Brüste ihrer Patientin.

Es begann wie eine ganz gewöhnliche Untersuchung, wie Alexa sie schon mehrfach über sich hatte ergehen lassen – doch dann ging es weiter. Und weiter … Als Camilla ihre Brüste abgetastet hatte, begann sie sie zu streicheln und beschrieb mit den Fingerspitzen sich verengende Kreise, bis sie tatsächlich die Brustwarzen liebkoste – eine andere Bezeichnung gab es nicht dafür.

«Sie sind sehr empfindsam, nicht wahr?», murmelte die Schwester, während sie die harten Nippel mit den Daumen reizte.

«J-ja», keuchte Alexa, die sich unwillkürlich bewegte und leicht schwankte. Ihr Atem ging unregelmäßig und flach.

«Das ist gut», sagte Camilla, ohne mit der tanzenden Bewegung der Daumen innezuhalten. «Die Ärztin wird damit sehr zufrieden sein.»

Die Untersuchung nahm einen höchst ungewöhnlichen Verlauf. Camillas Hände nahmen sich jetzt andere Regionen vor; sie streiften über Alexas straffen Bauch, dann wanderten sie über den schmalen, pinkfarbenen Slip nach unten und berührten die nackte Haut über dem Strumpfrand. Alexa hatte auf einmal das Gefühl, Camilla wolle noch mehr, werde aber durch irgendein Verbot daran gehindert, ihrem Wunsch nachzugeben.

Beatrice, du Miststück!, dachte Alexa zornig. Sie war jetzt stark erregt und erhitzt, und zwischen ihren Beinen brannte die Begierde. Sie wollte, dass die kühlen weißen Hände der Krankenschwester ihr Verlangen stillten. Dass sie ihr Geschlecht berührten. Es störte sie nicht mehr, dass dies Frauenhände waren; die ersten Frauenhände – abgesehen von ihren eigenen –, die sie streichelten und ihr Lust bereiteten. Sie wollte – nein, sie verlangte danach –, dass Camilla ihren Kitzler berührte, doch ihr war klar, dass Beatrice ihr dies aus irgendeinem Grund verboten hatte.

Als die Finger sich auf Alexas Scham zu bewegten, hielt Camilla plötzlich inne und zog die Hand ruckartig zurück. Mit einem leisen «Na-na-na» nahm sie das Clipboard in die Hand und setzte schwungvoll ihre Unterschrift unter das Formular.

«Jetzt wollen wir zu Frau Doktor gehen, einverstanden?», sagte sie schroff und erhob sich geschmeidig. «Kommen Sie mit», fügte sie tadelnd hinzu, während Alexa sich noch bemühte, einen klaren Kopf zu bekommen. «Frau Doktor ist beschäftigt, und wir wollen sie doch nicht warten lassen.»

Alexa war verwirrt und verärgert. Ihre Haut hatte die Farbe einer Pfingstrose, sie war fast nackt und hatte ein unbehagliches Gefühl zwischen den Beinen – und jetzt sollte sie auch noch in diesem Zustand durchs Haus laufen, ohne dass man ihr einen Bademantel angeboten hätte!

Schließlich fand sie die Sprache wieder. «Verzeihung», sagte sie, «aber sollte ich mir nicht vorher etwas überwerfen?»

«Ach, das ist nicht nötig. Seien Sie doch nicht albern!», erwiderte Camilla in herablassendem Krankenschwesterton. «Bis zum Untersuchungszimmer sind es nur ein paar Schritte, und im ganzen Haus ist es behaglich warm.»

Alexa zögerte noch immer. «Wahrscheinlich haben Sie recht», murmelte sie schließlich, erhob sich und folgte Camilla. Die Krankenschwester hielt ihr lächelnd die Tür auf und deutete nicht zur Treppe, sondern weiter den Flur hinunter.

Das Haus ist ja ein Labyrinth, dachte Alexa, und als sie dicht an der weißgekleideten Frau vorbeikam, schnupperte sie auf einmal einen ganz besonderen Duft. Wie eine Klinge durchschnitt er den allgegenwärtigen Geruch des Lavendelbohnerwachses, der Holztäfelung und des ganzen Rests. Er war frisch und leicht, aber auch kräftig. Erstaunlich rein. Wenn es stimmte, dass ein Parfüm der Persönlichkeit Ausdruck verlieh, dann hatte Camilla keine bessere Wahl treffen können.

Der Raum, den Alexa nun betrat, passte zu der Krankenschwester ebenso gut wie ihr Parfüm. Weiß, sachlich und klinisch sauber, war er das genaue Gegenteil des behaglichen, gemütlichen Wartezimmers. Damit hatte Alexa nicht gerechnet.

Schaudernd musterte sie die blankgeschrubbten, ultrahygienischen Oberflächen. Das Ganze hatte mehr Ähnlichkeit mit einem Operationssaal als mit einem Sprechzimmer, und die in der Mitte stehende Liege wirkte ausgesprochen einschüchternd, denn sie war mit zahlreichen stählernen Fortsätzen und baumelnden Vorrichtungen ausgestattet, die an Handschellen erinnerten. Die Liege war mit einem makellos weißen Tuch bezogen, an einem Ende lag ein flaches Kissen.

Ein Altar. Und ich soll darauf geopfert werden, dachte Alexa voller Panik. Man wird mich hier auf diesem Tisch vorbereiten, mich festschnallen und … mir wohl irgendeine Art von Jungfräulichkeit rauben.

Die Hohepriesterin aber glänzte durch Abwesenheit. Im Raum gab es alle möglichen beunruhigenden Apparate, doch Beatrice ließ sich nicht blicken. Ob sie überhaupt hier ist?, überlegte Alexa. Oder lässt sie mich mit Absicht warten?

«Beunruhigen Sie sich nicht», sagte Camilla freundlich, während sie geschäftig umherlief und Gegenstände zurechtrückte, die bereits akkurat angeordnet waren. «Sie brauchen nicht lange zu warten. Frau Doktor wird jeden Moment erscheinen.»

Alexa verharrte hilflos auf dem Fleck. Ihr Blick wurde unwiderstehlich von der Liege angezogen.

«Ja, das ist eine gute Idee. Legen Sie sich hin, und entspannen Sie sich», meinte Camilla, die ihrem Blick mit den Augen gefolgt war. «Aber ich glaube, das brauchen wir nicht.»

Sie zog den weißen Bezug von der Liege ab und faltete ihn wie eine Fahne.

Alexa schluckte. Das Polster der Liege war nicht hell- oder dunkelbraun, wie sie es erwartet hatte, sondern blutrot – eine Farbe, die in dieser sterilen Umgebung nahezu obszön wirkte. Die Liege wirkte wie ein sinnlicher, mit Lipgloss geschminkter Mund in einem bleichen Gesicht und ließ Alexa sogleich an Beatrice denken. Hatte sie die Farbe absichtsvoll gewählt?

«Kommen Sie, legen Sie sich hin.» Camilla packte das Laken beiseite und half Alexa, sich auf die blutrote Liege zu betten, was mit ausgiebigem Tätscheln und Zurechtrücken einherging. Anfangs verkrampfte sich Alexa, doch nach einer Weile entspannte sie sich und wurde unter den ruhigen Händen der Krankenschwester ganz gefügig und passiv.

«Entspannen Sie sich, Alexa», wiederholte sie mit leiser Stimme. «Es dauert nur noch ein paar Minuten.» Und dann verließ sie lautlos den Raum.

Was nun?, dachte Alexa, mit dem Rücken über das prachtvolle rote Leder rutschend. Soll jetzt der Rest von mir untersucht werden? Mit den Fingerspitzen berührte sie den zarten, pinkfarbenen Stoff, der ihre Scham bedeckte, was sie sogleich bedauerte. Die kurze Berührung war elektrisierend. Durch die Seide hindurch spürte sie ihr glänzendes Schamhaar und meinte den Druck wahrzunehmen, den ihre Fingerspitze auf ihr Lustzentrum ausübte. Sie hätte gern fester zugedrückt, sich die Finger in die Spalte gesteckt und es sich besorgt, wollte von Beatrice jedoch nicht ertappt werden.

Allerdings würde das mein Problem veranschaulichen, überlegte sie träumerisch und ließ den Finger an der Stelle verweilen. Ich bin ständig scharf. Ich will mehr; mehr Sex, als Tom mir geben und als ich mir selbst verschaffen kann. Und ich muss ständig daran denken, weil ich überall von Sex umgeben bin – ich bin wie ein Radio, das sich nicht ausschalten und auch nicht auf einen anderen Sender einstellen lässt.

Auch hier in diesem weißen, nüchternen Raum wurde «gesendet». Die Liege war kein Mund, sie war eine Vulva: nackt, schimmernd und entblößt. Nicht zum ersten Mal fragte sich Alexa, was eigentlich Beatrices Fachgebiet war. Das Lederpolster, auf dem sie lag, war geradezu aufgeladen mit Lust, so als hätte es wieder und wieder dazu gedient, die wollüstigen Begierden der Ärztin zu befriedigen. Alexa stellte sich vor, Beatrice liege mit weit gespreizten Beinen auf der Liege, während Drew es ihr stehend besorgte. Mit halbgeschlossenen Augen meinte sie, seinen muskulösen Körper vor sich zu sehen, der sich langsam und majestätisch bewegte, während seine Gebieterin anfeuernde Obszönitäten knurrte. Camilla schaute den beiden aufmerksam zu. Die Krankenschwester war nackt, und ihr wundervoller, keck gerundeter Hintern thronte auf einem hohen verchromten Hocker. Während sie ihrer Chefin zuschaute, bebten ihre spitzen Brüste, und mit ihrer schlanken Hand rieb sie sich zwischen den Beinen. Bizarrerweise hatte sie eine weiße Haube auf dem Kopf.

Was tue ich? Was tue ich nur?, dachte Alexa und setzte sich keuchend auf. Ich kann einfach nicht damit aufhören! Sex, immer nur Sex! So sehr ich mich zu beherrschen versuche, muss ich doch immerzu daran denken!

Außerdem hätte ich nicht herkommen sollen. Gerade diesen Ort hätte ich unter allen Umständen meiden sollen. Das ist ein Palast des Sex, aber kein Ort, um ihn zu vergessen. Hier wird meine Sexgier nur noch stärker werden.

Von Minute zu Minute verstand sie ihre neue Persönlichkeit immer weniger. Wollte sie wirklich aufhören, sich mit erotischen Phantasien zu beschäftigen, oder wollte sie lernen, damit umzugehen? Sie genoss ihre neue Gabe und den damit einhergehenden Kitzel, doch die Stärke ihres Verlangens war beunruhigend. Und natürlich lästig. Voller Bitterkeit dachte sie an Camillas Aufforderung, sie solle sich «entspannen». In diesem Raum war das ein Ding der Unmöglichkeit; selbst das Lederpolster stimulierte sie und absorbierte ihre Körperwärme.

Mit geschlossenen Augen lauschte Alexa auf die Geräusche im Haus. Sie meinte, leise Stimmen zu hören, doch das konnte auch bloße Einbildung sein. In diesem Raum gab es nur ein angelehntes Fenster, und durch den Spalt drangen gedämpftes Vogelgezwitscher und das Sirren eines Rasensprengers herein. Wenn sie jetzt ans Fenster träte, würde sie wahrscheinlich auf die Gärten hinter den Häusern blicken, und sollte Drew gerade im Garten arbeiten, könnte sie ihm zuwinken, sich vorbeugen und ihm ihre Brüste präsentieren …

Nein! Nein! Nein! Sie krallte die Finger in das Lederpolster und bewegte sich unruhig, während sich die Lust in ihrem Bauch wie eine Schlange zusammenrollte.

Schluss damit!, befahl sie sich und warf den Kopf auf dem Kissen hin und her. Sie meinte zu hören, wie ihr Körper nach ihr rief, wie ihre feuchte, heiße Möse lautstark danach verlangte, von ihren Fingern erkundet zu werden. Ich darf gar nicht erst damit anfangen. Ich darf es nicht … Denn wenn ich es tue, werde ich bestimmt dabei ertappt.

Und wenn alles nur Lug und Trug ist? Wenn ich mir nur eingebildet habe, dass Camilla mich begehrt? Wenn ich eine ganz normale Untersuchung sinnlos aufbausche?

Blödsinn!, sagte sie sich, gab ihrem Verlangen nach und legte als Kompromiss die Finger um die Nippel. Du weißt, was du weißt. Seit du dir den Kopf gestoßen hast, kennst du die sexuellen Wünsche anderer Leute.

Aufstöhnend kniff Alexa sich heftig in die Brustwarzen. Dann hielt sie den Atem an, denn vom Gang vernahm sie das Geräusch eiliger, zielstrebiger Schritte. Im letzten Moment legte sie die Arme an die Seite, da ging auch schon die Tür auf, und Beatrice trat mit einem breiten Lächeln in den Raum.

«Alexa! Was hast du denn mit deinem Haar gemacht? Das ist ja wundervoll!», rief sie, kam zur Untersuchungsliege geeilt und küsste Alexa auf die Wange, ehe diese sich auch nur rühren konnte.

«Lass dich anschauen», fuhr sie fort, schob den Arm besitzergreifend unter Alexas Rücken und half ihr beim Aufsitzen. «Der Urlaub auf Barbados scheint schon eine Ewigkeit her zu sein. Du hast mir gefehlt.»

Die verwirrte Alexa hatte den Eindruck, sie sei erst gestern auf Barbados gewesen. Als wäre es erst wenige Stunden her, dass sie sich auf der Veranda gesonnt und dabei zugeschaut hatte, wie diese Frau von ihrem Geliebten massiert wurde. Von ihrer beider Geliebten …

Heute war Beatrice vollständig bekleidet, schaffte es aber trotzdem, sexy auszusehen. Ihr Haar hatte sie geflochten und um den Kopf geschlungen, und ihren wundervollen Körper hatte sie mit kastanienbrauner glänzender Seide umhüllt – mit einer weiten, aber eleganten Hose und einem mit Stickereien verzierten Nehru-Top. Darüber trug sie etwas nachlässig einen Baumwollkittel, frisch gestärkt und ebenso makellos wie Camillas schneeweißer Kittel. Alexa bemerkte, dass die Krankenschwester ebenfalls in den Raum geschlüpft war.

«Das ist so knabenhaft.» Beatrice zauste Alexas Locken. «So unverwechselbar … Die Frisur steht dir wirklich gut.»

«Danke», murmelte Alexa, von den Komplimenten aus der Fassung gebracht.

Ich hatte ganz vergessen, wie Beatrice ist, dachte sie, als ihr die Ärztin mit den Fingerspitzen übers Kinn strich. Sie war so überwältigend wie ein Wirbelsturm, wie ein heißer Wind aus einer wilden, exotischen Gegend. Außerdem war sie etwa fünfzehn Zentimeter größer, als eine Frau eigentlich sein sollte, jedoch wirkte dieser Verstoß gegen das Schönheitsideal bei ihr provokant und reizvoll. Ihr blumiges Parfüm war beinahe so intensiv wie eine Berührung.

«Nun gut», sagte die Ärztin unvermittelt, trat einen Schritt zurück und streichelte Alexas nackte Hüfte. «Auf die Gefahr hin, klischeehaft zu wirken, wo liegt das Problem?» Sie kniff taxierend ihre funkelnden Augen zusammen. «Du siehst gesund aus. Eigentlich topfit.» Wie zur Bestätigung ihrer Diagnose fuhr sie mit den Fingerrücken über Alexas Körper, bis sie die nackten Brüste erreicht hatte. Sie nickte und schnippte gegen eine Brustwarze. «Also, damit ist alles in Ordnung», bemerkte sie versonnen, als die rosige kleine Knospe merklich hart wurde.

Wie sollte sie es ihr beschreiben? Ihr «Problem»

oder wie immer man es nennen wollte … Sie wusste nicht, wo sie anfangen sollte, denn sie hatte Herzklopfen, und ihre Brust prickelte. Alexa war ganz überwältigt von der lächelnden, braunäugigen Ärztin, und als sie den Mund aufmachte und kurz die schweigende Camilla ansah, ließ Beatrice ein perlendes Lachen hören.

«Ach, wegen unserer Sly brauchst du dir keine Sorgen zu machen», sagte sie in vertraulichem Ton. «Wir haben hier nämlich keine Geheimnisse voreinander.» Ihr Lächeln wurde breiter, dann tippte sie sich gegen die kräftige, gerade Nase. «Hier gilt das Beichtgeheimnis. Und zwar für alle Mädchen.»

Wer ist Sly?, überlegte Alexa benommen. Die Verwirrung war ihr wohl anzusehen, denn die Ärztin wandte sich zur Krankenschwester um.

«Hast du Camilla bereits kennengelernt?», fragte sie schelmisch. «Meine Krankenschwester. Meine Ms Fox, das schlaue Füchschen. Sly.»

Alexa nickte Camilla zu, die ein nachsichtiges Lächeln aufsetzte und andeutungsweise die Augen verdrehte, als finde sie ihre Chefin im Allgemeinen durchaus amüsant, bisweilen aber auch ein wenig peinlich.

«Aber sie hat dich ja bereits untersucht. Ich Dummerchen», fuhr Beatrice unbekümmert fort. «Was hältst du davon, wenn ich dich noch einmal untersuche, vielleicht finden wir dann heraus, wo dein Problem liegt?» Alexa aufmerksam musternd, schnippte sie mit den Fingern, dann streckte sie die Hand aus, und Camilla – Sly – legte das Stethoskop hinein.

Einige der Prozeduren, welche die Krankenschwester durchgeführt hatte, wiederholte die Ärztin. Alexa überlegte, ob sie Camilla darauf hinweisen sollte, doch deren umherwandernde Finger brachten sie zum Verstummen. Wie zuvor Sly beschränkte die Ärztin ihre Untersuchung nicht auf das medizinisch Notwendige. Jeder Fingerdruck war etwas stärker als erforderlich und auch nicht unbedingt an der zu untersuchenden Stelle. Während sie Alexa abhörte und untersuchte, stellte Beatrice viele anscheinend ganz normale Fragen. Sie erkundigte sich sachlich nach Alexas Appetit, nach ihrem Gewicht und ihrer Periode, brachte es aber irgendwie fertig, jede Frage mit einer doppelten Bedeutung aufzuladen. Alexa reagierte beinahe erleichtert, als sie ihre bebenden Brüste abtastete, da fragte Beatrice auf einmal rundheraus: «Und wie ist es um dein Sexleben bestellt?»

«Ich … ich …», stammelte Alexa verlegen, denn sie wand sich unter Beatrices Berührung und atmete schwer. Beatrice war sanfter und ging behutsamer vor als ihre Krankenschwester, doch die Untersuchung war eindeutig erotisch.

«Ah, das ist also dein Problem», bemerkte Beatrice schelmisch. Ihre rosige Zungenspitze schoss hervor und benetzte die wohlgeformte Unterlippe. «Also, wenn das so ist, müssen wir eine Ganzkörperuntersuchung durchführen.»

Sie macht sich meine Hilflosigkeit zunutze, dachte Alexa benommen, als Sly sie zum Hinlegen aufforderte. Man möchte fast meinen, sie wäre gar keine richtige Ärztin, sondern eine begehrliche Lesbe, die eine raffinierte Methode entdeckt hat, weibliche Opfer in die Falle zu locken und sie überall zu befummeln.

Das war grotesk, und Alexa war sich dessen bewusst. Auf Beatrices Namensschild stand ein Titel, an den

Flurwänden hingen Diplome; und auf Barbados hatte sie sie behandelt, nachdem sie gestürzt war.

Das ist alles Unsinn, sagte sie sich. Ich selbst lade das alles sexuell auf. Das ist eine ganz normale Untersuchung, und ich mache eine raffinierte, langwierige Verführung daraus.

Aber dennoch ...

«Das wollen wir aber auch noch ausziehen», meinte Beatrice streng und legte den Finger auf Alexas hauchdünnen Slip. «Sly, würden Sie ihr bitte helfen?»

Ganz die sachliche Ärztin, trat Beatrice von der Untersuchungsliege zurück und nahm sich Slys Clipboard vor. Die Krankenschwester war währenddessen vorgetreten, schob nun energisch die Finger unter den Bund von Alexas Höschen und streifte es ihr von den Hüften.

«Anheben», sagte sie leise, worauf Alexa folgsam den Hintern hob und puterrot anlief, als ihr Blick auf den Slip fiel. Im Schritt war der Stoff unübersehbar feucht.

Als Sly Beatrice das anstößige Kleidungsstück zeigte und mit den Fingern den glänzenden Fleck dehnte, hätte sie vor Scham – und Verblüffung – beinahe laut aufgeschluchzt.

«Völlig normal», bemerkte Beatrice gleichmütig und machte einen weiteren Eintrag auf Slys Liste. Alexa hätte sich am liebsten auf den Bauch gedreht und das brennende Gesicht ins Kissen gedrückt, doch die Krankenschwester hielt sie mit sanftem Druck fest und strich ihr die verschwitzten Locken aus der Stirn.

«Das ist kein Grund, sich Sorgen zu machen, Süße», sagte sie munter. Dann senkte sie ihre roten Lippen auf Alexas Ohr und flüsterte: «Ich muss zugeben, ich bin selbst ein wenig feucht.»

Es stimmt! Ach Gott, es stimmt wirklich!, dachte die geschockte Alexa. Sie verführen mich! Ich hatte also mit meinen Vermutungen recht.

Sie begann zu zappeln, wurde aber sogleich auf die Liege gedrückt.

«Ruhig … ganz ruhig, meine Liebe», meinte Beatrice freundlich und wandte sich wieder zur Liege um. Zu Alexas Entsetzen streifte sie sich zwei dünne, durchsichtige Gummihandschuhe über. «Eine ganz normale Untersuchung. Ich werde dir nicht wehtun. Eigentlich sollte sie sogar ganz angenehm für dich sein.» Sie zog das bedrohlich wirkende Latex auf dem Zeigefinger straff. «Sly, würden Sie mir bitte assistieren? Ich brauche etwas mehr –» Sie zögerte erneut, um die Wirkung ihrer Worte zu erhöhen. «– etwas mehr Platz.»

«Soll ich ihr die Strümpfe ausziehen, Frau Doktor?», fragte Sly und berührte den hauchdünnen grauen Nylonstoff an Alexas Knöchel.

«Nein, ich glaube nicht.» Beatrice legte taxierend den Kopf schief. «Die sind wirklich hübsch; mir ist es lieber, wenn sie sie anbehält.»

Hilfe!, dachte Alexa, in deren Unterleib sich die Erregung aufbaute. Ärztin und Krankenschwester setzten ihre Scharade unverdrossen fort, doch das Ganze nahm immer unwirklichere Züge an.

Die beiden waren ein teuflisches Paar. Sie arrangierten ihren Körper, wie es ihnen passte, und öffneten ihre Beine, um ihr Geschlecht ihren perversen Liebkosungen zugänglich zu machen. Sie wurde gespreizt und geöffnet, bis selbst die kleinste Falte ihrer Scham offen dalag. Allein schon bei dem Gedanken begann ihre Möse zu pulsieren und feucht zu werden.

«Ich glaube, wir sind jetzt so weit», sagte Beatrice sachlich und ließ die Gummihandschuhe an den Handgelenken schnappen. «Sly, würden Sie ihr bitte ein kleines Kissen unterlegen?»

Sly trug ebenfalls Gummihandschuhe, und bei dem Anblick bekam Alexa Herzrasen. Sie fühlte sich schlaff, hilflos, vollständig willenlos, und die Krankenschwester – die in Anbetracht ihrer schlanken Figur erstaunlich kräftig war – zog Alexa auf der Liege ein Stück nach unten, dann hob sie ihre Hüften an und schob ihr ein Kissen unter den Po.

Alexa stellte fest, dass ihr Becken jetzt einen anderen Winkel einnahm. Wie befürchtet – oder erhofft? –, war ihr feuchtes Geschlecht den Blicken der beiden Frauen unerbittlich ausgesetzt, und die rauchgrauen Strümpfe verstärkten die obszöne Wirkung noch.

Das Warten war nahezu unerträglich, und Alexa begann unwillkürlich zu zappeln. Sie konnte die Erregung der beiden Frauen, die sich mit ihrer eigenen zu einem explosiven Gemisch verband, beinahe schmecken.

«Ganz ruhig, Alexa», sagte Beatrice mit leiser, erotisch aufgeladener, beinahe zitternder Stimme. «Hältst du freiwillig still, oder soll Sly dich festhalten?»

Alexa merkte, dass sie Geräusche von sich gab, ein leises Wimmern und Stöhnen, doch es gelang ihr nicht, die gehörten Worte zu sinnvollen Sätzen zu verbinden. Sie schloss die Augen und spürte, wie Slys behandschuhte Finger sich um ihre Schultern schlossen. Dann bäumte sie sich stöhnend auf, als ein anderer Finger – ebenfalls in Latex – über die Innenseite ihres Schenkels fuhr.

Als er ihre Vulva berührte, kam es ihr.

7. Kapitel ~ Eine interessante Prognose

«Sehr interessant», murmelte Beatrice, Alexa über ihr Weinglas hinweg musternd. «Du bist die erste Patientin mit diesen Symptomen. Vielleicht sollte ich einen Fachartikel darüber schreiben.»

Sie spielt nicht mehr, dachte Alexa und trank einen Schluck Wein. Sie hat ihren Spaß gehabt, und jetzt ist sie wieder ganz Ärztin.

Die beiden Frauen saßen auf einem weichgepolsterten Sofa mit Moquettebezug in einem der vielen Zimmer von Beatrices großem Haus. Der hohen Standuhr in der Zimmerecke zufolge waren seit Beginn der Untersuchung etwa zwei Stunden vergangen, und Alexa schätzte, dass sie vor einer halben Stunde auf der roten Lederliege aufgewacht war.

Im Nachhinein erschien ihr die «Untersuchung» wie ein langer, verschwommener Traum. Sie erinnerte sich an schlanke Finger in Gummihandschuhen, die über ihren Körper wanderten und spielerisch dessen intime Regionen erkundeten. Sie waren in sie eingedrungen, hatten sie liebkost und von einem Höhepunkt zum nächsten geführt, während ihre Reaktionen penibel registriert und notiert wurden. Beatrice war keinen Moment lang aus der Rolle gefallen, doch dank ihrer neuen Gabe hatte

Alexa gespürt, dass das Ganze ein Schwindel war – jedenfalls dann, wenn sie klar genug im Kopf gewesen war, um ihre Situation nüchtern einschätzen zu können. Es war eine perfekte Inszenierung gewesen. Beatrice hatte sich über Alexas Ängste und ihre Verwirrung einfach hinweggesetzt und ihr das gegeben, wonach ihr Körper verlangte – nämlich Lust in dionysischer Fülle!

Schließlich hatte sie darum gebettelt, in Ruhe gelassen zu werden, da sie meinte, am Ende ihrer Kräfte zu sein – und dann hatten die beiden Frauen sie ganz sanft geküsst, mit einer Decke zugedeckt und allein gelassen.

Als Alexa eine Weile geschlafen hatte, brachte Sly ihr Handtücher und – endlich! – auch einen Bademantel. Noch immer ganz benommen, ließ Alexa sich in ein altmodisches, aber gut ausgestattetes Badezimmer führen und aalte sich in heißem, wohlriechendem Wasser.

Währenddessen ließ sie ihre Gedanken schweifen. Was war wohl geschehen, als sie eingenickt war? Hatten die beiden Verführerinnen ihre «Doktorspiele» fortgeführt? Als Sly ihr Handtücher brachte, hatte sie ebenso gelassen gewirkt wie zuvor, doch trotz ihrer Benommenheit war Alexa aufgefallen, dass am Kittel der dritte Knopf auf geheimnisvolle Weise aufgegangen war. Und als sie nach dem Bad in Beatrices gemütliches, etwas überladenes Wohnzimmer hinübergegangen war, hatte die Ärztin verträumt gewirkt – und ihr kunstvoll frisiertes Haar auf einmal offen getragen. Die langen, roten Wellen, die Beatrices Kopf zuvor wie ein Diadem umschlossen hatten, fielen ihr nun bis auf die Schultern. Ihr Haarschopf leuchtete flammend rot und schimmerte seidig, und hin und wieder spielte die Ärztin mit einer Strähne, während sie Alexa aufmerksam zuhörte.

Nach allem, was im Untersuchungsraum vorgefallen war, hatte Alexa jetzt noch größere Mühe, ihr Problem zu schildern. Ihre Worte sehr sorgfältig wählend, geriet sie immer wieder ins Stottern oder ganz ins Stocken, bis Beatrice sich schließlich mit einem leichten Kopfschütteln erhob, ans Sideboard trat und mit einem Tablett mit einer Karaffe Sherry und zwei Gläsern zu Alexa zurückkam. Alexa trank vom schweren Wein, der sie von innen her wärmte. Anschließend fiel ihr das Reden leichter.

Das Intermezzo mit Drew zwischen den Cabanas streifte sie nur oberflächlich, spürte aber, dass Beatrice sich nichts vormachen ließ. Als sie den Geliebten der Ärztin erwähnte, verengten sich deren strahlend braune Augen, und ein taktvolles Lächeln umspielte ihre Lippen.

Alexa ertappte sich dabei, dass sie das Ausmaß ihres Leidens herunterzuspielen versuchte. Sie hatte einige wundervolle Erfahrungen gemacht, doch als sie sie nüchtern schilderte, erschien ihr das eigene Verhalten anstößig und ungehörig. Wiederholte Verführung. Gelegenheitssex mit jungen Kerlen. Masturbation an öffentlichen Orten. Ganz zu schweigen von den seltsamen neuen Gelüsten, die jemand mit Beatrices Veranlagung wahrscheinlich als Herausforderung, wenn nicht gar als regelrechtes Coming-out, auffassen würde.

Unruhig auf dem Sofa hin und her rutschend und um den Anschein von Distanz zu ihrem Thema bemüht, zog Alexa den geborgten Bademantel um die Beine fest. Der Stoff war anschmiegsam und schön flauschig und fühlte sich an ihrer frischgebadeten Haut wundervoll an.

«Also, lass uns mal zusammenfassen, um zum Befund zu kommen.» Beatrice nippte nachdenklich am Sherry, dann griff sie zur Karaffe aus geschliffenem Glas.

Ob sie etwa trinkt?, fragte Alexa sich plötzlich. Schließlich saß Beatrice ihr in ihrer Eigenschaft als Ärztin gegenüber. Es kam ihr ein wenig seltsam vor, dass eine Ärztin bei der Arbeit Sherry trank. Nicht, dass Beatrice die typische Ärztin gewesen wäre – das war Alexa bereits auf Barbados aufgefallen.

«Nun gut. Du hast dir in der St.-James-Bucht den Kopf gestoßen. Du warst vorübergehend bewusstlos, aber aufgrund der Untersuchungen und Röntgenbilder waren eine Gehirnerschütterung und ein physisches Trauma auszuschließen.» Beatrice hielt inne, nahm Slys rotes Clipboard zur Hand, das auf einmal mit Krankenakten bestückt war, und studierte die Untersuchungsergebnisse der Inselklinik.

Verflixt nochmal, wo hat sie die her?, dachte Alexa und erzitterte leicht. Ich habe doch erst gestern bei ihr angerufen. In der kurzen Zeit hatte sie sich die Akten nicht einmal mit Expresskurier beschaffen können.

«Ich habe dich damals ebenfalls untersucht», fuhr die Ärztin fort und strich mit einem langen, perfekt manikürten Fingernagel übers Blatt. Immerhin hatte sie heute auf den feuerroten Nagellack verzichtet. «Du warst vollkommen in Ordnung. Ein bisschen mitgenommen, aber ohne ernstlichen Schaden. Wieso hast du mir nichts von den Kopfschmerzen erzählt?»

«Die waren auf einmal wieder weg. Und dann war ich mit anderen Dingen beschäftigt», antwortete Alexa verlegen, denn sie spürte, dass sie allmählich zum eigentlichen Kern vorstießen.

«Ah, ja», meinte Beatrice unverblümt. «Schließlich warst du durch deine Libido und meinen Drew abgelenkt.»

Alexa verschluckte sich am Sherry. Im nächsten Moment war Beatrice neben ihr, klopfte ihr mit genau der richtigen Kraft auf den Rücken und sagte in tröstendem, ausgesprochen professionellem Ton: «Na, na, na.» Als der Husten vorbei war, deutete sie mit dem Kinn auf die Karaffe. Alexa ließ sich dankbar nachschenken.

«Ich …», setzte sie an, mit dem Gefühl, von Beatrices strahlenden Augen – die fast die gleiche Farbe wie der Sherry hatten – durchbohrt zu werden.

Was soll ich sagen?, überlegte Alexa gequält. Ich habe mit ihrem Freund geschlafen. Sogar mehrmals. Und ich habe es so gewollt. Ich hätte jederzeit damit aufhören können, aber das habe ich nicht getan.

«Hast du etwa geglaubt, ich hätte nichts davon gewusst?», meinte Beatrice in eigentümlich freundlichem Ton. «Ich habe ihn zu dir geschickt, meine Liebe. Es war deutlich zu sehen, dass du einen Mann brauchtest. Und ehrlich gesagt, gibt es nicht viele Kerle, die männlicher sind als Drew.»

«Aber er ist dein …» Alexa war völlig durcheinander. Was bedeutete Drew Beatrice? Darüber war sie sich immer noch nicht im Klaren. War er ihr Freund? Ihr Gespiele? Ihr Geliebter? Ihr Gefährte? Anscheinend war er alles gleichzeitig und noch mehr, dennoch hatte die Beziehung auch etwas Zwanghaftes. So als wäre ihr Drew nicht ganz aus freien Stücken zu Diensten.

Beatrice schwieg einen Moment, als dächte sie über Alexas ungesagte Aufzählung nach. «Mein Gefährte?», sagte sie schließlich und hob die makellos gezupften

Brauen. «Natürlich ist er das. Aber es steht ihm auch frei, zu tun, was er will. Genau wie mir.» Sie zögerte erneut, dann verzog sich ihr Mund langsam, und sie grinste Alexa an. «Aber das stimmt nicht ganz. Ich kann tun, was ich will. Aber Drew? Nun, bei ihm liegt der Fall ein wenig anders. Jedenfalls beruht unsere sexuelle Beziehung nicht auf beiderseitiger Ausschließlichkeit. Ich habe nichts dagegen, dass er auch andere Frauen hat. Zumal bei bestimmten Frauen …»

Auf einmal hatte Alexa den Eindruck, sie sei Zeuge eines eindrucksvollen Akts von Selbstbeherrschung, was nicht nur ihren Neid weckte, sondern auch den Wunsch, es Beatrice nachzutun. Deren geschlossene Lider flatterten einen Moment, dann nahm sie wieder das Clipboard zur Hand und wandte sich mit merklicher Anstrengung den medizinischen Akten zu.

«Zurück zum Thema», sagte die Ärztin mit einem schwachen Seufzer. «Ich sollte nicht vorgreifen, meinst du nicht auch?»

Stark beunruhigt von den Signalen, die sie von Beatrice empfing, wartete Alexa auf die nächsten Fragen.

«So. Offenbar brauchst du jetzt mehr Sex – oder was auch immer – als früher. Ist das richtig?»

Alexa nickte.

«Und du … wie soll ich sagen … nimmst die erotischen Begierden anderer Menschen wahr?»

Ein weiteres Kopfnicken.

Beatrice nahm einen schmalen schwarzen Füller mit Silberkappe vom Tisch und machte rasch eine Notiz, die Alexa vom Sofa aus nicht sehen konnte.

«Und wo liegt das Problem?», fragte die Ärztin mit einem spitzbübischen Grinsen. «Wäre deine Libido durch den Unfall geschwächt worden, dann wäre das Anlass zur Sorge. Aber bei einer gesunden jungen Frau wie dir ist ein starkes Verlangen ein Vorzug, keine Krankheit. Ich kann dir nur empfehlen, das Beste daraus zu machen.» Sie legte das Clipboard weg und ergriff mit ihrer warmen, weichen Hand Alexas Finger. «Und was deine gesteigerte Wahrnehmungsfähigkeit angeht ... Was würde ich dafür geben! Im Beruf wie im Privatleben. Mit einer solchen Gabe wäre ich immer obenauf. Auch dann, wenn ich die Unterwürfige spiele.»

Auch diesmal wieder gaben die Worte der Ärztin Alexa Rätsel auf, ließen andererseits aber auch tief blicken. Alexa konnte sich keine Situation vorstellen, in der die dominante Beatrice nicht alles unter Kontrolle hatte. Dennoch hatte sie dem Wort «Unterwürfige» eine besondere Betonung gegeben. Als erregte es sie, eine reizvolle Maske, die sie hin und wieder gerne anlegte.

«Aber ich –», begann Alexa, in der Absicht, die mit ihrer ungewohnten Verfassung einhergehenden Probleme aufzuzählen. Ihre Lippen formten die Worte, oder versuchten es jedenfalls, doch kein Laut kam heraus. Sie spürte die Wärme, die von Beatrices zärtlich streichelnder Hand ausging.

«Mach dir keine Sorgen, meine Liebe», sagte die Ärztin leise. «Du wirst dich bald daran gewöhnen. Ich kann mir gut vorstellen, dass es dir im Moment noch Angst macht ...»

«Ach Gott, ja, genau so ist es!», seufzte Alexa. Im nächsten Moment fiel sie Beatrice in die Arme. Auf einmal weinte sie, flennte wie ein Baby, jedoch nicht vor Angst und Seelenpein, sondern mit süßer Erleichterung.

Beatrice streichelte ihr durch den Bademantel hindurch den Rücken, und das war in Ordnung. Sie hatte das Gefühl, als sei etwas in ihr gekippt, wie ein abstraktes Gemälde, das um fünfundvierzig Grad gedreht worden war und dessen Sinn sich daraufhin auf einmal erschloss. Ihre Verfassung war kein Fluch, sondern ein Segen; vielleicht mangelte es ihr nur an der richtigen Gesellschaft?

«Du hast recht», stammelte sie, während ihre reinigenden Tränen allmählich versiegten. «Ich fürchte mich, glaube aber, dass ich damit zurechtkommen werde, wenn ich mich erst einmal daran gewöhnt habe. Ich bin es einfach nicht gewohnt, so viel Sex zu haben!» Lächelnd rieb sie sich die Augen, froh darüber, dass sie im Bad das Make-up entfernt und sich nicht in eine pandaäugige, streifgesichtige Vogelscheuche verwandelt hatte. «Ich komme mir so dumm vor. Ich weiß so wenig. Ich habe Bedürfnisse, die ich nicht verstehe. Und trotzdem ...»

«Das wird schon noch kommen», meinte Beatrice, deren durchtriebenes Lächeln nur Zentimeter von Alexas tränennassem Gesicht entfernt war. «Und zwar eher, als du denkst. Du brauchst einfach etwas Anleitung, das ist alles.»

Alexa, die sich an Beatrices hübsche Brüste schmiegte, wusste genau, woher die Anleitung kommen würde – doch sogleich zerstörte ein neuer Gedanke ihre Hoffnung. Sie löste sich von Beatrice und schob die bleichen Hände ihrer Trösterin weg.

«Ach Gott, es tut mir leid. D-du bist ja jetzt wohl meine Ärztin», sagte sie ernüchtert. «Was denke ich denn da? Ich habe meine Zeit bestimmt schon um eine Ewigkeit überschritten.» Eine neue Angst kam in ihr hoch. «Du berechnest dein Honorar doch nicht etwa stundenweise?»

«Das könnte ich schon machen», antwortete Beatrice, lehnte sich zurück und musterte Alexa unter ihren langen Wimpern hervor. «Das kommt darauf an …»

Alexa kam sich vor wie ein kleines Pelztier in der Falle des Jägers. Oder vielmehr der Jägerin … Sie war ausgeliefert, ein Spielzeug, genau wie gerade eben im Sprechzimmer. Beatrice Quine war ein skrupelloses Raubtier, eine Expertin für Leib und Lust, und sie hatte ihre Beute mühelos zur Strecke gebracht.

Alexa zitterte trotz des warmen Bademantels. Der einzige Ausweg bestand darin, entweder zu bluffen oder – verspätet – zu versuchen, die Sache cool durchzustehen. Sie könnte Beatrices Honorar bezahlen, eine Entschuldigung murmeln, von wegen, jetzt sehe sie klarer, und frei und ohne Verpflichtung fortgehen.

Sie hatte kalte Füße, im übertragenen wie im eigentlichen Sinn, bemühte sich aber, sich davon nichts anmerken zu lassen. «Wie hoch ist dein Honorar eigentlich? Das habe ich ganz vergessen zu fragen.»

Beatrice griff zum Sherryglas, nahm einen kleinen Schluck, dann nannte sie eine unglaublich hohe Summe – zumal für jemanden, der bereits Schulden hatte.

Alexa spürte, wie sie blass wurde, dann griff sie zu ihrem Glas, das Beatrice in der Zwischenzeit wieder nachgefüllt hatte.

«Kannst du mich dir überhaupt leisten?», neckte die Ärztin, und Alexa fühlte sich abermals für einen Moment nach Barbados zurückversetzt. Hatte sie sich dort dieser Frau nicht anvertraut? Sie erinnerte sich an eine milde Nacht, als der Punsch in Strömen geflossen war und sie kichernd ihren leichtsinnigen Umgang mit Geld gestanden hatte.

«Ich glaube, ich könnte schon irgendwo Geld auftreiben», beeilte sie sich zu versichern, fragte sich aber, wie lange sie ihre Ausgaben im Buchhaltungsprogramm würde verschleiern können.

«Du würdest es dir leichter machen, wenn du darauf verzichten könntest», bemerkte Beatrice trocken.

«Ja.»

Versteckspielen war sinnlos. Ganz gleich, ob es um finanzielle Schwindeleien oder sexuelle Indiskretionen ging, Beatrice Quine konnte man offensichtlich nichts vormachen. Sollte ich nicht die Hellseherin von uns beiden sein?, dachte Alexa plötzlich und blickte in Beatrices scheinbar allwissende Augen. Zu wissen, dass Beatrice alles wusste …

«Es gibt etwas, was du für mich tun könntest.» Beatrices Tonfall war trügerisch unbeschwert.

Jetzt kommt's, dachte Alexa. Trotz des Sherrys hatte sie einen trockenen Mund. Die Pointe. Der Clou. Der eigentliche Grund, weshalb ich den Termin bekommen habe.

Das Schlimmste oder Beste daran war, dass die Ungewissheit ein Ende hätte. Keine Zweifel mehr. Kein Hin oder Her. Keine Fragen mehr nach Beatrices Beweggründen. Mit ihren geschärften Sinnen hatte Alexa das Gefühl, ihre Empfangskanäle wären sperrangelweit offen. Und die Botschaft lautete: «Alexa, ich will dich.»

Aber welche Signale sende ich aus?, dachte Alexa, der auf einmal ganz heiß wurde. Was will ich? Sie vergegenwärtigte sich Beatrices Berührungen. Die langen, behandschuhten Fingerspitzen, die über ihre Haut geglitten und in ihr Geschlecht eingetaucht waren. Es hatte sich wundervoll angefühlt. Umwerfend. So gut wie alles, was Männer bislang bei ihr ausgelöst hatten.

Und es war auch nicht so, dass die Empfindungen einseitig gewesen wären. Alexa dachte an Barbados und sah auf einmal alles in neuem Licht. Beatrice war begehrenswert, ihr Körper nahezu makellos. Alexa vergegenwärtigte sie sich nackt und musste sich eingestehen, dass sie Beatrice begehrt hatte. Damals hatte sie die Gefühlsregung in ihrer Naivität falsch gedeutet. Sie hatte geglaubt, ihre körperlichen Reaktionen – das Kribbeln und die Feuchte – hätten allein Drew gegolten.

«Ist schon gut. Es muss ja nicht gleich jetzt sein», meinte Beatrice amüsiert.

Alexa trank noch einen Schluck Sherry und wurde sich bewusst, dass sie unwillkürlich nach dem Gürtel ihres Bademantels gegriffen hatte, um sich abermals vollständig hinzugeben.

«Außerdem verhält es sich nicht unbedingt so, wie du glaubst.» Die Ärztin hob wieder die Augenbrauen. «Das heißt, eigentlich schon, denn wenn du meine Sexualität wirklich spüren kannst, hast du bereits Gewissheit. Aber ich möchte etwas anderes von dir. Du könntest mir bei etwas behilflich sein.» Sie hob die Schultern, sodass ihre runden Brüste unter dem Satintop sinnlich erbebten. «Du bist nicht die Einzige, die in jemandes Schuld steht, Alexa. Auch ich habe gewisse … Verpflichtungen.» Sie zuckte erneut mit den Schultern, dann leckte sie sich über die roten Lippen.

Ihre Neugier hatte Alexa immer schon in Schwierigkeiten gebracht, und auch jetzt wieder regte sie sich und nahm wie ein Jagdhund die Witterung auf.

Was kommt jetzt?, fragte sie sich und wurde von einem intensiven sexuellen Schauder überrieselt: eine Mischung aus Angst, Erregung und einem dunklen, unwiderstehlichen Verlangen.

Es geht um einen Mann. Um einen Mann in Beatrices Leben. Er bedeutet ihr viel, und sie fürchtet sich vor ihm. Aber das ist noch nicht alles. Alexa sah die Ärztin an und erwischte sie mit heruntergelassener Deckung. Beatrice war anscheinend in einem erotischen Schwächezustand gefangen, der sie vor Erregung erschauern ließ. In einem Zustand totalen Kontrollverlusts, der Alexa ebenso erregte wie Beatrice.

«Um wen geht es?», fragte sie impulsiv, obwohl ihr bewusst war, dass es Wahnsinn war, sich darin verwickeln zu lassen. Gleichwohl verlangte es sie mit ganzem Herzen danach.

«Natürlich um einen Mann», antwortete Beatrice, Alexas Blick mit ihren strahlenden Augen offen erwidernd. «Um einen aufregenden Mann, der nicht in den Griff zu bekommen ist. Er sieht toll aus, verlangt aber … alles. Er hat mir geholfen, und jetzt erwartet er als Gegenleistung, dass ich ihm bedingungslos zu Diensten bin.»

«Zu Diensten?»

«Na ja, das ist vielleicht nicht das richtige Wort», meinte Beatrice, ergriff eine Haarsträhne und wickelte sie sich um den Finger. Es war das erste Mal, dass Alexa sie nervös erlebte. «Lustgewinn trifft es besser. Stimulation. Seine Vorlieben sind anspruchsvoll. Sehr speziell. Ich könnte mich ihm hingeben –» Sie zögerte kurz und senkte die Augenlider, während sie merklich erschauerte. «Aber er besitzt mich bereits. Und er will noch mehr.»

Allmächtiger, sie ist eine Kupplerin! Ein weiblicher

Zuhälter!, dachte Alexa und registrierte erschreckt, wie ihr Geschlecht bei der Vorstellung zu kribbeln begann. In Beatrice Quines Leben gab es einen einflussreichen Mann, und die Ärztin bemühte sich, ihn zufriedenzustellen, ihm neue Gespielinnen zuzuführen, damit er sich an deren ungewohntem Körper weiden konnte. Jung, relativ unerfahren, aber sinnlich. Sie hätte auf der Stelle protestieren sollen, doch ihr Körper verlangte das Gegenteil. Sie brannte vor Wissbegier.

«Und du glaubst, ich würde ihm gefallen?», fragte sie leise, presste die Schenkel zusammen und spürte, wie sie feucht wurde.

«Er wird auf dich abfahren», erklärte Beatrice grimmig. «Wer würde das nicht?», fügte sie hinzu, die feuchten Lippen verräterisch geöffnet. «Aber im Moment würde er dich noch überfordern, meine Liebe.» Ihre lange, bleiche Hand schlängelte sich heran, nahm Alexa das vergessene Sherryglas ab und drückte ihr leidenschaftlich die Finger. «Du musst erst noch einiges lernen, Alexa, und zwar eine ganze Menge. Du bist ein sinnlicher Mensch, das liegt auf der Hand. Deine Reaktionen sind erstaunlich.» Das war der erste offene Hinweis auf die Stimulation, die sie ihr im Behandlungszimmer hatte angedeihen lassen, und Alexa besaß die Anmut, leicht zu erröten. «Aber du brauchst Anleitung. Du musst erst noch aufgetaut werden. Sex ist viel mehr, als einfach nur regelmäßig mit seinem Freund zu ficken. Oder meinetwegen auch mit mir.» Sie lachte kehlig. «Sex ist eine Gemütsverfassung. Ein Way of Life. Er umfasst viel mehr als Penis und Scheide. Oder Schwanz und Möse. Er ist auch nicht an das andere Geschlecht gebunden. Verstehst du, was ich meine?»

Die krude Sprache schockierte Alexa, doch sie verstand, was Beatrice meinte. Schon beim Zuhören erschien ihr alles ganz einleuchtend. Noch vor einem Monat hätte sie Beatrices Äußerungen für unangemessen obszön gehalten – jetzt aber spürte sie die ihnen zugrunde liegende Weisheit.

Eine neue Welt – ganze Welten! – warteten auf sie, doch ihre Entdeckungsreise hatte bereits begonnen. Mit Übertreten der Türschwelle dieses Hauses hatte der zweite Akt begonnen …

Als die schwere Haustür ins Schloss fiel, wirbelte Beatrice herum und lehnte sich vergnügt dagegen.

«Ja!», rief sie und dachte triumphierend an die junge Frau, die soeben gegangen war.

Alexa Lavelle: schöne, wunderschöne Alexa. Ihre Barbados-Nymphe mit dem schwarzen Haar. Ach Gott, wie sehr es sie danach verlangte, diesen reizenden Körper wiederzusehen!

Bea, du bist wirklich schlimm und gierig, dachte sie tadelnd und presste die flache Hand gegen die Seide zwischen ihren Beinen. Sie ist ja so unschuldig. So unerfahren. Welch ein Vergnügen, sie zu verderben.

Beatrice drückte kurz auf ihr Schambein, dann straffte sie sich und entfernte sich von der Tür. «Verderben» traf ihre Absichten nicht ganz, das wusste sie, aber «erziehen» klang so trocken, so förmlich und völlig unpassend für das saftige junge Ding.

Als sie zur Treppe im Erdgeschoss ging, war Beatrice sich ihres Körpers deutlich bewusst. Es erregte sie, an ihre reizende neue Freundin zu denken. Alexa nackt und wehrlos auf dem Untersuchungstisch liegen zu sehen hatte sie weit mehr beeindruckt, als sie erwartet hatte. Weit mehr, als sie sich klugerweise anmerken lassen durfte. Beatrice vermutete, dass die Frische der jungen Frau der Grund war; der Umstand, dass sie so reizend und unerfahren war und von ihrem großen Potenzial kaum etwas ahnte. Es wäre eine Schande gewesen, sich eine solche Gelegenheit entgehen zu lassen; eine so hübsche und saftige Muschi verlangte einfach nach einer liebkosenden Hand.

«Und sie weiß über dich Bescheid, Quine, das ist dir doch wohl klar?», murmelte sie vor sich hin, in Gedanken bei Alexas seltsamer, wundersamer Gabe. Hatte sie schockiert reagiert, als ihr bewusst geworden war, wie sehr sie begehrt wurde? Begehrt von einer anderen Frau. «Sie weiß ganz genau, dass du eine lüsterne alte Perverse bist. Welch eine Erleichterung, dass du es ihr nicht erklären musst!»

Das ist eigentlich das Beste daran, dachte Beatrice, als sie lautlos Drews Räumlichkeiten betrat. Alexa wusste bereits, worum es ging, zumindest teilweise, und es reizte sie offenbar, anstatt sie abzustoßen. Beatrice konnte es gar nicht erwarten, Drew davon zu erzählen.

Die Tür zum Behandlungsraum – wo ihr Praxiskollege seine magischen Entspannungsmassagen durchführte – war angelehnt, und Beatrice blieb davor stehen. Sie hörte, wie sich jemand im Zimmer bewegte, vernahm aber – zu ihrer Freude – keine Stimmen. Drew hatte für heute die letzte Patientin bereits entlassen. Jetzt war er allein und räumte auf.

Wieso habe ich das nötig?, fragte sich Beatrice, als sie die Tür mit der Zehenspitze aufschob. Ich habe meinen Spaß mit Sly gehabt, und zwar nicht zu knapp; dass ich noch immer nicht genug habe, ist pure Gier. Zumal er bestimmt noch in Alexa verknallt ist.

«Komm rein, Bea», sagte Drew, noch ehe sie die Tür ganz geöffnet hatte. «Ich hab mich schon gefragt, wann du dich endlich blicken lässt.»

Ihr Gefährte faltete gerade Handtücher und blickte mit gehobenen Brauen zu ihr auf.

«Warum das?», fragte Beatrice und trat ins Zimmer.

Drew wandte den Blick ab und klopfte den Handtuchstapel mit ungewohnter Heftigkeit glatt.

Ach Drew, du bist so schön, wenn du zornig bist, dachte Beatrice zusammenhanglos und trat vor das Regal mit dem Massageöl. Sie kannte die Mischungen, die er benutzte – sie selbst verschrieb häufig Aromatherapie –, tat aber so, als musterte sie eingehend seine Fläschchen und Döschen.

«Vor drei Stunden habe ich Alexa Lavelle an der Tür gesehen, und sie ist eben erst gegangen», meinte Drew nach einer Weile. So leicht ließ er sich nichts vormachen.

«Hast du mit ihr gesprochen?», fragte Beatrice, der seine Eifersucht nicht entging. Das war unfair, denn Drew hatte mit Alexa im Urlaub geschlafen, während sie sich mit ein wenig Gefummel unter dem Deckmantel einer ärztlichen Untersuchung hatte begnügen müssen.

«Nein. Sie hat mich nicht gesehen.» Drew kniff seine wunderschönen grauen Augen zusammen. «Als sie ging, wirkte sie so durcheinander, da hab ich mir gedacht, sie hat schon genug um die Ohren. Auf Barbados hat sie mit mir ihren Verlobten betrogen, erinnerst du dich noch? Da wollte ich ihren Schuldgefühlen keine neue Nahrung geben.» Er legte die Stirn in Falten. «Schade nur, dass *dir* solche Skrupel fremd sind, Bea.»

«*Moi?*» Beatrice tat erbost; seine selbstgerechte Entrüstung fand sie reizend. «Wie in aller Welt sollte ich bei ihr Schuldgefühle wecken?»

Drews hübscher Mund wurde zu einem schmalen Strich. «Du warst schon auf Barbados scharf auf sie, und ich musste dich davon abhalten, die Dinge zu überstürzen. Ich nehme an, jetzt hast du bekommen, was du wolltest?»

«Und was sollte das sein?», erwiderte Beatrice, sich ihm von hinten nähernd. Von der anstrengenden Arbeit roch er verschwitzt, und seine schwarze Weste war stellenweise feucht. Auch weiter unten, wo sich seine beigefarbene Trainingshose zwischen seine strammen Pobacken schmiegte, war ein Fleck. Beatrice stellte sich vor, dass sie ihm den weichen grauen Stoff herunterstreifte und den Schweiß ableckte, an den Backen und an der Rosette. Sie wusste, dass er das mochte, und sie hätte ihn auf diese Weise besänftigen können. Sie krümmte bereits die Finger, als er sich auf einmal umdrehte. Seine Augen funkelten hinter der Brille.

«Schleich nicht um mich rum, Bea», sagte er und packte sie am Handgelenk. «Ich rede von Verführung. Hast du sie schon gehabt? Hast du sie ausgezogen? Hast du ihr deine klebrigen kleinen Hände zwischen die Beine gesteckt?»

«Du hast keinen Grund, grob zu mir zu sein», murmelte Beatrice geziert. Ärger kochte in ihr hoch. «Natürlich habe ich sie untersucht, aber falls du es vergessen haben solltest … ich bin *Ärztin*!»

Drew ging nicht darauf ein. «Du kannst andere Menschen nicht immerzu benutzen, Bea. Wir sind nicht deine Spielzeuge. Ich stehe in deiner Schuld, aber für

Alexa Lavelle gilt das nicht. Du darfst sie nicht manipulieren, nur weil es dir Spaß macht.»

Er war näher gekommen, und ihre Augen waren nur noch Zentimeter voneinander entfernt. Sie spürte, dass er zornig war, sie in diesem Moment beinahe hasste, doch seine Pupillen waren riesengroß, wie schwarze Münzen, und sein steifer Schwanz streifte ihren Schenkel.

«Ich will ihr nicht schaden», flüsterte sie mit vor Begehren erstickter Stimme.

«Das weiß ich», sagte er weniger erhitzt als sie. «Aber du wirst ihr Leben verändern, nicht wahr?»

«Das hat sich bereits verändert», erwiderte Beatrice. Ihr war bewusst, dass dies kein guter Zeitpunkt war, über Alexa Lavelles spezielle Gabe zu sprechen. Drew gehörte ihr jetzt, und wenn sie zu viel über Alexa redeten, würde ihn das nur ablenken.

«Du bist eine Teufelin, weißt du das?», meinte Drew vorwurfsvoll, als sich ihre Körper berührten und dann miteinander verschmolzen wie Quecksilber. Beatrice spürte, wie sein Schweiß in den edlen Satin ihres Tops und ihrer Hose sickerte und ihn wahrscheinlich ruinierte, drängte sich mit einem Aufstöhnen, aber trotzdem enger an ihn und suchte mit ihren Lippen nach seinem harten Mund. «Du bist anmaßend. Du bist sexsüchtig», fuhr er fort, während er sie küsste und seinen Schwanz gegen ihre Scham drückte.

Beatrice hatte das Gefühl, ihr Bauch würde schmelzen, während ihre Säfte den dünnen Seidenslip fast durchnässten. Drew traktierte ihren Hals mit Lippen und Zähnen, und einen Moment lang wandte sie lächelnd das Gesicht ab und dachte zerstreut an eine Bemerkung Alexas. An etwas, woran der ruinierte Slip sie erinnerte.

Es war schon eigenartig, dass Alexa ganz von allein ins Circe gefunden hatte. Es war beinahe so, als hätte eine geheimnisvolle sinnliche Kraft sie dorthin geleitet. Während sie das Becken an Drews Härte kreisen ließ, dachte Beatrice an die stockende Schilderung des Geschehens im Laden, die ihre neue Freundin ihr gegeben hatte. An ihre unheimlich prägnante Beschreibung der punkigen Verkäuferin. An ihre Reaktion, die sie hatte verbergen wollen, die aber trotzdem eindeutig gewesen war.

Wenn du nur wüsstest, Alexa Lavelle, frohlockte Beatrice. Wenn du nur wüsstest, was in dir schlummert. Und nicht nur «was», sondern auch «wer» …

«Das sollte man dir nicht durchgehen lassen!», zischte Drew, als Beatrice seinen Schwanz berührte. Er stieß ihre Hand erst weg, dann packte er mit einer Hand ihre beiden Handgelenke und langte mit der anderen nach ihrer Hose.

Mit einer blitzschnellen geschickten Bewegung zerrte er ihr die weite Seidenhose bis auf die Knie herunter, dann ließ er den Slip folgen.

«O nein, tu das nicht!», knurrte er, als Beatrice versuchte, ihre Scham an ihm zu reiben. «Diesmal nicht!»

Beatrice meinte ohnmächtig zu werden, überwältigt von der Ekstase des Begehrens. Drew war so stark. So konzentriert, doch in solchen Momenten auch so animalisch. Damit brachte er ihre eigene Schwäche zum Vorschein. Sie mochte es, wenn er zornig war; sie mochte es, wenn er seine körperliche Überlegenheit ausspielte. Sie mochte es, dass er bisweilen die Kontrolle verlor, wenn sie ihn zu sehr reizte.

«Ach Drew, bitte», stöhnte sie, flehte nach etwas,

das sie mit Sicherheit bald bekommen würde. Während sie schwankte und sich weiter an ihm zu reiben versuchte, bewegte er seine freie Hand in ihrer Möse.

«Du Hure», sagte er leise, geradezu liebevoll. «Du dreckige kleine Schlampe.» Als er seine Finger herauszog, wimmerte sie. «Du wirst nicht kriegen, was du dir wünschst. Diesmal nicht ... Oder jedenfalls jetzt noch nicht.»

Als er sie quer durchs Zimmer zog, keuchte sie «Nein!», was ein Ja bedeutete. Von der rutschenden Hose und dem auf Kniehöhe hängenden Slip behindert, konnte sie nur unbeholfen hüpfen, doch irgendwie machte sie das nur noch schärfer. Es war so beschämend. So erniedrigend. Und der Saft lief ihr die Schenkel herunter.

Drew brauchte nur einen Moment, dann hatte er das Gesuchte gefunden – einen viktorianischen Stuhl in der Ecke, mit hoher, ledergepolsterter Sitzfläche. Den Stuhl mit der einen Hand festhaltend und Beatrice mit der anderen, zerrte er beide in die Mitte des Raums und stellte den Stuhl etwa einen Meter neben dem Massagetisch ab.

«Das darfst du nicht, Beatrice», sagte er etwas atemlos, als er sich setzte. «Du darfst nicht mit anderen Menschen spielen.» Als er ihr Gesicht auf seine Knie herunterzog, brach ihm vor Erregung die Stimme.

In qualvoller Erwartung wand Beatrice sich auf seinem Schoss, stemmte sich versuchsweise der Hand entgegen, die sie noch immer festhielt, und verschränkte ihre Hände auf dem Rücken. Sie stellte sich ihren nackten weißen Hintern vor, dessen Blässe einen unwiderstehlichen Reiz ausübte, der bei ihrem Peiniger nie seine Wirkung verfehlte. Sein harter Schwanz stieß gegen ihren

Bauch, und sie meinte beinahe, die Verachtung in seinem Blick zu sehen.

«Du bist verabscheuungswürdig, Bea», sagte er leise, weit vorgebeugt, sein Mund dicht an ihrem Ohr und dem herabhängenden Haar. «Du bist gewissenlos und amoralisch, und ich sollte dich hassen. Von Grund auf.» Mit seiner kräftigen Hand drückte er beinahe schmerzhaft ihre Handgelenke. «Und das Schlimmste dabei ist, dass ich nicht einmal dann frei wäre, wenn ich dir meine Schuld tilgen könnte, nicht wahr?»

Beatrice hielt still, ihr halbnackter Körper war die Antwort, ihr war ganz schwindelig im Kopf vor Machtbewusstsein und Zuneigung. Seine Finger ließen sich behutsam auf ihrem Hintern nieder, erkundeten die Backen, die Pospalte, die Rosette. Jeden Moment würde er sie schlagen und ihr wehtun, doch im Moment schenkte er ihr ausschließlich Lust. Sie spürte, wie ihr Saft auf seinen Schenkel tropfte.

«Dann tu's doch», forderte sie ihn mit zusammengebissenen Zähnen auf, erfüllt von brennendem Verlangen. «Ich hab's verdient. Das gebe ich zu. Aber ich mach mir nichts draus …»

«Das solltest du aber!», rief er, da traf sie der erste Hieb, und in ihrem Hintern explodierte ein wohliger Schmerz.

Die vom Schlag ausgelöste Wärme verflüchtigte sich fast augenblicklich, dann entstand sie neu in ihrer Möse, die pulsierte, beinahe ein Luftschnappen, und sie stellte sich vor, welchen Anblick sie Drew wohl bieten mochte. Rosig, in reflexartigen Zuckungen begriffen, vor Feuchtigkeit und Lust glänzend. Als er erneut zuschlug, löste sich das Bild auf.

«O nein! Nei-i-i-n!», seufzte sie, als die Schläge auf sie herabprasselten und ihre Haut zu brennen begann. Seine Hand war so groß und unerbittlich; wie geschaffen, Lust zu schenken, und doch erfahren im Schmerz. Hitze strömte von ihren misshandelten Backen aus und sickerte in ihre Spalte und die Lustknospe. Ihr Geschlecht berührte er nicht – kein einziges Mal –, doch mit seiner zornigen Entschlossenheit war er im Begriff, es in Flammen zu setzen. Als sie von einem besonders kräftigen Hieb getroffen wurde, erlebte sie einen so heftigen und intensiven Orgasmus, dass sie vorübergehend nahezu geblendet war. Sich auf seinem Schoss windend, hatte sie das Gefühl, in einer goldenen Lichtkugel zu schweben, die umhüllt war von ihrem roten Haar und dem süßen Feuer des Schmerzes.

«Ja!», schrie sie, wechselte die Tonart, hob den Hintern und forderte mehr.

«Du Teufelin!», wiederholte er seine anfängliche Beleidigung und ließ seine Hand immer wieder niedersausen. «Wie soll ich dir wehtun, wenn es dir gefällt! Du Miststück! Du Schlampe! Ich hasse dich! Immer musst du gewinnen!»

Hätte Beatrice nicht solche Schmerzen empfunden, dann hätte sie sich in ihrem Triumph schwindelig gelacht. Drews Stimme klang so gequält, so verzweifelt, und das Schöne daran war, er hatte recht. Das Brennen in ihrem Po machte sie noch schärfer und steigerte ihre Lust immer mehr. Sie fühlte sich verklärt, erhoben, getragen von brennenden Wogen der Lust. Mit einem lauten Aufstöhnen reckte sie wie rasend das Hinterteil, um den nächsten Hieb zu empfangen.

Anstatt zuzuschlagen, senkte Drew die Hand beinahe wie eine Klaue herab und packte ihre glühende linke Backe.

Beatrice heulte auf, als er zudrückte und ihren Po knetete, dann kam sie erneut, während er seine Fingerspitzen in sie hineinstieß. Ihre Spalte bebte im Orgasmus, und sie glitt von seinem Schoss herunter und sank zu Boden. Während sie mit einer Hand ihr Geschlecht drückte, tastete sie mit der anderen nach seiner Trainingshose und zerrte sie in blinder Raserei herunter.

Als sie sich hinkniete und den Kopf senkte, hob er den Po, damit sie die Hose ganz herunterziehen konnte. Darunter war er nackt, und im nächsten Moment hatte sie seinen steifen Schwanz im Mund.

Beim Anblick von Drews kräftigem Schwengel seufzte Beatrice auf. Er schmeckte gut, salzig und durch und durch männlich, und als sie mit der Zungenspitze über die angeschwollene, feuchte Spitze leckte, schrie er auf und bewegte heftig die Hüften.

«Beatrice! Ach, Beatrice!», keuchte er und konnte einfach nicht stillhalten, während sie ihn nach allen Regeln der Kunst verwöhnte. Sie langte zwischen seine Schenkel, spielte behutsam mit seinen samtweichen Hoden, dann schob sie den Zeigefinger zwischen seinen Beinen hindurch und kratzte die Haut mit dem Fingernagel. Als sie spürte, wie er sich ihr entgegendrängte und die Beine öffnete, um ihr leichteren Zugang zu gewähren, saugte sie heftig an seinem Schwanz und leckte den Schlitz ab, dann schob sie ihm den Finger in den Anus und ließ ihn in der kleinen Öffnung aufreizend kreisen.

«Ja! Ach Gott! Ja, ja!»

Beatrice lächelte mit vollem Mund.

Wie leicht ein Mann doch zu besiegen ist, dachte sie nachsichtig. Drew hatte ihr den Hintern versohlt, und sie spürte den Schmerz noch immer, doch jetzt war er der Hilflose. Der auf dem Höhepunkt die Beherrschung verlor. Seine Hände – die er in ihr rotes Haar gekrallt hatte – zuckten und zerrten, und sein Schwanz wollte sich in ihre Kehle drängen.

Ach mein Schatz, mein Liebling, dachte Beatrice voller Zuneigung, als sie schluckte und den bitteren Geschmack seines Saftes genoss.

Weißt du denn nicht, dass du mich niemals wirst ausstechen können?, neckte sie ihn wortlos, dann ließ sie sein erschlaffendes Glied zwischen ihren Lippen herausgleiten.

Du hast recht, mein Lieber, ich werde immer gewinnen, dachte sie, als ihre Wange seinen Schenkel streifte. Du wirst dich niemals von mir lösen, weil du es gar nicht wollen würdest, selbst wenn du es könntest!

8. Kapitel

~ ## Lose Sitten

Alexa beäugte die kleine schwarze Plastikkarte und fragte sich, was zum Teufel sie da eigentlich machte.

«Lucretia Quine» stand in silbernen Buchstaben darauf, darunter die Worte Fotografie, Film und Video, gefolgt von einer Adresse im Postbezirk W10 mit Telefon- und Faxnummer sowie einer E-Mail-Adresse.

Beatrices Cousine, dachte Alexa, die Prägebuchstaben betastend. Aber warum will ich mich mit ihr treffen? Ich weiß es nicht mehr. Worauf habe ich mich da nur eingelassen?

«Ich möchte dich mit ein paar Leuten bekannt machen», hatte Beatrice gemeint. «Mit Leuten, die dir helfen können. Ich kann nicht alles selbst machen, meine Liebe, außerdem glaube ich, dass du noch nicht ganz bereit für mich bist.»

Wobei helfen? Was meinte sie mit «alles»? Alexa fürchtete sich davor, es herauszufinden, konnte es andererseits aber gar nicht erwarten, damit anzufangen. Allerdings wünschte sie, es hätte ihre Arbeit weniger beeinträchtigt.

Gestern war ein verlorener Tag gewesen, und heute war sie gar nicht erst zur Arbeit erschienen. Am Telefon hatte sie Tom wortgewandt versichert, es sei alles in

Ordnung; gleich darauf hatte sie Quentin angerufen und ihm gesagt, sie werde später kommen. Falls Tom im Büro rückfragte und mit Quentin sprach, würde es natürlich unangenehm für sie werden, aber so sehr Alexa sich auch bemühte, mehr Verantwortungsgefühl zu zeigen, es gelang ihr einfach nicht.

An der Stelle verharrend, wo das Taxi sie abgesetzt hatte, sagte sie sich, dies sei wirklich nicht der beste Tag, um eine Fotografin aufzusuchen. In der Nacht hatte sie kaum geschlafen, denn sie musste ständig ans Circe, an Sly und Beatrice und die blutrote Untersuchungsliege denken. Im Spiegel hatte ihr Gesicht trotz der Sonnenbräune kränklich ausgesehen, und sie hatte dunkle Schatten unter den Augen gehabt. Kein Wunder ... Gegen Morgen hatte sie ihrem Verlangen resigniert nachgegeben und ihren müden Körper mit den Fingern mehrfach zum Orgasmus gebracht. Erst dann war sie in einen leichten, unruhigen Schlaf gefallen, den der Wecker viel zu früh beendete. Und sie hatte von rotem Leder geträumt ...

Nein, das war keine normale Untersuchung gewesen! Im Nachhinein war ihr das ganz klar. Sie hatte einfach dagelegen wie ein Dummchen und sich zwei offenkundigen Lesben ausgeliefert. Das Schlimmste dabei war, sie hatte es genossen.

Und was ist mit dieser Lucretia?, fragte sie sich, die lächerlich prätentiöse Visitenkarte befingernd. Bestimmt ist sie auch lesbisch. Oder zumindest bi. Es stand völlig außer Zweifel, dass Beatrice auf Männer ebenso stand wie auf Frauen, und Alexa hatte gespürt, dass die klinisch makellose Sly ebenfalls bi war. Dann war die Wahrscheinlichkeit hoch, dass die Cousine sich ebenfalls mit beiden Geschlechtern vergnügte.

«Was ist das eigentlich für eine Familie?», murmelte Alexa, als sie auf den Knopf der Sprechanlage drückte. Schon diese Namen! «Beatrice» war schon ausgefallen genug, doch im Wartezimmer hatte sie einen Blick auf eines der Diplome der ehrenwerten Ärztin geworfen – um sich zu vergewissern, dass sie wirklich echt waren – und entdeckt, dass das A in der Mitte für «Astrate» stand.

Menschenskind, das war ja so, als wachte man in einem mittelalterlichen Märchen auf! Und «Lucretia» war noch schlimmer! Alexa hatte ihren Vornamen immer für etwas ausgefallen gehalten, doch im Vergleich zu den extravaganten Namen der Quines kam er ihr auf einmal durchaus gewöhnlich vor.

Irgendwo in dem hohen Gebäude mit der grauen Front summte die Sprechanlage, dann sagte jemand: «Ja?»

«Ich ... äh ... Sind Sie Lucretia Quine?», stammelte Alexa verwirrt. Die eine Silbe aus dem Lautsprecher hatte merkwürdig vertraut geklungen, als hätte sie diese rauchige Stimme irgendwo schon mal gehört. Und zwar erst kürzlich.

«Die bin ich. Und wer sind Sie?»

Wieder das Gefühl, diese Stimme zu kennen.

Sie klingt wie Beatrice, du Trottel, dachte Alexa. Genau. Deshalb meine ich sie zu kennen. Die Erklärung stellte sie jedoch nicht ganz zufrieden. Die Stimme hatte einen bestimmten Klang, den sie erst gestern oder so vernommen hatte.

«Mein Name ist Alexa Lavelle. Ihre Cousine Beatrice hat mich zu Ihnen geschickt. Sie hat gemeint, ich werde erwartet.»

«Das ist mir neu», erwiderte die unsichtbare Lucretia lebhaft. «Aber egal, kommen Sie rauf! Wahrscheinlich hat sie einfach vergessen, mich anzurufen. Das sieht ihr wieder mal ähnlich.»

Das Schloss klickte, dann schwang die Tür wie von einer Sprungfeder angetrieben auf.

Kommen Sie rauf, hatte die Frau gesagt, doch Alexa brauchte eine ganze Weile, bis sie die Treppe erreicht hatte. Die Eingangshalle war völlig weiß, und sie lief über einfache Holzdielen. An den Wänden hingen erstaunliche Bilder; große, monochrome Drucke im A1-Format, die vermutlich niemals das Licht der Öffentlichkeit erblicken würden, da die Darstellungen ausgesprochen obszön waren.

Das erste Bild zeigte den aus schaumigen Meereswellen aufsteigenden Unterleib eines Mannes, dessen Glied so steif und glänzend war, als wäre es aus massivem Ebenholz geschnitzt. Selbst das kleinste Detail der genitalen Anatomie wurde von der unerbittlich hellen Beleuchtung hervorgehoben: die Eichel, der kleine Schlitz, die dicken, angeschwollenen Adern, die sich in den schwarzen Haarbusch schlängelten. Das Gesicht war nicht zu sehen und auch vom übrigen Körper nur wenig, denn der Rumpf war an der Hüfte abgeschnitten. Alexa fragte sich unwillkürlich, ob der Mann vielleicht am Ertrinken und zu erregt war, um sich darum zu scheren.

Der schwarze Penis war eher noch das harmloseste Bild. Auf dem nächsten war ein bleicher, magerer junger Mann abgebildet – falls dies die zutreffende Bezeichnung war –, der nicht nur Penis und Hoden, sondern auch füllige Brüste hatte. Das Gesicht war perfekt gemalt, und seine eindeutig männliche Hüfte umhüllte ein Korsett aus durchbrochenem, mit Ziermünzen besetztem Brokat.

Die anderen Bilder schaute Alexa sich nicht mehr an; nicht, weil sie sich nicht dafür interessierte, sondern weil Lucretia Quine hätte glauben können, sie habe sich verlaufen, wenn sie noch länger trödelte.

Am Ende der Treppe befand sich eine holzgetäfelte, schwarzlackierte Tür mit einem Messingklopfer in der Form eines Totenschädels. Hübsch, dachte Alexa und streckte – nicht ohne Widerwillen – die Hand danach aus.

Doch sie wurde erlöst, denn die Tür schwang plötzlich ebenso sanft auf wie die Eingangstür im Erdgeschoss.

Die Frau in der Tür erkannte Alexa auf den ersten Blick wieder: Es war die punkige Verkäuferin, die sie im Circe bedient hatte.

«Sie!», sagten beide gleichzeitig. Dann kicherte Alexa, und Lucretia lächelte sarkastisch.

«Die Welt ist klein», meinte sie, dann trat sie beiseite und ließ Alexa ein. «Gerade hab ich mir gedacht, Ihren Namen kenne ich doch. Ich hab mich erinnert, ihn gestern auf Ihrer Kreditkarte gelesen zu haben.»

«Ja … das hatte ich ganz vergessen», erwiderte Alexa, die gar nicht wusste, was sie zuerst ansehen sollte: den langgestreckten, weißen Raum oder die Frau, die hier offenbar lebte und arbeitete.

Heute trug Lucretia Quine kein Vinyl, doch ihre schwarze Jeans war so eng, als klebte sie an ihr. Ihr weites Baumwolltop – weiß, mit aufgedruckten Totenschädeln – war so dünn und an den Achseln so weit geschnitten, dass Alexa eine Brust sah, als Lucretia sich umdrehte und ihr voranging. Die Brustwarze war so hart wie ein Pfirsichkern ...

Unwillkürlich flammte Erregung in Alexa auf; das gleiche, beinahe erschreckende Kribbeln, das sie auch gestern beim Wiedersehen mit Beatrice verspürt hatte. Tief durchatmend und entschlossen, diesmal kein hilfloses Opfer abzugeben, reichte sie Lucretia die Hand, als diese sich umdrehte.

«Wir haben uns einander noch nicht richtig vorgestellt», sagte sie und war sich bewusst, wie gestelzt und unnatürlich sie klang. «Ich heiße Alexa, und ich ... äh ... habe auf Barbados Ihre Cousine kennengelernt. Sie ist ... Sie ist ...» Was sollte sie sagen? Was stellte Beatrice mit ihr an?

«Ja, das kann man wohl sagen», sagte Lucretia mit einem ironischen Zucken der feingezeichneten Augenbrauen, so als wüsste sie, was Beatrice vorhatte und sei es gewohnt, dass nervöse junge Frauen an ihrer Türschwelle auftauchten. «Ich bin Lucretia Quine, aber die meisten Leute nennen mich Loosie.» Sie zögerte und hob wieder die Augenbrauen. «Mit Doppel-o und einem s, aus offensichtlichen Gründen. Sollen wir nicht Du sagen?»

Die Gründe waren Alexa keineswegs klar, aber sie hatte das Gefühl, sie würde schon bald dahinterkommen.

«Oh. Ja, sicher.»

«Möchtest du einen Drink?», fragte Loosie Quine, als wäre Alexa eine ganz normale Besucherin mit klar definiertem Anliegen.

«Ja, gern!»

Es war noch früh, doch dem Angebot vermochte sie nicht zu widerstehen. Vielleicht werde ich dann ja lockerer, dachte Alexa, dann verzog sie wegen des Doppelsinns die Lippen – loose bedeutete lose, wie in «lose Sitten». Ihre neue Bekanntschaft stand bereits an der Bar, die aus einer Packkiste bestand, und lächelte sie an, als glaubte sie, das Lächeln gelte ihr.

«Ist Gordon okay?», fragte sie und hielt die dunkelgrüne Flasche hoch.

Alexa, die eigentlich keinen Gin trank, sagte trotzdem Ja, dann ärgerte sie sich, dass sie nicht um etwas anderes gebeten hatte. Sie war gerade mal ein paar Minuten hier, und schon gab sie die Initiative aus der Hand und überließ sie dieser merkwürdigen Frau.

«Probier das mal», sagte Loosie und schwenkte eine andere Flasche, lang und schmal und mit gelbem Inhalt. Etwas schwappte darin, irgendetwas Krautiges. «Das ist ein Kräutersud. Hab ich von Beatrice. Du wirst dich wundern, wie angenehm das schmeckt.»

«Äh, ja. Prima», erwiderte Alexa skeptisch, während Loosie einen großen Schuss Gin mit dem dubiosen gelben Gebräu mischte. «Mir ist alles recht.»

«Hoffentlich», meinte Loosie leichthin, näherte sich Alexa mit den beiden Drinks und deutete zu einem Ledersofa mit mintfarbenen Kissen hin.

«So», sagte sie, als sie beide Platz genommen hatten, «was führt dich nun zu mir, Alexa Lavelle? Was kann ich Beas Ansicht nach für dich tun?»

Alexa kostete vom Drink, dann musste sie husten. Das Getränk war höllisch scharf, doch nach einer Weile schmeckte sie das Aroma. Die Kräutermischung verlieh dem Gin einen ganz angenehmen, beinahe blumigen Geschmack, dessen Süße weder zuckrig noch klebrig war. Alexa trank daraufhin einen weiteren Schluck, dann einen noch größeren. Sie musste sich Mut für ihre Antwort antrinken.

In den sich eigentümlich dehnenden Sekunden, die sie brauchte, um sich eine Antwort zurechtzulegen, fiel Alexa auf, dass Loosie Quine auf ihre Art ebenso hübsch war wie ihre Cousine. Die Fotografin war etwa zehn Jahre jünger, wirkte, oberflächlich betrachtet, aber irgendwie auch älter. Sie wirkte hart und sehr cool, so glatt und undurchdringlich wie Firnis. Ihr kurzes Haar war gegelt und ihre Augen pechschwarz umrandet. Die Jeans und die kalbsledernen Cowboy- stiefel waren kompromisslos männlich. Allein ihre geschminkten Lippen und ihre anmutig geformten und kaum verhüllten Brüste verrieten eindeutig ihr Ge- schlecht.

Ein Mannweib, dachte Alexa düster und bereitete sich innerlich darauf vor, das Wort zu ergreifen. Jetzt sah sie es ganz deutlich: Loosie war nicht nur eine Lesbe, sondern auch äußerst dominant. Sie hatte die Hosen an, auch im übertragenen Sinn.

Alexa nahm noch einen Schluck Gin. Auf einmal fühlte sie sich ruhiger. Sie wusste jetzt, woran sie war; sie war im Vorteil. Ihre verborgene Antenne hatte die Signale entschlüsselt, und der Alkohol tat das Seine, ihre Schüchternheit zu überwinden.

«Ich weiß nicht», sagte sie schließlich. «Ich habe wirklich keine Ahnung, weshalb ich hier bin. Ich weiß nicht, warum ich Beatrice gesagt habe, ich würde zu dir gehen, denn in dem Moment hatte ich gar nicht die Ab- sicht.»

Das entsprach der Wahrheit, und Loosie nahm ihr die Äußerung auch nicht krumm. Sie schwenkte das

Glas, dann führte sie es an die Lippen und leerte es in einem Zug.

«Noch einen?», fragte sie.

Alexa nickte und dachte an die Wirkung, die das auf leeren Magen haben konnte, aber da sie das angenehme Gefühl, das der Alkohol bei ihr auslöste, mochte, schlug sie ihre Bedenken in den Wind.

Loosie kam mit den Gläsern zurück, die diesmal etwas voller waren als beim ersten Mal. «Tja, Alexa», meinte sie. «Ich weiß auch nicht, weshalb du hier bist, aber das ist wieder mal typisch Bea.» Sie trank einen Schluck, dann leckte sie sich einen Tropfen von den dunkel geschminkten Lippen. «Ich nehme an, dir ist bewusst, dass sie mit anderen Menschen spielt?» Alexa nickte. Es stimmte, sie war bereits eine Figur in ihrem Spiel, das war offensichtlich. «Es bereitet ihr Vergnügen, andere Menschen ganz sachte aus dem Gleichgewicht zu bringen ... und wenn sie taumeln, fängt sie die Beute ein, als wär's eine Forelle.» Loosie blickte in ihr Glas, als könnte sie darin erkennen, was im Kopf ihrer intriganten Cousine vor sich ging. «Das Problem dabei ist, dass ich nicht genau weiß, wen sie eigentlich verunsichern will. Dich oder mich?»

Die Fotografin starrte unverwandt in ihr Glas, und Alexa, die allmählich einen Schwips bekam, sah sich genötigt, die Unterhaltung wieder in Schwung zu bringen.

«Was machst du eigentlich im Circe?», fragte sie. «Offenbar bist du eine erfolgreiche Fotografin. Weshalb arbeitest du dann als Verkäuferin?»

Loosie lachte. «Ich bin nicht annähernd so erfolgreich, wie ich's gern wäre. Dafür bin ich zu stark spezialisiert, nehme ich an.» Sie zuckte mit den Schultern, sodass ihre Brüste unter dem Top auf und ab hüpften. «Ich kenne die Besitzerin des Ladens und helfe dort hin und wieder aus, um etwas nebenher zu verdienen.» Sie schaute hoch und durchbohrte Alexa mit Blicken aus ihren dunklen Augen, die so grau und glänzend waren wie Metall. «Und ich lerne dort interessante Leute kennen. Menschen, die sich fotografieren lassen. Exhibitionisten. Ich nehme an, dir ist aufgefallen, was für ein Laden das ist.»

«Das kann man wohl sagen», murmelte Alexa voller Inbrunst und dachte an Mr Handsome und Cleo in der Umkleidekabine. Er hatte sie in den Arsch gefickt, das war ihr jetzt klar. In einem öffentlichen Laden, geschützt durch nichts weiter als einen Vorhang, hatte er seine Frau leidenschaftlich von hinten genommen. Alexa trank einen großen Schluck Gin, von ihren eigenen geheimen Gelüsten überwältigt. Sie wünschte, sie selbst wäre dort in der Kabine von einem ausschweifenden geheimnisvollen Fremden so genommen worden.

Als sie sich von ihrer Phantasie löste, musterte Loosie sie aufmerksam, die Augen leicht zusammengekniffen. Unwillkürlich senkte Alexa den Blick auf die Brustwarzen der Frau, die sich unter dem Top abzeichneten.

«Bist du schon mal fotografiert worden, Alexa?», fragte Loosie und legte den Kopf schief, als blicke sie durch den Sucher einer Kamera. «Ich brauche ein Model. Heute noch. Ich wollte eigentlich jemanden herbitten, aber du wärst viel besser geeignet. Das heißt, falls du Lust hast, was Neues auszuprobieren, was meinst du?»

Die Frage schwebte verlockend im Raum; einen Moment lang hatte Alexa das Gefühl, sie habe irgendwie den Faden verloren oder ihn sich vom Alkohol aus der Hand nehmen lassen.

Aus welchem Grund auch immer Beatrice sie hergeschickt hatte, Modelstehen hatte sie bestimmt nicht im Sinn gehabt.

Oder vielleicht doch? Beatrice hatte begeistert davon gesprochen, Alexas Horizont zu erweitern und sie «lockerer zu machen». Als sie sich diesen Ausdruck vergegenwärtigte, musste sie kichern.

«Na, was ist?», meinte Loosie, und ihre Zunge schoss kurz zwischen ihren Zähnen hervor wie bei einer Eidechse, die ihre Beute taxiert.

«Warum nicht?», rief Alexa übermütig. Wenigstens hatte sie jetzt etwas zu tun. Ihr planloser Besuch machte endlich Sinn.

«Prima!» Mit hüpfenden Brüsten sprang Loosie geschmeidig auf. «Ich glaube, du brauchst ein wenig Gesichts-Make-up. Um die Augen wirkst du ein bisschen verkniffen … Aber wenn du am ganzen Körper so braun bist» – sie beugte sich vor und berührte Alexas Knie –, «dann kommt das schon hin.»

Auch Alexa erhob sich, allerdings ein wenig zittrig. Sie hatte nicht erwartet, dass die erste Berührung sich so gut anfühlen würde.

Dann bin ich also ein bisschen bi, dachte sie, als Loosie sie zu einem alten Paravent und einem Wandspiegel an der einen Seite des langgestreckten Raums geleitete. Ich mag es, von Frauen berührt zu werden. Es hat mir gestern mit Beatrice und Sly gefallen. Und heute gefällt es mir mit Loosie, selbst wenn es nur um mein Knie geht.

Aber sie wollte mehr.

Selbst als die Fotografin sie leicht am Rücken berührte, fühlte es sich durch die Jacke und die Bluse hindurch wie eine Liebkosung an. Angeregt vom Gin und den Kräutern, ließ sie die Gedanken ein bisschen schweifen und sah auf einmal zwei völlig gegensätzliche Frauen vor sich. Sie selbst in ihrem schmucken Kostüm wirkte mit ihren Locken und den hochhackigen Schuhen ausgesprochen feminin, Loosie hingegen streng und kantig. Unähnlicher hätten sie selbst dann nicht sein können, wenn sie es bewusst darauf angelegt hätten, dennoch fühlte sie sich magnetisch zu Loosie hingezogen. Auf Grund ihrer geschärften Sinne spürte sie, dass es Loosie ebenso erging.

«Du kannst dich hier ausziehen», sagte Loosie sachlich, die unterschwelligen Schwingungen Lügen strafend. «Ich habe ein paar Kostüme … Fang einfach schon mal an, ich hol dir was.»

Als sie allein hinter dem Paravent stand, wurde Alexa bewusst, dass sie immer noch das Glas in der Hand hielt. Achselzuckend stürzte sie den Rest hinunter und verzog das Gesicht, als der scharfe Kick einsetzte.

Ständig ziehe ich mich für die Quines aus, dachte sie, als sie die Jacke ablegte, und unterdrückte ein Kichern. Das wird allmählich zu einer Gewohnheit. Ich bin süchtig danach. Außerdem fiel es ihr heute leichter als gestern; in kaum einer halben Minute stand sie in Unterwäsche da, noch immer weiße Baumwolle, aber mit einem Besatz aus zarter Spitze.

«Sehr hübsch», meinte Loosie, die über den Paravent spähte. Sie stieß einen bewundernden Pfiff aus.

Alexa quiekte überrascht. Sie hatte die Frau gar nicht näher kommen gehört.

«Aber probier das mal an» – Loosie warf ihr etwas zu – «und lass dir nachschenken.» Sie hielt die Ginflasche hoch.

Alexa hob ihr Glas.

«Beeil dich. Hopp, hopp! Ich bin schon fast fertig», sagte die Fotografin munter, dann wandte sie sich ab und ging weg. Alexa konnte den Blick nicht von ihrem knackigen Hinterteil abwenden, das sich unter der Jeans deutlich abzeichnete.

Das Teil, das Loosie für sie ausgesucht hatte, veranlasste Alexa, ihr Glas in einem Zug zu leeren. Es war ein Korsett, wahrscheinlich aus dem Circe, doch anscheinend war es nur ein Teil eines Outfits. Es war aus seidengefüttertem scharlachrotem Samt und sah aus wie das Bustier eines prächtigen Gewands aus der Renaissancezeit; das Hemd beziehungsweise das Unterkleid fehlte allerdings. Wenn sie es anzog, würden ihre Brüste und die Obertaille bedeckt sein, doch ihr Bauch und ihre Scham wären unbedeckt.

Sehr, sehr skeptisch legte Alexa den BH, den Strumpfhalter und die Strümpfe ab, dann musterte sie eingehend das Mieder. Sollte sie es über den Kopf streifen oder hineinsteigen? Entweder sie löste die Schnüre – zum Glück waren sie vorn –, oder sie müsste sich hineinzwängen. Tief Luft holend, hob sie das Ding hoch und streifte es sich über den Kopf und den Oberkörper.

Das Seidenfutter fühlte sich ausgesprochen sinnlich an, wie eine große, weichhäutige, streichelnde Hand. Alexa seufzte laut auf, dann biss sie sich auf die Lippe und fragte sich, was Loosie wohl von ihr denken mochte.

Wahrscheinlich möchte sie, dass ich mich befingere, dachte sie, als sie das Mieder ihrer Körperform anpasste. Wahrscheinlich glaubt sie, ich würde gerade masturbieren. Mir's selbst besorgen, während ich ihr verrücktes Mieder anprobiere.

Ach Gott, ich bin betrunken, ging es Alexa durch den Kopf. Zwei – oder waren es schon drei? – Gins in rascher Folge. Der garantierte Weg ins Verderben – oder in den moralischen Ruin.

Aber war es wirklich nur der Alkohol, der sie berauschte? Ihren Empfindungen war eine zarte, traumartige Klarheit eigen. Seltsamerweise hatte sie sich immer noch unter Kontrolle; anders als sonst, wenn sie einen Schwips hatte, war sie immer noch sie selbst.

Das kommt von Beatrices Kräutersud!, kam es ihr plötzlich in den Sinn, und sie machte sich an der Verschnürung des Mieders zu schaffen. Das gehört alles mit zum Plan. Grinsend zog sie die Schnüre an. Loosies Behauptung, sie habe von nichts gewusst, war leeres Geschwafel. Die beiden Quine-Cousinen steckten unter einer Decke, und Loosie war von ihrem Besuch informiert gewesen und hatte Anweisung, ein neues Opfer zu verführen.

Aber ich bin kein Opfer! Ich bin hier, weil ich es so wollte, dachte Alexa. Und ich bleibe wegen Loosie … Sie gefällt mir. Ich begehre sie. Auch wenn ich noch nicht genau weiß, was mich erwartet.

Sie drehte sich zum Spiegel um und konzentrierte sich wieder auf das Mieder und die Schnürbänder.

Der rote Samt war wunderschön und in seiner Pracht beinahe obszön. Trotz des knappen Schnitts passte das Mieder toll zu ihrer sonnengebräunten Haut. Die Farbe verlangte geradezu nach schwarzem Haar und der honigfarbenen Haut, wie die karibische Sonne sie verlieh.

Und es lag auch nicht nur an ihrem Teint. Irgendwie wirkte sie auf einmal üppiger. Sie wies sexy Rundungen auf, die wie geschaffen waren für die Wespentaille des Korsetts. Das Einzige, was störte, war das schlichte Weiß des Höschens, doch sie brachte es einfach nicht fertig, es auszuziehen. Der Slip gehörte zur alten, noch unerweckten Alexa, doch obwohl nicht mehr viel von ihr übrig war, hatte sie doch Hemmungen, sich vollständig von ihr zu lösen.

«Fertig?», rief Loosie von der anderen Seite des Raums, wo sie, den Geräuschen nach zu schließen, mit ihrer Fotoausrüstung hantierte.

«So gut wie», antwortete Alexa und zog das Mieder noch etwas weiter nach unten, dann schob sie es wieder hoch. Wenn das Höschen erst einmal fiel, wäre es eh aussichtslos, den Anstand wahren zu wollen. Mit klopfendem Herzen schlüpfte sie in die Schuhe.

Loosie sagte nichts, als Alexa hinter dem Paravent hervortrat. Bereits mit mehreren Kameras behängt, näherte sie sich einer Musikanlage und drückte auf ein Touchpad in der Mitte der Konsole.

Alexa, die gedämpfte Klassik erwartet hatte, schreckte zusammen, als sie stattdessen Discomusik vernahm. Schnellen, donnernd lauten, unerbittlichen Techno, dessen Maschinenrhythmus aber unbestreitbar sexy war.

«Komm her», sagte Loosie mit belegter Stimme.

Alexa gehorchte. Sie kam sich hoffnungslos verletzlich vor und schämte sich wegen des Slips. Sie bedauerte, dass sie nicht den Mut gehabt hatte, ihn auszuziehen, und fühlte sich seinetwegen umso nackter.

Als sie unmittelbar vor der Fotografin stand, zitterte Alexa leicht. Loosies Blick wirkte verschleiert, träumerisch, aber auch taxierend. Begehren und Professionalität mischten sich darin.

«Hübsch. Sehr hübsch», murmelte sie. «Aber irgendwas stimmt noch nicht … Meinst du nicht auch?»

Verlegen langte Alexa nach unten und schob die Daumen unter das Gummiband des Slips.

«Lass mich das machen», meinte Loosie und kam Alexa energisch zuvor.

Die Finger der Fotografin fühlten sich erstaunlich kühl an, als sie unter das Gummiband glitten und das Höschen nach unten zogen. Als Loosie das Kleidungsstück von ihr abstreifte, spürte Alexa, wie die Fingerkuppen über ihre Haut glitten.

«Steig raus», forderte die Fotografin, als der Slip auf Alexas Knöcheln hing. «Jetzt noch mit dem anderen Fuß», setzte sie hinzu, als Alexa zögernd gehorchte.

«So ist es besser», sagte Loosie. Und dann, ehe Alexa überhaupt mitbekam, wie ihr geschah, war sie auch schon mit den Fingern in ihrem Haarbusch. «Deine Muschi ist zu hübsch, um sie zu verstecken, meine Liebe. Du solltest häufiger auf den Slip verzichten.»

Alexa stand wie versteinert da und hielt den Atem an. Loosies Finger ruhten immer noch auf ihrer Scham, berührten fast die Stelle, wo die Schamlippen sich trafen. Jeden Moment konnte sie den Druck erhöhen, einen Finger zwischen die weichen Lippen schieben und den darin verborgenen angeschwollenen Kitzler liebkosen. Alexa wusste, dass Loosie sich ermutigt fühlen würde, wenn sie auch nur die kleinste Bewegung machte, und dann würden die Regeln des Spiels neu bestimmt.

Wohl wahr, sie wollten es beide, doch Alexa hatte ihre Hemmungen noch immer nicht vollständig abgelegt.

Loosie ließ es langsam angehen. Mit einem durchtriebenen Grinsen zog sie die Hand zurück und deutete auf ein niedriges, weißbezogenes Bett, das von zahlreichen Schweinwerfern umgeben war.

«Da drüben, Schätzchen, da spielt die Musik. Aber vorher brauchst du noch etwas Make-up.»

Auch Loosies Schminktisch bestand aus einer Kiste, oder vielmehr aus zwei mit einer darübergelegten weißen Kunststoffplatte. Darauf stand ein großer Schwenkspiegel. In den Kisten waren mehrere Ablagekörbe angebracht, die mit zahlreichen Lippenstiften, Eyelinern, Lidschatten, Gesichts-Make-up und allen denkbaren Pinseln und Schwämmchen zum Auftragen gefüllt waren. Alexa, die beim Schminken zur Zurückhaltung neigte, betrachtete stirnrunzelnd die bunte Auswahl, doch Loosie lächelte bloß, zog zwei Küchenstuhle heran und bedeutete ihrem neuen Model, sich zu setzen.

«Keine Bange, ich werde dich schon nicht lächerlich aussehen lassen», erklärte sie beinahe zärtlich. «Außerdem wirst du eine Maske tragen.»

Als Alexa Platz genommen hatte, setzte Loosie sich ihr gegenüber und holte ein Döschen Grundierung hervor.

Es war einschüchternd, aber auch erregend, einer unbestreitbar schönen – und bisexuellen – Frau gegenüberzusitzen; zumal sie vollständig bekleidet war und das Sagen hatte, während Alexa sich unsicher und ausgeliefert fühlte. Sie verspürte das starke Bedürfnis, auf der Sitzfläche herumzurutschen, und den noch heftigeren Drang, nach unten zu langen und sich zu berühren.

Als Loosie mit sanften, anspielungsreichen Bewegungen die weiche, zartgetönte Creme auf ihr Gesicht auftrug, wurde der Wunsch geradezu übermächtig.

Alexa musste die Augen schließen. Loosies Blick war so intensiv und konzentriert und erfasste keineswegs allein das Make-up. Sie lächelte leicht und pfiff leise im Takt der Musik. Offenbar hatte sie richtig Spaß.

«Warum muss ich eine Maske tragen?», fragte Alexa unvermittelt, als ihre Augen mit einer sorgfältig aufgetragenen schiefergrauen Kontur hervorgehoben wurden.

«Also, du musst nicht», erwiderte Loosie und hielt inne, um den Eyeliner zu spitzen, dann stumpfte sie die Spitze mit dem Finger wieder etwas ab. «Bitte Augen zu», sagte sie und fuhr mit dem Schminken fort. «Aber bei den Fotos handelt es sich um eine Auftragsarbeit. Jemand wird sie mir abkaufen und sich anschauen. Ich hab mir gedacht, unter diesen Umständen» – sie blickte auf Alexas entblößte Scham – «wäre es dir vielleicht lieber, inkognito zu bleiben.»

«Das habe ich nicht gewusst ... Ich ...»

Ja, was hatte sie eigentlich gedacht? Dass das Fotografieren allein der Verführung dienen würde?

«Ich –», setzte sie erneut zu einem schwachen Protest an, dann spürte sie Loosies kühle Finger auf ihren Lippen.

«Schhhh, ich muss dir jetzt die Lippen schminken», erklärte die Fotografin, dann machte sie sich mit Stift und Pinsel wieder an die Arbeit.

Bei Alexa, die zum Stillhalten verurteilt war, erlahmte auf einmal der Widerstandswille. Jetzt war sie eben mit von der Partie. Sie war ein Pornomodel, auch wenn der Kameraverschluss noch kein einziges Mal geklickt hatte. Es war Schicksal. Sie war wehrlos. Sie wollte es so.

«Fertig», sagte Loosie mit breitem Lächeln, fasste Alexa sanft am Kinn und drehte ihr Gesicht dem Spiegel zu. «Bist du nicht schön?»

Alexa wusste nicht, was sie sagen sollte. Loosie hatte relativ wenig Make-up aufgetragen, doch die Wirkung war umwerfend. Alexa erblickte ein Gesicht, das ihres war, aber eine dramatische Ausstrahlung hatte und in seiner schwülen Erotik nahezu bedrohlich wirkte. Dunkel umrandete Augen; dick aufgetragener mattroter Lippenstift. Sie war eine Verführerin. Eine Hure. Ein Vamp. Ihr Gesicht war ebenso erotisch wie eine entblößte Scham.

Loosie zog wie angekündigt eine Maske aus dem Durcheinander auf der Arbeitsplatte hervor, beobachtete Alexas Gesicht im Spiegel und legte sie ihr behutsam auf die frischgeschminkten Augen, dann band sie die Bänder hinter dem Kopf zusammen.

«Wundervoll», gurrte die Fotografin, nahm Alexa an der Hand und zog sie hoch. «Und jetzt komm, meine Liebe, lass uns arbeiten.»

Als sie maskiert, im Mieder und untenrum entblößt vor dem weißbezogenen Bett stand, hätte Alexa beinahe die Nerven verloren. Ihre Knie zitterten, und sie begann, mit den Zähnen zu klappern.

«Ach, Baby, nur keine Angst», meinte Loosie freundlich. Ihrem scharfen Blick entging nichts. «Das wird schon», flüsterte sie Alexa ins Ohr und umarmte sie zärtlich. «Ich würde dich ja gerne küssen, Schätzchen», sie senkte den Kopf und drückte ihren Mund auf Alexas bebenden Hals, «aber dafür hab ich mir zu viel Mühe mit deinen Lippen gegeben.»

Alexa bekam weiche Knie, doch Loosie hielt sie fest. Die Fotografin war offenbar weit kräftiger, als man aufgrund ihrer schlanken Figur vermuten mochte, und hatte keine Mühe, Alexa zu stützen. Lächelnd ließ sie ihre Last auf dem Bett nieder.

Alexa legte sich dankbar zurück und schloss hinter der Maske die Augen. «Entspann dich», hörte sie Loosie sagen.

«Ich bin gleich wieder da», fuhr die Fotografin fort, dann entfernte sie sich eiligen Schritts.

Alexa lag einen Moment in ungraziöser Stellung da, dann versuchte sie, sich wieder zu sammeln. Da sich kein Spiegel in der Nähe befand, stellte sie sich vor, wie sie wohl aussah; eine exotisch maskierte Gestalt in einem Mieder, unter dem die dunklen Locken ihres Schamhaars zu sehen waren.

«Trink das. Du hast es nötig», sagte Loosie, als sie zurückkam. Sie schob einen Arm unter Alexas Oberkörper und hielt ihr einen weiteren starken Drink an die Lippen. Diesmal schmeckte die Mischung so penetrant nach Kräutern, dass Alexa das Glas in einem Zug leerte. Loosie ließ sie wieder in die Kissen sinken.

«Gut so, Schätzchen. Keine Anspannung mehr. Spreiz die Beine leicht, es bleibt noch etwas zu tun.»

Alexa schloss wieder die Augen. Auf einmal war ihr alles egal. Ihr Geschlecht erschauerte, als die Schenkel sich öffneten.

«Wunderbar», flüsterte Loosie ganz dicht bei ihr. «Eigentlich brauchen wir das gar nicht.»

Auf einmal verspürte Alexa an ihrer Möse einen köstlichen Kitzel. Die Berührung war ganz zart, geheimnisvoll, federleicht und so quälend, dass sie laut aufstöhnte. Als sie nach unten sah, hockte Loosie zwischen ihren Beinen und trug mit einem spitzen Pinsel etwas Durchsichtiges und Klebriges auf ihre Möse auf.

«Was ist das? Wozu soll das gut sein?»

«Das ist Glyzerin, Schätzchen», antwortete Loosie, ohne mit der Pinselei aufzuhören. Alexa krümmte und wand sich. «Du musst feucht aussehen. Erregt. Und das Zeug erzeugt genau diese Illusion. Obwohl das in deinem Fall eigentlich unnötig ist. Dein Nektar fließt bereits in Strömen.»

Während der Pinsel mit raschen, geschickten Bewegungen über ihr Geschlecht tanzte, vermochte Alexa sich kaum mehr zu beherrschen. Loosie hatte recht, sie war feucht, nahezu nass, und ihr Geschlecht stand in Flammen. Die kleinen Pinselstriche trieben sie zum Wahnsinn. Um ein Haar hätte sie Loosies Handgelenk gepackt und sie gezwungen, den Pinsel loszulassen, damit sie besseren Gebrauch von ihrer geschickten Hand machen konnte.

«Ich … ich will –», murmelte Alexa, langte blindlings nach unten und spürte, wie Loosie ihre Hand wegstieß.

«Sei nicht so gierig. Das kommt später. Erst mal müssen wir ein paar Fotos machen!»

In dem Moment, da Loosie den Pinsel weglegte und stattdessen die Kamera in die Hand nahm, begann Alexa auch schon zu masturbieren. Das glänzende Kosmetikum erzeugte eine wundervolle Glätte, sodass ihre Finger nahezu widerstandslos über den Kitzler glitten; erst rieb sie ihn heftig, dann klopfte und kniff sie ihn. Wie aus weiter Ferne – wie aus einer widerhallenden Schlucht – vernahm sie das beharrliche Klicken und

Surren des Verschlusses, und trotz ihrer geschlossenen Augen registrierte sie helle Blitze. In Sekundenschnelle hatte sie einen gewaltigen Orgasmus, und ihre geschminkten Lippen verzerrten sich vor Lust.

Mit dem wachen, klaren Teil ihres Verstands, der vom Orgasmus losgelöst war, sah sie die Bilder vor sich, die Loosie machte. Sie hatte sogar das Gefühl, durch Loosies Augen – und die Kameralinsen – zu blicken, denn sie spürte um sich herum ein sehnsuchtsvolles Verlangen. Das Verlangen einer Frau nach dem Geschlecht einer anderen Frau, das Bedürfnis, sie zu berühren, zu liebkosen und zu küssen. Durch das Gefühl, begehrt zu werden, über alle Maßen erregt, wand sich Alexa auf dem Bett und verdoppelte ihre Anstrengungen, während ihr Geschlecht in einer Folge von Orgasmen zuckte.

Vor dem Hintergrund des kahlen weißen Raums und untermalt von der drängenden Techno-Musik, setzte Alexa sich mit ihrer eigenen Kühnheit in Erstaunen. Beinahe von selbst nahm sie die schärfsten Posen ein. Sie spreizte die Möse. Penetrierte sich mit den Fingern. Ließ eine Brust aus dem Korsett herausrutschen und drehte den steifen Nippel zwischen den Fingern.

Sie lag mit angezogenen Beinen auf dem Rücken, um der Kamera freien Blick auf Möse und Rosette zu gewähren. Und als Loosie ihr einen Dildo reichte – ein dickes, penisförmiges Ungetüm –, schob sie ihn sogleich tief hinein, spreizte abermals die Beine und räkelte sich.

Es dauerte eine Weile, bis Alexa bewusst wurde, dass das Klicken und Surren aufgehört hatten. Sie war dermaßen in ihrer lasziven Traumwelt voll zuschauender

Männer, gaffender Gesichter und sie masturbierenden Geliebten beiderlei Geschlechts gefangen gewesen, dass sie gar nicht gemerkt hatte, dass die Fotosession beendet war. Als sie die Augen aufschlug, saß Loosie reglos auf einem der Küchenstühle und betrachtete sie, die Beine lässig übereinandergeschlagen.

Alexa wusste, dass sie eigentlich hätte verlegen sein sollen, doch das war sie nicht. Sie spürte, dass Loosies dunkle Augen ihre Möse und den Dildo fixierten, und ganz langsam, beinahe gebieterisch, langte sie nach unten und bewegte laut aufstöhnend das Ding in ihrem Inneren.

«Mach das nochmal», bat Loosie mit belegter Stimme. «Mach das nochmal, du dreckige kleine Katze.»

Alexa gehorchte, ruckelte diesmal mit dem Hintern auf dem Laken, dann zog sie die Beine an und hob die Hüften.

«O Gott», keuchte die Fotografin. Im nächsten Moment war sie auf der Matratze und schob mit ihrer schlanken Hand Alexas Finger weg.

«Spiel mit dir», befahl Loosie und bewegte den Dildo langsam rein und raus. «Fass dich an … Reib deinen Kitzler. Deine Nippel.»

Alexa gehorchte, kniff den Kitzler mit den Fingern der rechten Hand, umfasste mit der Linken eine Brust und rieb mit dem Daumen die Brustwarze. Loosies freie Hand glitt unter ihren Hintern, der Mittelfinger suchte den Eingang.

Alle Lust, alle Stimulierung traf sich irgendwo in ihrer Mitte. Sie wand und krümmte sich, warf sich auf dem Bett umher, doch obwohl Loosie wiederholt «Stillhalten!» zischte, verloren weder sie noch die Fotografin den Kontakt zu ihrem Körper.

Alexa hatte die Augen fest geschlossen und schnappte mit weit offenem Mund nach Luft. Sie konnte Loosies frisches Parfüm und den Moschusduft ihres Geschlechts riechen, der ebenso deutlich war wie ihr eigener. Sie spürte, wie sich ein Mund um ihren bislang vernachlässigten Nippel schloss und wie ein Finger in ihren Anus glitt; dann schrie sie auf, denn es war alles zu viel und der Orgasmus so heftig, dass es beinahe wehtat.

Nach einer Weile nahm Alexa eine Bewegung wahr – das Rascheln von Kleidern, das Klicken eines Gürtels –, und als sie die Augen wieder öffnete, war Loosie nackt. Die Fotografin war schlank und muskulös, ihre Haut fast so bleich wie die ihrer Cousine. Mit ihrem kurzgeschnittenen Haar wirkte sie wie eine Waldnymphe, wie ein sinnlicher Kobold, der sich mit anmutiger Geschmeidigkeit bewegte.

Als sie sich auf die Matratze kniete, berührte Loosies Brust Alexas Arm. Sie beugte sich vor, küsste Alexa auf die Lippen. «Willst du jetzt etwas für mich tun, Baby?», fragte sie schmeichelnd, ließ die Zunge hervorschnellen und leckte über Alexas Hals. «Nicht viel. Es wird nicht lange dauern …»

«Gern», antwortete Alexa mit trockenen Lippen, rollte sich herum und spürte, wie der Dildo dabei tanzte und ruckte. Die Lust ging in die nächste Runde.

«Du bist ein Schatz», gurrte Loosie, und ehe Alexa es sich versah, stürzte sie auch schon zum Bett.

Alexa hatte den Eindruck von geradezu tänzerischer Beweglichkeit, dann drehte Loosie sich auch schon um, sodass ihr Po zum Kopfende des Bettes wies, schwang ihr Bein über Alexas Kopf und hockte nun unmittelbar über ihr.

«Leck mich einfach, Schätzchen», sagte sie ganz leise, dann senkte sie ihre Möse auf Alexas offenen Mund.

Lucretia Quine war so glücklich wie schon lange nicht mehr. Sie trank Kamillentee, betrachtete die auf der Arbeitsplatte ausgebreiteten Schwarzweißfotos, dachte über die Freundlichkeit und Schönheit der Frauen nach und überlegte, welch ein Segen ihr eigenes Geschlecht doch für sie war.

Die Freundlichkeit betraf vor allem ihre Cousine. Bea hatte nicht den geringsten Anlass gehabt, ihr ein solches Geschenk zu machen und einen solch wundervollen neuen Schatz mit ihr zu teilen – dennoch hatte sie es getan. Beatrice war im Allgemeinen die selbstsüchtigste, zügelloseste Person, der sie je begegnet war; dennoch hatte sie sich ihrer Cousine gegenüber großzügig gezeigt, anstatt ihrer Gier zu frönen. Eine Cousine, die noch immer unter den Verletzungen eines Mistkerls litt und die etwas Positives in ihrem Leben brauchte.

Etwas oder jemanden, der ihr wirklich guttat: die junge Frau, deren Schönheit und sich entwickelnde, aber gleichwohl umwerfende Sexualität in diesen Dutzenden von Bildern gefeiert wurde.

Ach Alexa, dachte Loosie, setzte die Teetasse ab und nahm eins der besten Fotos in die Hand.

Alexa Lavelle wirkte darauf durch und durch ausschweifend. Die langen Schenkel hatte sie so weit wie möglich gespreizt, dazwischen ragte der weiße Dildo hervor. Alexas Gesichtsausdruck wirkte geistesabwesend, nahezu wild, und die Hände hatte sie zur Faust geballt. Die Augen hinter der Maske waren weit geöffnet, zeigten aber das Weiße. Sie bleckte die Zähne. Eine

Brust war aus dem roten Korsett herausgerutscht, die Warze stand hervor wie ein dunkler Zapfen. Das Foto weckte in Loosie den Wunsch, sich zu berühren, und sie drückte mit der Hand durch den Seidenstoff des Morgenmantels hindurch auf ihre Scham.

Sie hatte viel Spaß mit Beatrices hübscher neuer Freundin gehabt, und o Mann, wie hatte sie ihre bewegliche Zunge genossen. Nachdem Alexa erst einmal zu dem Schluss gekommen war, dass es vollkommen in Ordnung war, mit einer anderen Frau Sex zu haben, hatte sie keinerlei Hemmungen mehr gehabt. Als sie sich hinterher unterhielten, hatte Loosie zu ihrer Überraschung festgestellt, dass ihre Cousine Alexa noch nicht eingeführt hatte, obwohl sie anscheinend dicht davor gewesen waren. Loosie wusste ganz genau, was bei Beatrice alles zu einer «Untersuchung» gehörte.

Also, da wäre ich gern dabei gewesen, dachte Loosie, öffnete den Morgenmantel und tastete nach dem Kitzler. Zielstrebig brachte sie sich zum Höhepunkt und stellte sich dabei Beatrice vor, die ihre Finger in Alexa hineingesteckt hatte, während Sly in ihrem makellos weißen Kittel zusah, die Hand zwischen den Beinen.

«Zu viel!», murmelte Loosie, als sie wieder zu Atem gekommen war und den seidenen Morgenmantel schloss. Seufzend betrachtete sie wieder die Fotos, sortierte sie und wählte dann ein Dutzend der besten aus. Die schamlosesten, schärfsten Bilder steckte sie in einen kartonierten Umschlag. Sie leckte über die Gummierung, verzog angewidert das Gesicht und verschloss den Umschlag. Da hätte sich wirklich jemand etwas mehr Mühe mit dem Klebstoffgeschmack geben können. Sehnsüchtig dachte sie an den köstlichen Geschmack, den sie zuvor genossen hatte – als sie mit ihrer Zunge etwas weit Aufregenderes berührt hatte als einen Versandumschlag!

Als sie die Adresse geschrieben hatte, nahm Loosie das Handy zur Hand, klappte es auf und drückte eine Kurzwahltaste. Es tutete einmal, zweimal in der Leitung, dann ging der Teilnehmer dran – als hätte er auf den Anruf sehnsüchtig – oder vielleicht auch gierig – gewartet.

«Hallo Bea», sagte Lucretia Quine zu ihrer Cousine. «Ich habe genau das bekommen, was du gewollt hast. Ich lasse dir die Fotos mit dem Fahrradkurier zustellen. Genieße sie und gib mir dann Bescheid, was du davon hältst.»

Als sie das Handy zuklappte, lächelte sie … und dachte immer noch an Alexa Lavelle.

9. Kapitel

~ **Die Party**

ALLGEMEINER SYSTEMFEHLER.

Mist! Das hatte man nun davon, wenn man bei einem unerprobten Programm herumträumte.

Alexa raufte sich das Haar, zerzauste ihre Frisur noch etwas mehr und gestand sich ein, dass sie mit den Gedanken nicht bei der Sache war. Sie machte elementare Fehler und tippte Lösungen ein, bevor sie sie durchdacht hatte. Sie dachte an Sex, nicht an Computer.

Ihr schlechtes Gewissen hatte sie am Tag nach der Begegnung mit Loosie wieder ins Büro geführt, doch bedauerlicherweise war ihr Gehirn nicht wieder in Schwung gekommen. Eigentlich sollte sie ein Programm für einen wichtigen Kunden testen, doch stattdessen führte sie einen Systemabsturz nach dem anderen herbei.

Quentin hatte sie den ganzen Nachmittag über misstrauisch beäugt. Sie spürte die Blicke, die er hin und wieder aus seinem Kabuff in der Ecke herüberwarf, und sie hatte den Eindruck, er warte darauf, dass sie über ihn herfiel. Sie spürte seine Erregung. Und sie spürte, dass er sie begehrte. Und zwar heftig. Doch obwohl sie ständig an Sex denken musste, hatte sie keine Energie mehr, aktiv zu werden. Wer wusste schon, wozu das gut war. Es lief auch so schon schlecht genug bei KL Systems:

Eine Beziehung mit Quent zu beginnen wäre katastrophal gewesen.

Den Bildschirm mit der Fehlermeldung anstarrend, unterdrückte sie ein Gähnen. Was auf Loosies weißer Bettcouch geschehen war, hatte sie irgendwie erschöpft. Trotzdem verlangte es danach, dass sie sich Gedanken darüber machte. Ernsthafte Gedanken, und zwar, nachdem sie sich ordentlich ausgeschlafen hatte.

Genervt bootete sie den Computer neu, trank einen Schluck kalten schwarzen Kaffee und mühte sich weiter mit dem Programm ab. Es hatte noch ein paar Macken, aber die würden bis morgen warten müssen. Oder bis irgendwann. Es war bereits nach sechs, und sie war hundemüde und verwirrt.

«Nacht, Quent!», rief sie schuldbewusst wie immer, wenn sie es ihm überließ, aufzuräumen, die Folgen ihrer Verantwortungslosigkeit zu beseitigen und abzuschließen. Er wirkte ebenfalls erschöpft. Er hatte dunkle Ringe unter den Augen, und die Haut spannte sich über seinen Wangenknochen.

Auf der Schwelle hielt Alexa inne und beobachtete ihn. Merkwürdigerweise fand sie seine Erschöpfung eigentlich ganz attraktiv. Sein Kinn war stoppelig, weshalb er älter und einnehmend verlebt wirkte. Sie dachte daran, wie er sie berührt hatte, wie leidenschaftlich und doch auch sanft er gewesen war. Sie trat einen Schritt auf ihn zu, der Dämon in ihrem Leib regte sich; als sie jedoch begriff, was da vor sich ging, schüttelte sie den Kopf.

«Bis morgen!», rief sie mit erstickter Stimme, dann stürmte sie hinaus und warf die Tür hinter sich zu.

Du hättest es beinahe schon wieder getan, Dummkopf!, schalt sie sich auf dem Heimweg. Trotz der vielen

Orgasmen, die sie bei Loosie Quine erlebt hatte, wäre ihr der arme Quentin gerade recht gewesen.

Zu Hause versuchte sie, sich mit fernsehen abzulenken, doch alles, was sie sah, erschien ihr banal. Sie badete ausgiebig, und während sie so dalag, nahm sie sich ein Kreuzworträtsel vor, um sich zu beschäftigen, doch als sie die Zeitung ins Wasser fallen ließ, verwandelte die sich in einen Klumpen.

Als sie dann mit einer Tasse Malzkaffee im Bett lag, bemühte sie sich, einen Artikel über Netzwerktechnik zu verstehen, doch nachdem sie den ersten Satz zum siebzehnten Mal gelesen hatte, schleuderte sie die Zeitschrift entnervt weg.

Sie nahm das Psion, ließ die Nummer des Hotels anzeigen, in dem Tom abgestiegen war, dann löschte sie die Anzeige und rief stattdessen Beatrices Nummer auf. Sie erinnerte sich noch gut, wie sie vor einer kleinen Ewigkeit auf Barbados die Nummer gespeichert und wie belustigt die Ärztin reagiert hatte, als sie ein elektronisches Notizbuch verwendete anstelle eines aus Papier.

Sie nahm das Telefon und wählte, dann legte sie es erneut weg. Was sollte sie sagen? Ich war bei deiner Cousine, und wir hatten Sex. War das Beatrices Absicht gewesen? Und was, wenn nicht? Außerdem war es schon nach elf. Wenn Beatrice nicht gerade auf irgendeiner Glitzerparty war, lag sie bestimmt bereits im Bett. Und bestimmt nicht mit Malzkaffee und einer Computerzeitschrift. Wahrscheinlich hatte sie Drew zwischen den Schenkeln. Oder Slys hübsches Gesicht. Oder einen anderen Sexpartner, der ihre perversen Wünsche erfüllte.

Ich weiß nicht, wie es weitergehen soll, dachte Alexa

verwirrt. Sie hatte keinen neuen «Termin» mit Beatrice vereinbart: keine Zeit, keinen Ort, nichts. Mit nichts weiter als Loosies glänzender Visitenkarte in der Tasche war sie benommen aus diesem wunderschönen Haus auf die Straße gestolpert. Alles war so verworren, so zufällig. Das einzig Beständige war der Sex, und als sie das Licht ausgeschaltet und es sich unter der Decke behaglich gemacht hatte, schob sie die Hand zwischen die Beine, um sich zu trösten.

Am nächsten Morgen brachte Alexa es nicht über sich, Quentin unter die Augen zu treten oder überhaupt im Büro zu erscheinen; deshalb rief sie an und meinte, sie wolle zu Hause arbeiten. Dann, noch in Nachthemd und Morgenmantel, loggte sie sich im LAN von KL Systems ein.

Obwohl sie unruhig geschlafen hatte, fühlte sie sich erholt, und schon bald zeigte sich das fehlerhafte Programm gefügig. Zufrieden und erleichtert darüber, dass die Verwandlung in eine Nymphomanin ihren Verstand jedenfalls nicht vollständig ruiniert hatte, beschloss sie, den Erfolg mit einem Frühstück zu feiern.

Nachdem sie einen Becher Tee getrunken, ein Specksandwich zur Hälfte verzehrt und dabei eine hirnlose Talkshow im Morgenfernsehen verfolgt hatte, klingelte es plötzlich an der Tür.

Sie erwartete niemanden. Die Post war schon gekommen. Alle ihre Bekannten waren auf der Arbeit und würden eher anrufen, als persönlich bei ihr vorbeizukommen. Verlegen schlurfte sie in ihrem schmuddeligen Morgenmantel zur Tür und öffnete.

Ein Motorradbote stand davor und streckte ihr einen Umschlag entgegen.

«Alexa Lavelle?», fragte er, die Stimme vom glänzenden, buntgemusterten Helm gedämpft.

Alexa nickte, nahm den Umschlag entgegen und quittierte den Empfang. Als der Bote die Treppe hinunterstapfte, starrte sie noch immer ihren Namen an, den jemand schwungvoll auf den Umschlag geschrieben hatte.

Die Handschrift war unverwechselbar, und sie hatte das Gefühl, sie zu kennen. Mit zitternden Fingern öffnete sie den Umschlag. Als sie die Unterschrift sah, verstärkte sich ihr Zittern.

*Liebe Alex*a, begann die Nachricht. *Ich möchte Dich zu einer Party einladen ... Dir wird es bestimmt gefallen. Die Party ist ausgesprochen erzieherisch. Komm heute Abend um acht in die Bar des St. Vincent Hotels, wir schicken Dir jemanden, der Dich abholt. Alles Liebe, Beatrice.*

Woher will Beatrice eigentlich wissen, was mir gefällt?, dachte Alexa verärgert. Während sie die Nachricht zum zweiten Mal las, überlegte sie, ob sie Beatrice anrufen und die Einladung ablehnen sollte, entschied sich aber dagegen. Sie brauchte ja nicht lange zu bleiben. Sie würde einen Cocktail trinken und dann wieder gehen. Sie brauchte nicht bis zum bitteren Ende auszuharren. Zumal sie morgen Tom zurückerwartete.

Um zwei Uhr nachmittags, als Alexa sich endlich angekleidet hatte, klingelte es erneut.

«Wer ist das denn schon wieder?», murmelte sie und ging zur Tür.

Es war eine weitere Botensendung. Diesmal ein Paket, überbracht von einem Paketdienst und in der gleichen Handschrift adressiert.

Ich schon wieder, hatte Beatrice geschrieben. *Das Kleid hat mir ein Freund geschenkt, aber es passt mir nicht. Es wäre schön, wenn du es heute Abend tragen würdest.*

Was für ein Fähnchen, dachte Alexa sarkastisch, als sie das Kleid aus dem Seidenpapier wickelte. Beatrices «Kleid» war dunkelrot und bestand anscheinend aus einer Kollektion großer Seidentaschentücher. Es war komplett rückenfrei, und vorne war auch nicht viel, nämlich ein tiefer V-Ausschnitt, der bis zur Hüfte reichte. Das Teil war kurz und mehrlagig und lief in Fetzen aus, die allenfalls notdürftig die Oberschenkel der Trägerin bedecken würden. Das Kleid war atemberaubend schön, ein exklusives Designerteil, doch es erforderte sicherlich eine Menge Mut, es zu tragen.

Mehr Mut, als ich aufbringen kann, dachte Alexa sehnsuchtsvoll, streichelte den Seidenstoff und hätte dabei vor Vergnügen beinahe aufgeseufzt.

Aber stimmte das wirklich? In den letzten Tagen hatte sie Dinge getan, die sich an ihrer Stelle kaum jemand getraut hätte, und das bedeutete, dass ihr Mut auch für das Kleid ausreichen würde.

Quentin. Loosie. Beatrice. Sie hatte sich kopfüber in all die Abenteuer gestürzt, ohne dabei zu Schaden zu kommen. Dann konnte sie doch wohl auch Beatrices gewagten Partyfummel tragen? Das hieß, falls sie etwas Passendes für darunter hatte …

Als Unterwäsche kam nur wenig in Frage. Oben herum hätte nichts gepasst. Also kein BH, kein Mieder, kein Unterhemd. Und unten rum sah es kaum besser aus. Schließlich entschied sich Alexa nicht ohne Beklommenheit für einen schwarzen Stringtanga aus Baumwolle, den sie auf Barbados gekauft, bislang aber noch nicht getragen hatte. Nicht zu tragen gewagt hatte. Da ihre Beine braungebrannt waren, verzichtete sie auf Strumpfhose und Strümpfe und wählte ihre extravagantesten Schuhe aus – ein graziles Paar von Maude Frizon, das sie bei ihrer letzten Kauforgie erstanden hatte.

Als sie vor dem Spiegel posierte, fand sie ihr Outfit umwerfend, doch als sie in der Lobby auf das Taxi wartete, fragte sie sich, ob das nicht vielleicht gleichbedeutend mit «lächerlich» sei. Sie war nur spärlich bekleidet, Rücken, Arme, Schultern, Brust und ein Gutteil der Beine waren nackt. Obwohl es warm war, hatte sie sich ein mit Stickereien verziertes gefranstes schwarzes Schultertuch umgelegt, kam sich in dem dünnen Seidenkleid aber dennoch grässlich nackt vor.

Der Taxifahrer hatte offenbar schon ganz andere Leute befördert, denn als er das Fahrgeld entgegennahm, enthielt er sich einer Bemerkung. Im Hotel aber zog sie alle Blicke auf sich. Ein strahlender Portier hielt ihr die Tür auf, und ein rotgesichtiger, stammelnder Page geleitete sie zur Bar. In dem von mildem Licht erhellten luxuriösen Raum angelangt, hätte Alexa schwören können, dass sie ein anerkennendes Gemurmel vernahm, doch die versammelten Gäste waren zu diskret, um auf sie zu zeigen und sie anzustarren.

Wir schicken dir jemand, der dich abholt, hatte Beatrice geschrieben, doch das konnte jeder Beliebige sein. Alexa krampfte sich der Magen zusammen. Sie fühlte sich in der Bar unsicher, wie auf dem Präsentierteller. Sich unter dem Schultertuch zu verstecken wäre der Gipfel an Taktlosigkeit gewesen, deshalb legte sie es zusammen mit ihrer Handtasche auf einen freien Barhocker und fand sich mit ihrer Halbnacktheit ab.

Sie bestellte ein Glas Wein, behielt die Tür im Auge und hielt Ausschau nach einem bekannten Gesicht. Sie hoffte, Drew würde sie eskortieren. Oder vielleicht Sly, die sie weniger gut kannte, die aber einen netten, wenn auch etwas reservierten Eindruck gemacht hatte.

Dann kam ihr ein neuer Gedanke.

Vielleicht würde ja auch Loosie an der Party teilnehmen? Sie hatte nichts davon gesagt, aber schließlich hatten sie auch nicht viele Worte gewechselt. Küsse, das ja, und zwar eine ganze Menge. Alexa errötete, denn die meisten davon waren nicht auf den Mund gewesen.

Sie sah gerade zum etwa zwanzigsten Mal auf die Uhr, nur, um festzustellen, dass es erst eine Minute nach acht war, als zwei Männer im Eingang der Bar erschienen. Alexa hatte sie beide noch nie gesehen, wusste aber instinktiv, dass sie sie abholen wollten. Allerdings wusste sie nicht, ob sie erfreut oder erschreckt sein sollte.

Beide waren schlank, schwarzhaarig und dunkelhäutig, und beide sahen so umwerfend aus, dass für etwas anderes als reine Faszination wenig Raum blieb. Der Größere der beiden hatte langes Haar, das er zu einem Pferdeschwanz gebunden hatte, und ein ausdrucksstarkes, beinahe feinsinniges Gesicht; sein Begleiter hatte kurze, jungenhafte Locken und zeigte beim Lächeln seine blendend weißen Zähne. Beide waren perfekt gekleidet und trugen helle Anzüge. Alexa verspürte einen Anflug von Erregung, als die beiden Männer sich ihr im Gleichschritt näherten. Sie wollte sich unwillkürlich erheben, besann sich aber. Das kurze, mehrlagige Kleid war einfach zu gewagt, und sie zeigte auch so schon ihre Schenkel.

«Sie müssen Alexa sein», sprach der erste der beiden Unbekannten sie an – der mit dem durchtriebenen, augenzwinkernden Lächeln. «Beatrice hat uns gesagt, wir sollten nach einer Schönheit Ausschau halten.» Als er ihre Hand ergriff, vertiefte sich sein Lächeln.

Erschreckt ließ Alexa ihre Hand an seine weichen, warmen Lippen führen und mit gezügelter Leidenschaft küssen.

«Und Sie sind ... ?», fragte sie dreist, erst dem einen, dann dem anderen in die Augen blickend.

«Yusuf», antwortete der Größere, als auch er ihre Finger küsste.

«Siddig», murmelte sein Begleiter und nickte mit dem Kopf.

«Und Beatrice hat Sie beide geschickt, um mich abzuholen?», fragte Alexa und zog ihre Hand beinahe widerwillig zurück. Sie war sich bewusst, dass die Bargäste sie interessiert beobachteten; die Frauen musterten sie voller Neid.

«Das ist richtig», antwortete Siddig, offenbar der Wortführer. «Ich versichere Ihnen, das Vergnügen liegt ganz auf unserer Seite.»

Du Schmeichler, du, dachte Alexa sarkastisch, obwohl sie dem Mann Charme nicht absprechen konnte. Er und sein Freund stammten offenbar aus dem Mittleren Osten und waren mit dem Zauber des Orients ausgestattet. Schon einer allein hätte ausgereicht, um die meisten Frauen zu überwältigen, doch als Team waren sie nahezu unwiderstehlich.

«Das glaube ich gern», erwiderte sie gewandt und

entschlossen, zumindest vorerst den Kopf oben zu behalten. «Sollen wir gleich aufbrechen?», fragte sie und langte nach der Handtasche und dem Schultertuch. Die Augen der beiden Männer blitzten auf, als sie Gelegenheit hatten, einen Blick in ihren Ausschnitt zu werfen.

«Nur wenn es Ihnen recht ist», sagte Yusuf und trat an ihre andere Seite, während Siddig einfach stehen blieb.

«Wir könnten erst einen Drink nehmen, was meinen Sie?», schlug Siddig vor, was sich aus seinem Mund anhörte wie ein unmoralisches Angebot.

«Einverstanden», sagte Alexa, deren Gelassenheit bereits erschüttert war. Yusuf legte das Tuch und die Handtasche auf den nächsten Barhocker, dann nahmen er und Siddig rechts und links von ihr Platz.

Kurz darauf standen die Drinks vor ihnen, und Alexa beschloss, mit diesen beiden Traumgestalten, die geschickt worden waren, um ihr Lust zu bereiten, erst einmal Konversation zu machen.

Als sie jedoch zur ersten witzigen Bemerkung ansetzte, raubte ihr eine verblüffende Einsicht die Stimme.

Die beiden sind ein Team, dachte sie und verspürte im Nacken ein Kribbeln, als ihr Extrasinn sich einschaltete. Nicht nur jetzt, sondern immer. Auch im Schlafzimmer mit einer Frau arbeiten sie zusammen, und heute Nacht werden sie sich mit mir beschäftigen!

«Ist Ihnen kalt?», fragte Siddig mitfühlend, während Yusuf die Hand nach dem Schultertuch ausstreckte.

«Nein, ich fühle mich gut», erwiderte sie flüsternd, beinahe piepsend.

«Aber Sie zittern ja», beharrte er mit neckisch gespitztem Mund.

«Ich habe mir gerade gedacht …» Sie stockte. «Ich habe mich gefragt, was die Leute wohl denken mögen. Über mich. Dass ich in diesem Aufzug hier sitze. In Begleitung von zwei Männern.»

Sie blickte von einem zum anderen. Yusuf lächelte, während Siddig unverhohlen grinste. In seinen dunklen Augen funkelte unverkennbar Begierde.

«Kommt es denn darauf an, was sie denken?» Er schwenkte anmutig die Hand – eine Geste, welche die ganze Einwohnerschaft Londons umfasste. «Was zählt, ist, was *Sie* denken. Wie fühlen Sie sich in Gesellschaft von zwei Männern?»

Er bezog sich nicht nur auf die Drinks, die sie miteinander einnahmen, sondern auf die Hauptsache, und seine Frage lautete: Wollte sie mit zwei Männern Sex haben? Und zwar gleichzeitig. Im selben Bett. Wollte sie sich ihnen beiden hingeben?

Alexa langte ausweichend nach ihrem Glas. «Was meinen Sie?», murmelte sie fast unhörbar, dann trank sie einen Schluck Wein, während Siddig leise auflachte.

Beatrice Quine, ich bring dich um!, dachte Alexa in der plötzlichen Gesprächspause. Was hast du mir da wieder eingebrockt! Ich dachte, es ginge darum, ein paar harmlose Stunden auf einer Party zu verbringen, unter Menschen – und jetzt muss ich mich zweier Gigolos aus dem Mittleren Osten erwehren!

Das Problem dabei war, sie wollte sie gar nicht abwehren. Sie waren umwerfend, beide auf ihre Art der Inbegriff exotischer Männlichkeit, und ihr Körper vibrierte bereits vor Verlangen. Der dünne Seidenstoff des Kleids spannte sich über ihren steifen Brustwarzen, und sie spürte, wie ihr Tanga immer feuchter wurde.

Zu ihrer Erleichterung saß sie wenigstens nicht auf dem Kleid.

«Beatrice hat uns erzählt, Sie wären Programmiererin», brach Yusuf das angespannte Schweigen.

«Eigentlich eher Systemanalytikerin», erwiderte Alexa und erklärte erleichtert die subtilen Unterschiede zwischen den beiden Tätigkeiten. Die beiden Männer waren keine Technik-Freaks, aber auch nicht ungebildet. Ihre Fragen waren intelligent und informiert und zu ihrer Überraschung ganz ohne Anzüglichkeiten.

«Und was machen Sie?», fragte sie schließlich, nachdem sie ihnen eine Menge über KL Systems, aber praktisch nichts über Thomas und Quentin erzählt hatte.

«Dies und das», antwortete Siddig beiläufig. «Fotoshootings. Hin und wieder auch Filmaufnahmen.» Er hielt inne und sah ihr offen in die Augen. «Hauptsächlich arbeiten wir als Begleiter. Wir leisten Frauen Gesellschaft. Wir sind professionelle Restaurantbegleiter. Theaterbegleiter. Partygeher … Und wir erfüllen den Frauen auch noch weiter gehende Wünsche.»

Und dass sie Wünsche haben, darauf möchte ich wetten, dachte Alexa und sonnte sich in seinem Blick, der über ihren Körper glitt. Er hatte lächelnd ihr Gesicht betrachtet, doch bei der letzten Bemerkung war sein Blick kurz nach unten zu ihren Brüsten gewandert, was sich anfühlte wie eine Liebkosung.

«Oh», machte sie. «Und Sie arbeiten immer zusammen? Oder handelt es sich diesmal um einen Spezialauftrag?»

«Ja, wir sind ein Team», bestätigte Siddig gewandt. «Uns gibt's nur im Paket, könnte man sagen. Aber jeder ‹Auftrag› ist etwas Spezielles. Und für manche gilt das in besonderem Maße.» Seine rosige Zungenspitze schoss zwischen den Zähnen hervor, als wollte sie die Bemerkung mit einem Kuss bekräftigen.

Erneut las Alexa zwischen den Zeilen. Eine weitere Schmeichelei. Und sie verfluchte ihren erregten Körper, der sogleich darauf ansprang. In ihrem Innersten zitterte sie heftiger denn je, obwohl es ihr gelang, nach außen hin ruhig zu erscheinen. Ihre Möse war ein heißer Brunnen, ihr Körper war bereit für einen stattlichen Mann. Für irgendeinen der beiden. Oder für beide gleichzeitig.

«Ihre Arbeit macht Ihnen offensichtlich Spaß», bemerkte sie unverbindlich.

«Unseren Kundinnen auch», erwiderte Yusuf an ihrer anderen Seite, sich zu ihr vorbeugend.

Alexa streckte die Hand zum Glas aus, doch ehe sie es berührte, ergriff Siddig ihre Hand, öffnete sie und führte sie behutsam an die Lippen. Er drehte sie um und küsste sie langsam und feucht auf die Handfläche, zeichnete mit der Zunge die Linien nach, als lese er ihre Zukunft.

«Sollen wir gehen?», sagte er, blickte auf und nickte dann Yusuf zu.

Als Alexa sich bei Siddig einhakte und die Bar und das Hotel verließ, hatte sie das Gefühl, auf Wolken zu schweben. Erst als sie vor der langen schwarzen Limousine standen, die draußen auf sie wartete, bemerkte sie, dass Yusuf wie der Träger einer Königin ihr Schultertuch und ihre Handtasche ganz selbstverständlich mitgenommen hatte.

Und Yusuf war es auch, der ihr die Wagentür aufhielt. Siddig glitt als Erster auf den Rücksitz, dann fasste er Alexa bei beiden Händen und zog sie zu sich hinein.

Yusuf stieg hinter ihr ein, und als die Tür sich schloss, wurde ihr klar, dass dies kein Zufall war. Die beiden Männer hatten sie wieder in die Mitte genommen, hatten sie zwischen sich eingeklemmt, doch diesmal unter dem Schleier dunkler Abgeschiedenheit.

«Müssen wir weit fahren?», fragte sie, als die Limousine sanft anfuhr.

«Ein ganzes Stück», antwortete Siddig und legte ihr zart die Hand auf den Schenkel, während eine zweite Hand – nicht seine – das andere Bein in Beschlag nahm.

Jetzt ist es also so weit, dachte sie träumerisch. Sie machen sich über mich her, dabei sind wir noch nicht mal auf der Party angekommen.

Mit sanftem Druck spreizten ihr die beiden Hände die Beine, und als ihr jemand – sie wusste nicht, wer es war – das Kleid hochschlug, spürte sie das lederne Sitzpolster am nackten Po. Sie lehnte sich zurück, gab sich ihnen schweigend hin, überließ sich der sich entfaltenden Sinnlichkeit und vergaß nicht nur den Chauffeur, sondern auch die draußen vorbeigleitende nächtliche Stadt.

Da er links von ihr saß, schloss sie, dass es Yusuf war, der sie auf den Hals küsste, während Siddig ihr den Schenkel streichelte. Eine Hand schob sich ohne weitere Umschweife unter ihr Oberteil und umfasste eine vor Erregung geradezu schmerzende Brust. Die Fingerspitzen fanden den Nippel und drehten ihn, und während ihr Körper vor Verlangen vibrierte, stöhnte sie laut auf.

«Ah, ja, so ist es gut», brummte Siddig ihr ins Ohr, während er ihr eine Hand unter den Hintern schob und besitzergreifend eine Pobacke umfasste. Mit einem Finger schob er den Stringtanga beiseite, dann drückte er ihn verstohlen in die zuckende Pospalte. Ehe sie ihn daran hindern oder auch nur protestieren konnte, rieb er sie auch schon und kitzelte ihr die Rosette, während Yusuf eine Brustwarze rieb.

Sie wusste gar nicht, was sie mit ihren Händen anfangen sollte; sie hatte das Gefühl, keinerlei Willenskraft mehr zu besitzen. Als sie halbherzig versuchte, die Schenkel der Männer zu streicheln und nach ihrem Geschlecht zu tasten, lachten sie nur und entzogen sich ihren Händen.

«Das ist ein Geschenk, liebe Alexa», flüsterte Yusuf, an ihrem Ohr knabbernd.

«Mach dir um uns keine Gedanken», sagte Siddig, während er mit dem Finger ihr Hinterteil erkundete. «Wir kommen später noch auf unsere Kosten, keine Sorge.»

«Aber was ist mit der Party?», keuchte Alexa, als er den Druck erhöhte und sie ein wenig öffnete.

«Schhh! Wir kommen früh genug dorthin», beschwichtigte er sie, während er die andere Hand unerbittlich an der Innenseite des Schenkels hochschob. «Aber das ist keine gewöhnliche Party … Und das hier» – seine Finger hatten den Spitzenrand des Stringtangas erreicht – «sollte vorher ein bisschen aufgewärmt werden.»

In kurzen, rauen Stößen atmend, spürte sie, wie er ganz sachte, beinahe zögerlich, über das Stoffdreieck strich, das ihre Blöße bedeckte, während er bereits den Finger bis zum ersten Knöchel in ihrem Hinterteil versenkt hatte. Dieses Gefühl war so erschreckend und wundervoll, dass ihr ein Lustschauer den Rücken herunterlief. Einerseits wollte sie, dass er den Finger herausnahm und die intime Stimulation beendete, andererseits hätte sie sich am liebsten fest auf seinen Finger gesetzt und ihn so tief wie möglich in sich aufgenommen. Ihr ganzer Körper flehte danach, dass er den Kitzler berührte.

Doch das tat er nicht. Vor Frust begann sie sich zu bewegen, doch Siddig hielt vollkommen still; sein Finger steckte nur ein Stück weit in ihr, während seine andere Hand leicht auf ihrem Schamhügel ruhte.

Dann bewegte sich Yusuf. Als hätte er von seinem Begleiter eine diskrete Anweisung bekommen, machte er sich über ihre Brust her.

Er schob das dünne Oberteil beiseite und befreite die weiche Kugel, die er bis jetzt gestreichelt hatte und die ihm am nächsten war, und entblößte sie in der Dunkelheit des Wagens. Und während Siddig ihr in seiner Muttersprache ins Ohr flüsterte – wunderschön, aber unverständlich –, fasste Yusuf ihr mit einer Hand um den Rücken und mit der anderen unter die nackte Brust, dann senkte er den Kopf und nahm ihre pochende Brustwarze in den Mund.

Heiße Nadeln schossen zwischen Brust und Geschlecht und – unter Siddigs ruhender Hand – zwischen den Schenkeln hin und her, und ihre Haut prickelte und flehte um Aufmerksamkeit. Sie erzeugte tief in ihrer Kehle einen Laut, ebenso kryptisch wie Siddigs Geflüster, doch anscheinend hatte er sie trotzdem verstanden.

«Was war das?», fragte er. «Was willst du?»

Als Yusuf die Stimme seines Freundes vernahm, hob er den Kopf von ihrem Busen und blickte sie fragend an.

«Was willst du, Alexa?», wiederholte Siddig, beide Hände vollkommen reglos, aber irgendwie auch in heftiger Bewegung.

«Ich möchte, dass ihr ... Dass ihr ...» Ihr Körper schrie, doch ihre Zunge war wie gelähmt. «Ich ...»

Siddigs Finger ruckte ganz leicht, und gleichzeitig senkte Yusuf abermals den Kopf und streckte seine lange Zunge nach ihrer Brustwarze aus.

«Sag schon», drängte Siddig. «Wir gehören dir. Was willst du?»

Alexa errötete heftig und wandte das Gesicht ab.

«Bitte fass mich am Kitzler an», bat sie so leise, dass sie sich selbst kaum hörte.

«Selbstverständlich», erwiderte Siddig beinahe förmlich, während seine Finger sich bereits in Bewegung gesetzt hatten. Er schob den Stringtanga beiseite, teilte ihre seidigen Schamlöckchen und fand die angeschwollene Knospe, die sich nach ihm verzehrte. Als er sie erst drückte und dann rieb, kam Alexa augenblicklich. Ihre abgehackten Lustschreie hallten im Wagen wider.

Zitternd, mit pulsierendem Geschlecht, streckte sie blindlings die Hände nach den beiden wundervollen Männern aus. Sie packte und kratzte ihre muskulösen Schenkel, grub auf dem Höhepunkt die Fingernägel in den Stoff ihrer Hosen.

«Ach Gott», keuchte sie, als die Lust verebbte und sie erhitzt zurückließ. Sie lag jetzt in Yusufs Armen, und Siddig saugte sanft an ihren Fingern.

«Das kann man wohl sagen», meinte er, schaute hoch und zupfte ihr Oberteil wieder zurecht. Den Stringtanga hatte er bereits zurechtgerückt, als er seine erkundende Hand zurückgezogen hatte, und obwohl sie von ihren Säften noch ganz feucht war, hatte er zumindest ihre Blöße bedeckt.

«Was denkt ihr jetzt wohl von mir?», fragte sie und spürte, dass sie unter ihrer Sonnenbräune feuerrot war. «Wir sind noch nicht mal auf der Party eingetroffen. Wir sitzen in einem Wagen, du meine Güte. So was mache ich normalerweise nicht.»

Als sie sich aufsetzte und die Frisur richtete, reichte Yusuf ihr die Handtasche.

«Das solltest du aber», meinte Siddig sanft. «Du bist wundervoll, Alexa. So schön und so sinnlich. Ich wünschte, alle Frauen, mit denen wir es zu tun haben, wären wie du.»

«Ich komme mir vor wie ein Flittchen. Wie eine Schlampe», gestand sie geknickt, erlebte aber eine angenehme Überraschung, als sie den Taschenspiegel auspackte. Ihr Party-Make-up war unversehrt, und ihre Frisur sah noch immer gut aus; selbst die geröteten Wangen schmeichelten ihr. «Wie eine Nutte», setzte sie hinzu und glättete mit dem Finger die Augenbrauen.

Siddig lachte wieder und schüttelte den Kopf, dann ergriff er ihre Hand und küsste sie. «Billig siehst du jedenfalls nicht aus», sagte er, dann schaute er hoch. «Wie sollte das auch zugehen? Wir sind jedenfalls bestimmt nicht billig.» Er zeigte auf sich und Yusuf.

Alexa kam ein fürchterlicher Verdacht. «Was meinst du damit?»

«Ich meine, dass unser Honorar kein Klacks ist … Da verbietet sich der Begriff ‹billig› ganz von selbst.»

«Aber wer bezahlt euch?», fragte Alexa erschreckt, mit erhobener Stimme. Ach Gott, sie hatte auch so schon genug finanzielle Probleme!

«Ich bedaure, aber den Auftraggeber dürfen wir nicht preisgeben», erklärte Siddig mit ausdrucksloser Miene, aber herausforderndem Blick.

«Ist es vielleicht Beatrice?»

«Das dürfen wir nicht sagen», erwiderte Yusuf mit nicht minder verschlossener Miene.

«Das ist eine Frage der Diskretion», bemerkte Siddig. «Aber keine Sorge; du wirst es schon beizeiten erfahren. Die fragliche Person wird es dir selbst sagen.»

Alexa nahm all ihren Mut zusammen, um die beiden Männer weiter auszuhorchen, doch da wurde der Wagen bereits langsamer. Die zurückgelegte Entfernung war ein Maß für die genossene Lust. Das Londoner Zentrum und wahrscheinlich auch die Vororte hatten sie weit hinter sich gelassen. Jenseits der getönten Fensterscheiben herrschte tiefe Nacht, was den Anblick noch dramatischer erscheinen ließ. Die Limousine näherte sich einem imposanten Gebäude mit einem von Scheinwerfern erhellten weißen Portikus, der von Palladia hätte stammen können. Ein Lakai kam die Treppe heruntergeeilt, um sie zu begrüßen, und weiter oben standen zwei schmucke, aber altmodisch gekleidete Dienstmädchen. Der Gastgeber ließ sich nicht blicken, doch sämtliche Fenster des Hauses waren erleuchtet, und dahinter bewegten sich deutlich erkennbare Gestalten.

«Wem gehört das Haus?», fragte Alexa, als Siddig und Yusuf ihr beim Aussteigen halfen, während der Lakai dienstbereit dabeistand.

«Niemand Besonderem», antwortete Siddig mit einem verschmitzten Lächeln. «Das ist einfach ein Ort, wo sich bestimmte Freunde treffen. Komm, lass uns reingehen. Ich bin sicher, sie sind alle schon gespannt auf dich.»

«Was heißt hier alle?», erwiderte Alexa nervös, doch ihre Begleiter gaben keine Antwort.

Das Innere des Hauses war atemberaubend: weißer Marmor und Rokoko. Überall Blattgold. In der großen Eingangshalle hielten sich ziemlich viele Menschen auf. Alle lachten, hielten Gläser in der Hand und plauderten. Ein, zwei Personen sahen ihr neugierig entgegen. In einem anderen Raum wurde Kammermusik gespielt, doch sie klang zu gedämpft, als dass Alexa die Melodie hätte heraushören können.

Sie kannte niemanden. Die Gäste waren ausnahmslos teuer und auffallend gekleidet, doch sie entdeckte kein einziges bekanntes Gesicht. Als sich ihr ein Dienstmädchen mit einem Tablett Champagnergläser näherte, nahm sie eins und kostete dankbar davon. Sie war für den Anlass durchaus passend gekleidet, doch in ihrem Inneren fühlte sie sich mehr denn je wie die alte Alexa aus einfachen Verhältnissen – ein Eindringling, ein Fisch auf dem Trockenen.

«Keine Bange», meinte Siddig, als habe er ihre Gedanken gelesen. «Du siehst hinreißend aus. Alle werden dich lieben.»

Alexa lächelte, froh darüber, ihre eigene Eskorte zu haben. Mit den beiden attraktiven Männern an ihrer Seite wirkte sie nicht ganz so verloren oder wie die bessere Hälfte eines anderen Mannes, sondern eher wie Teil einer Gruppe.

«Komm», sagte Yusuf aufmunternd und berührte sie am Arm. «Die wichtigen Leute sind oben.»

Was meinst du mit wichtig?, hätte Alexa gern gefragt, doch als sie sich der Treppe näherten, geriet etwas am Rande ihres Gesichtsfelds in ihren Blick und veranlasste sie, unvermittelt stehen zu bleiben. Zunächst traute sie ihren Augen nicht, doch als sie sich umdrehte, wurde das Undenkbare Wirklichkeit.

In der kurzen Zeit im Haus hatte sie bereits bemerkt, dass ihr eigenes Outfit bei Weitem nicht das gewagteste war. Hier war jeder umwerfend gekleidet.

Doch es war keine besonders phantastisch gekleidete Frau, auf die sie aufmerksam geworden war.

Ein paar Meter entfernt kniete ein blonder, sehr hübscher junger Mann. Er war mit einem Lederdress bekleidet, hatte den Blick aber gesenkt, und seine ganze Körperhaltung wirkte unterwürfig. Um den Hals trug er ein Metallhalsband, an dem eine schmale, mit Zierknöpfen besetzte Leine befestigt war. Die neben ihm stehende Frau hielt das Ende der Leine, jedoch ohne ihn weiter zu beachten.

Als Alexa bewusst wurde, dass sie gaffte und bereits Aufmerksamkeit erregte, ging sie weiter und schloss sich wieder Siddig und Yusuf an.

«Was geht da vor?», flüsterte sie, als sie den Absatz erreicht hatten und sie unauffällig zu dem jungen Mann hinunterblicken konnte. «Ist das eine Kostümparty? Davon hat Beatrice mir nichts geschrieben.»

Weitere gutgelaunte Gäste kamen an ihnen vorbei, und Siddig zog Alexa behutsam zur Seite. Als sie an der Wand standen und er ihr Gesicht berührte, nahm sie an seiner Hand ihren eigenen Geruch wahr. «Liebe Alexa», raunte er. «Hast du wirklich keine Ahnung?»

«Ahnung wovon?», zischte sie voll böser Vorahnungen.

«Alexa, das ist ihr Sklave», erklärte Siddig lächelnd und deutete zur Treppe hin. «Er besitzt keinen eigenen Willen. Er tut alles, was sie von ihm verlangt. Und im Moment möchte sie, dass er angeleint neben ihr kniet. Verstehst du?»

Alexa nickte und überlegte angestrengt. Gedanken und Bilder schossen ihr durch den Kopf, alle lose miteinander verbunden, aber trotzdem verworren. Als sie den Kopf hob, stand wie zuzeiten König Edwards ein Dienstmädchen mit einem Tablett voller Getränke neben ihr. Sie tauschte das leere Glas gegen ein volles aus, trank einen Schluck Champagner und überlegte weiter.

Vollkommen neu war ihr das alles nicht. Verrücktes Verhalten lag im Trend, und seit dem Barbadosurlaub sprudelte auch ihre Phantasie über. Die schlüpfrigeren Frauenzeitschriften brachten allwöchentlich Artikel über Bondage und Sadomasochismus – zumal über weibliche Dominanz –, doch bis jetzt war das etwas gewesen, was nur andere Leute betraf.

Oder etwa doch nicht?

Sie hatte noch nie jemanden geschlagen oder in Ketten gelegt, doch sie hatte die Initiative übernommen. War in die Karibik abgedüst, hätte Thomas neulich beinahe vergewaltigt, als sie Sex wollte und er nicht; hatte im Büro den unschuldigen Quentin verführt. Sie hatte sich auf alle möglichen Weisen nehmen lassen – von Beatrice und Sly und von Loosie; aber das waren Frauen gewesen. Musterexemplare des Frauentyps, über den sie ständig las. Besonders Beatrice passte haargenau ins Domina-Schema. Und war Drew nicht auch nur ein paar Schritte vom männlichen Sklaven entfernt?

Dies alles fügte sich anscheinend nahtlos zusammen, und dennoch ... Was hatte Beatrice gleich noch gesagt? «Wenn ich die Unterwürfige spiele ...» Wie zum Teufel passte das nun wieder ins Bild?

«Was hältst du davon, Alexa?», flüsterte Siddig ihr ins Ohr, und als sie sich umdrehte, stellte sie fest, dass er und Yusuf sie beide aufmerksam musterten. «Möchtest du gern einen Sklaven haben?», fuhr er fort. «Das ließe sich machen.»

«Ich ... ich weiß nicht.»

Es stimmte. Die Vorstellung war bizarr, völlig abwegig, gleichzeitig aber auch tückisch erregend. Als sie sich vorstellte, sie setze den Schuhabsatz auf einen von einem Halsband umschlossenen kräftigen Männerhals, regte sich die Lust in ihrem Bauch wie eine Schlange.

«Bald wirst du es wissen», sagte Siddig. Seine Stimme klang sexy und unheilkündend. «Komm. Lass uns weitergehen. Es gibt noch viel mehr zu entdecken.»

10. Kapitel ~ Französisches Eis

Nach so viel Fremdartigem war es eine Erleichterung für sie, jemand Bekannten zu sehen. Falls man in diesem Fall überhaupt von einer Bekanntschaft sprechen konnte.

Alexa bekam Herzklopfen und feuchte Hände. An der anderen Seite des Raums stand Loosie Quine und plauderte mit einem Paar, das ihr ebenfalls von ferne bekannt vorkam. Nach einer Weile wurde Alexa klar, dass es sich um Mr Handsome und dessen Frau aus dem Circe handelte, und da hatte Loosie sich auch schon von ihnen verabschiedet und näherte sich ihr lächelnd durch das Gewühl der Partygäste.

«Hallo, Leute», sagte die Fotografin zu Siddig und Yusuf. Dann wandte sie sich mit neugierig funkelnden Augen Alexa zu. «Hallo, du», murmelte sie mit weicher, mit unterschwelliger Bedeutung aufgeladener Stimme. «Mit dir habe ich hier nicht gerechnet.»

«Warum nicht?», sprach Alexa vor Verwirrung das aus, was ihr gerade in den Sinn kam. Allein schon Loosies Anwesenheit reichte aus, einen zu verwirren, doch was sie anhatte – oder vielmehr nicht anhatte –, verschlug einem den Atem.

«Also, ich hatte den Eindruck, du wärst noch recht neu in der Szene. Du hättest gar nichts damit zu tun.»

Loosie deutete mit ihren langen, schmalen Fingern auf die versammelten Exzentriker.

Du siehst umwerfend aus, dachte Alexa und wünschte, sie hätte es auch aussprechen können.

Die Fotografin trug eine enge schwarze Lederhose, eine dicke Motorradjacke und Stiefel. Ihre Hände steckten in Lederhandschuhen, und sie hatte ein mit Zierknöpfen besetztes Band um den Hals, das ihre Kleidung sozusagen zusammenfasste. Unter der Männerjacke wirkte sie durch und durch weiblich, und ihre kleinen, spitzen Brüste präsentierte sie voller Stolz nackt. Ihre Nippel waren steif und wirkten dunkel, als hätte jemand sie gerieben und dann in Rouge getaucht.

«Es ist so warm», meinte sie und lachte leise über Alexas staunenden Blick. «Fühl mal, wie heiß ich bin.» Sie ergriff Alexas Hand und drückte sie sich unter dem Leder auf die Haut.

«Siehst du?», gurrte sie, beugte sich näher und zwang Alexa mit ihren kräftigen Fingern, sie zu liebkosen.

Unwillkürlich drückte Alexa zu. Loosies Brust fühlte sich warm und fest an, und sie duftete gut. Wollüstige Erinnerungen kamen ihr in den Sinn. Sie hatte das Gefühl, wieder das Aroma der Frau wahrzunehmen – Loosies Schweiß, den Moschusduft ihrer Möse – und zu spüren, wie deren Schenkel ihren Kopf umklammerten. Sie hätte gern gewusst, ob die Fotografin unter dem Leder einen Slip trug; wenn ja, war er bestimmt feucht.

Erst nach mehreren Sekunden wurde sie sich bewusst, dass sie immer noch Loosies Brust hielt, doch als sie ihre Hand wegziehen wollte, hielt Loosie sie fest.

Beatrices Cousine war ebenso kräftig und drahtig, wie ihre kompromisslose Kleidung andeutete. Sie hob Alexas Finger an die Lippen und küsste sie bedächtig.

«Wir sehen uns später, Schätzchen», sagte sie, dann ließ sie die Hand los. «Ich muss mich ein wenig unter die Gäste mischen. Amüsier dich!»

«Worüber lachst du?», fragte Alexa, als Loosie sich in ihrem glänzenden schwarzen Leder entfernt hatte und der grinsende Siddig ihre Stelle einnahm.

«Dann kennst du also unsere Freundin, die Fotografin?», sagte er, fasste sie beim Ellbogen und führte sie weiter. An der anderen Seite des Raums befand sich eine breite Doppeltür, hinter der einiges los zu sein schien.

«Ja, ich kenne sie», erwiderte Alexa, der in seinem Griff ganz warm wurde.

«Gut?», fragte Yusuf naiv an ihrer anderen Seite.

«Nein, eigentlich nicht», antwortete Alexa. Vormachen konnte sie ihnen nichts, denn schließlich hatten beide gesehen, wie sie Loosies Brust gestreichelt hatte.

Im nächsten Raum war eine Ausstellung untergebracht. An den Wänden waren mit weißem Stoff bezogene Tafeln mit stark vergrößerten Fotos befestigt, deren Stil und Inhalt ihr beunruhigend bekannt vorkamen …

Die Fotos waren ausnahmslos schwarzweiß. Die Darstellungen waren unmissverständlich erotisch und stammten eindeutig von Loosie Quine. Und in einem angrenzenden Raum waren anscheinend noch weitere Fotos ausgestellt.

Alexa wurde von der grauenhaftesten aller bösen Vorahnungen erfasst, als auf einmal jemand ihren Namen rief.

«Alexa! Alexa, meine Liebe! Ich bin ja so froh, dass du gekommen bist.»

Es war natürlich Beatrice, die vor einem der riesigen Fotos stand und sich bei einem großen, makellos gekleideten Mann mit einem ins Auge stechenden silberweißen Haarschopf eingehakt hatte. Als Beatrice sich ihr näherte, entdeckte Alexa auch Sly, die aus irgendeinem Grund im Krankenschwesternkittel erschienen war. Oder jedenfalls sah es auf den ersten Blick so aus. Bei näherem Hinsehen stellte sich allerdings heraus, dass Kittel, Schürze und Haube nicht ganz so schlicht und klinisch waren wie in Beatrices Praxis. Vielmehr handelte es sich um eine stilisierte, aufwändig gearbeitete Version, wie man sie vielleicht in den 1940ern oder 1950ern getragen hatte, komplett mit Elastikgürtel, derben Schnürschuhen und Taschenuhr.

Das ist ein Phantasiekostüm, dachte Alexa mit einem nervösen Lächeln, als ihr klar wurde, dass Beatrice als Partygirl der wilden Zwanziger gekleidet war. Sie trug ein wundervolles, hüftlanges Hemdkleid aus perlenbesetzter Eau-du-Nil-Seide. Ihren fülligen roten Haarschopf hatte sie zu flachen Spiralen geflochten und mit einem breiten, mit Stickereien verzierten Stirnband gebändigt. Selbst die grünen Satinschuhe waren stilecht. Alexa hätte sich nicht gewundert, wenn die Ärztin eine lange, lackierte Zigarettenspitze dabeigehabt und gepafft hätte, doch so weit wollte sie offenbar doch nicht gehen.

«Hallo, Beatrice. Danke, dass du mich … hierher eingeladen hast», sagte Alexa. «Das ist alles ausgesprochen faszinierend.» Während sie den Blick schweifen ließ, fielen ihr immer mehr Merkwürdigkeiten ins Auge.

Einige der Gäste hätte sie sich gern genauer angeschaut und sich vergewissert, dass ihre Augen sie nicht täuschten, doch das wäre taktlos gewesen. Ihr besonderes Interesse weckte allerdings der Mann an Beatrices Seite ...

Der großgewachsene, silberhaarige Begleiter der Ärztin war einer der faszinierendsten Männer, denen Alexa je begegnet war. Den bemerkenswerten langen Haarschopf hatte er glatt zurückgekämmt, sein aristokratisches Gesicht wirkte wie gemeißelt und eigentümlich jugendlich. Er hatte hellblaue Augen und einen schmalen, gleichwohl sinnlichen Mund. Er wirkte entspannt, was durch seine makellos lässige Kleidung noch weiter betont wurde, machte aber den Eindruck, er sei auf der Hut. Er wirkte abwägend, distanziert und uninteressiert an seiner Umgebung. Sein eisiger Blick nahm allein Alexa wahr und wanderte über ihren Körper und das hauchdünne Kleid, das ihn kaum zu bedecken vermochte.

«Es freut mich, dass es dir gefällt.» Beatrice lächelte Alexa an. «Und ich hoffe, du nimmst es mir nicht übel, dass ich dich von den beiden Jungs habe abholen lassen ... Ich hab mir gedacht, sie würden dich in die richtige Stimmung bringen.»

Das kann man wohl sagen!, dachte Alexa, ganz verwirrt von der Musterung durch Beatrices großen Begleiter. «Ja, sie waren sehr freundlich», meinte sie verlegen.

«Sly kennst du ja schon», sagte Beatrice und lächelte die weißgekleidete Krankenschwester an – die ihr Lächeln erwiderte –, dann deutete sie auf den Mann an ihrer Seite. «Und das ist mein guter Freund Şacha D'Aronville.» Als sie sich D'Aronville zuwandte, blitzte etwas Komplizenhaftes zwischen ihnen auf. «Sacha, das ist Alexa, von der ich dir schon viel erzählt habe.»

«*Mademoiselle*», murmelte D'Aronville, ergriff Alexas Hand, führte sie an die Lippen und küsste sie.

Der Mund des weißhaarigen Mannes war ebenso kalt wie seine Augen, dafür war die Berührung seiner Hand umso vielsagender. Er hielt ihre Finger einen Moment länger fest, als nötig gewesen wäre, dann richtete er sich mit geradezu unverschämt gleichgültiger Miene auf. «Es ist uns eine Ehre», murmelte er und verzog den Mund zur Andeutung eines Lächelns.

Alexa erwiderte sein Lächeln wie hypnotisiert. Der Mann war ein wandelnder Eiszapfen. Er schien zu leuchten und zu funkeln, war aber undurchdringlich. Im Handumdrehen hatte er sie verzaubert, und ihre Begleiter aus dem Wagen waren auf einmal vergessen. Jedenfalls so gut wie …

«Danke», flüsterte sie, dann hielt sie inne, um nicht irgendwelchen Unsinn zu reden. Verwirrt blickte sie in ihr Glas, als wäre darin Inspiration zu finden, doch es war leer. D'Aronville bekam es mit und rief mit einer kaum wahrnehmbaren Geste ein Dienstmädchen mit Getränketablett herbei.

Auch das volle Glas vermochte Alexas Sprachlosigkeit nicht zu beheben. Alle – Beatrice, Sly, die «Jungs» – warteten offenbar darauf, dass sie etwas sagte, doch da sprang D'Aronville in die Bresche.

«Das Kleid ist sehr hübsch, Alexa», verkündete er mit ruhiger, aber eigentümlich schmeichelnder Stimme. «Es steht Ihnen ausgezeichnet. Wie für Sie gemacht.» Er hielt inne und blickte flüchtig Beatrice an. «Stimmt das?»

Alexa wusste nicht, was sie darauf antworten sollte. Eine Art Vorahnung ergriff von ihr Besitz; eine Mischung aus intensiver sexueller Erregung, Faszination und Angst. D'Aronville war jedenfalls nicht der Auslöser, denn aus ihm konnte sie nichts herauslesen. Er glich einer leeren Wand. Die Gefühlsaufwallung ging von Beatrice aus, die den Eindruck machte, als würde sie jeden Moment in Ohnmacht fallen.

Er ist es. Das ist der Mann, dem sie aus irgendwelchen Gründen verpflichtet ist, dachte Alexa und öffnete den Mund, ohne dass sie bereits gewusst hätte, was sie sagen sollte. Sie hatte den Eindruck, Beatrice wolle, dass sie den Ursprung des Kleides enthüllte, und dies sei aus irgendeinem Grund wichtig und auch gefährlich.

«Das hat mir eine Freundin geborgt», sagte sie schließlich und bemerkte, dass Beatrice sich auf die Lippen biss. «Sie hat gemeint, ihr habe es nicht gepasst und ich könne es heute Abend tragen.»

Jetzt war es heraus. Das Kleid hatte für D'Aronville offenbar eine besondere Bedeutung, und der Schluss lag nahe, dass er es Beatrice irgendwann geschenkt hatte.

«Ich verstehe», sagte der Franzose und kniff die Augen zusammen. Mit einer langsamen, geradezu gemessenen Bewegung nahm er Beatrice das Champagnerglas aus der Hand, reichte es einem der Dienstmädchen, ergriff beide Hände der Ärztin und drehte sie zu sich herum.

«Gehst du so mit meinen Geschenken um, Beatrice?», fragte er mit leiser Stimme und ohne jede Heftigkeit. Er lächelte schwach, seine blauen Augen funkelten, und einen Moment lang schien seine Maske durchlässig zu werden. Als hätte jemand ihm ein Geschenk gemacht.

Beatrices Gesichtsausdruck hingegen grenzte schon an Anbetung. Sie wirkte benommen, geradezu verzückt, und blickte D'Aronville mit feuchten Augen an; von ihrer herrischen Art war nichts mehr zu spüren. Alexa hatte fast den Eindruck, die Ärztin stehe kurz vor einem Orgasmus – und das nur deshalb, weil sie Sacha D'Aronville ansah und von den Blicken aus seinen kalten, durchdringenden Augen durchbohrt wurde.

Wie er wohl im Bett sein mag? Mit diesen Augen … Dieser Gedanke kam ihr ganz plötzlich, doch dann wurde Alexa bewusst, dass er sie bereits von dem Moment an beschäftigte, da sie D'Aronville im Raum ausgemacht hatte. Ob er dann immer noch so unbeteiligt wirkt? So gelassen? Oder verwandelt sich der Eiszapfen dann in Feuer?

«Ich warte, Beatrice», sagte D'Aronville leise, doch Beatrice, die auf ihre satinverhüllten Zehen schaute, brachte kein Wort heraus.

«Dieses Geschenk habe ich dir in gutem Glauben gemacht», fuhr er im gleichen gelassenen Tonfall fort, während sich in seinen Augen etwas regte. «Du aber gibst es gedankenlos fort.»

Das ist alles Theater, dachte Alexa und hätte über die plötzliche Eingebung beinahe gelächelt. Eine Inszenierung. Sie spürte, dass alle den Atem anhielten. Zwischen der Ärztin und D'Aronville spannte sich ein straffer Draht der Verstellung.

Beatrice war hier die Unterlegene, das Opfer, doch was war sie selbst? Eine Welle der Erregung lief durch Alexa hindurch, ein köstliches sexuelles Prickeln, das aus der beschämten Beatrice hervorströmte und auf alle anderen übersprang. Alexa begriff, dass jeden Moment etwas Unglaubliches passieren würde, das jenseits all ihrer Erfahrung lag.

«Es tut mir leid», murmelte Beatrice, mit ernster Miene unter halb gesenkten Lider aufblickend, während ihre Körpersprache eher ein Lächeln ausdrückte.

«Aber reicht das auch?», fragte D'Aronville.

«Nein. Nein, das reicht nicht.» Beatrices Antwort fiel gewollt zerknirscht aus.

«Und was *würde* denn reichen, was meinst du?», fuhr ihr Inquisitor fort, während die Zuhörer die Ohren spitzten.

«Ich ... ich glaube, ich habe eine Strafe verdient», erwiderte Beatrice beinahe flüsternd.

Alexa war nach Lachen zumute, und beinahe hätte sie es auch getan, doch irgendwie war das alles auch todernst.

«Ja, da hast du wohl recht», bemerkte der Franzose leichthin – als wäre es ihm im Grunde gleichgültig.

«Würdest du mich bitte bestrafen?», bat die Ärztin atemlos. Ihr glattes, bleiches Gesicht war stark gerötet. Offenbar hatte d'Aronville sie aus der Fassung gebracht. Sie war maßlos erregt, das spürte Alexa. Sie nahm es als kräftigen, köstlichen Geschmack auf der Zunge wahr und als ein Leuchten, das ihre ganze Umgebung ausfüllte. Sie spürte, wie es die Umstehenden durchdrang. Die «Jungs», Siddig und Yusuf; und die großäugige Sly, deren Teint ebenfalls einen rosigen Farbton angenommen hatte. Beatrice beobachtete atemlos, wie die Krankenschwester Beatrices Hand ergriff, als wollte sie ihre Arbeitgeberin in ihrer fragilen Tapferkeit bestärken. Allein D'Aronville stellte noch immer unerschütterliche Gelassenheit zur Schau und nippte am Champagner, den Blick auf Beatrice gerichtet.

«Selbstverständlich, meine Liebe», sagte er, als hätte

sie ihn nach der Uhrzeit gefragt oder um einen Drink gebeten. «Camilla, würden Sie ihr bitte helfen?», fragte er und nickte der Krankenschwester zu.

Sly nickte und hätte um ein Haar einen Knicks gemacht, dann geleitete sie Beatrice zu einem viktorianischen Sessel. Die Krankenschwester drehte den Sessel ein wenig – wobei ihre erstaunlich kräftigen Arme und Handgelenke zur Geltung kamen –, dann zog sie Beatrice weiter vor, bis sie unmittelbar hinter der Lehne stand, den Bauch an die Kopfstütze gepresst.

«Beug dich vor, meine Liebe», bat Sly mit sanfter Stimme, worauf Beatrice sich, auf den Zehenspitzen stehend, vorbeugte, bis der Kopf über die Lehne hing und sie sich auf der Sitzfläche abstützen konnte.

Er will sie schlagen, dachte Alexa. Sie leckte sich die trockenen Lippen und starrte schwer atmend Beatrices festen Po an, der sich herzförmig unter ihrem hübschen Kleid abzeichnete.

Langsam und züchtig hob Sly den Saum des perlenbesetzten Kleides.

Beatrices cremefarbene Strümpfe waren knapp über den Knien an schmalen, spitzenbesetzten Strumpfbändern befestigt. Das war authentischer Zwanzigerjahre-Look, und auf diese Weise sah man einen Gutteil von Beatrices schlanken perlweißen Schenkeln. Alexa prickelten die Finger, so sehr verlangte es sie danach, sie zu berühren.

Als Sly das Kleid noch höher zog und dabei raffte, staunte Alexa über Beatrices Unterwäsche. Sie trug einen exquisiten französischen Schlüpfer aus mokkafarbener Seide – die Beinöffnung gesäumt mit einem breiten Band hellerer, eher silberfarbener Spitze. Der Schlüpfer war so entzückend, so unverdorben und so elegant, dass der dunkle, sich ausbreitende Fleck zwischen Beatrices Beinen umso schockierender wirkte.

Alexa spürte, dass ihr Stringtanga ebenfalls feucht wurde. Sie hätte gern die Seide berührt, die sich über Beatrices knackigem Po spannte; um ihr beizustehen, ohne dass sie gewusst hätte, wobei; um ihre Hand an die feuchte Stelle zwischen Beatrices bebenden Beinen zu pressen und die Ärztin laut aufstöhnen zu hören, während sie sich daran rieb.

Sly, stets die Praktische, schob die Finger unter das Gummiband von Beatrices Seidenschlüpfer und wollte ihn herunterziehen, da hieß D'Aronville sie mit zwei Worten innehalten.

«Noch nicht», befahl er, so gelassen wie eh und je.

Sly neigte respektvoll den Kopf, dann trat sie zurück.

«Bitte eine Gerätschaft, Schwester», sagte D'Aronville und legte sein gutgeschnittenes italienisches Designerjackett ab.

«*Bien sûr, Monsieur le Maître*», murmelte Sly, dann näherte sie sich eiligen Schritts einer reichverzierten Lackvitrine in der Ecke des Raums. Alexa konnte von ihrer Position aus nicht erkennen, was sich darin befand, doch als Sly zurückkam, wurde ihr innerlich ganz kalt.

In der hellen Raumbeleuchtung funkelte bedrohlich ein dünner gelblicher Stock. Als die Krankenschwester ihn D'Aronville reichte, vernahm Alexa leises Stimmengemurmel und merkte, dass sich eine ziemlich große Zuschauermenge versammelt hatte. Der armen Beatrice blieb aber auch keine Peinlichkeit erspart ...

Der selbsternannte Vollstrecker krempelte sich die Ärmel säuberlich bis zu den Ellbogen auf. Alexa staunte über die leidenschaftslose Präzision seiner Bewegungen, senkte aber unwillkürlich den Blick auf seine Hose.

Ob er wohl erregt ist?, überlegte sie.

Wahrscheinlich, dachte sie. Und bestimmt nicht zu knapp. Sex war der Anfang, die Mitte und das Ende all dessen, was hier geschah – einen anderen Grund für diese Handlungen gab es nicht.

Als sie den Blick wieder hob, erschauerte sie, denn so, wie sie D'Aronville beobachtete, beobachtete er sie und registrierte ihre Reaktionen. Sie nickte ganz leicht zu ihm hin, und einen Moment lang umspielte ein schmales Lächeln seine geschwungenen Lippen; dann wandte er seine Aufmerksamkeit wieder Beatrice zu.

«Muss ich dich fesseln, *chérie*?», fragte er und beugte sich über sie, als wollte er sie auf den Nacken küssen. «Oder vielleicht knebeln?»

«Nein, Monsieur le Maître», erwiderte Beatrice mit bebender Stimme. «Nein, danke», fügte sie hinzu, als würde ein Mangel an Höflichkeit sie in noch stärkere Bedrängnis stürzen.

«Nun gut, *chérie*. Dann mach dich freundlicherweise bereit», sagte D'Aronville ernst.

Alexa beobachtete gebannt, wie Beatrice ihren geschmeidigen Körper bog und den Po noch höher reckte. D'Aronville trat einen Schritt zurück, legte den silberhaarigen Kopf schräg, als nähme er Maß für den ersten Hieb, dann setzte er den Stock auf Beatrices Hintern. Er nahm Maß und holte versuchsweise aus, ein für Alexa zutiefst erregender Vorgang. Sie hätte gern an Beatrices Stelle über der Lehne gehangen und ihren Hintern bearbeiten lassen – obwohl sie körperliche Schmerzen nur schlecht aushielt.

Der erste Hieb war unerwartet laut. Erst war ein scharfes Zischen zu vernehmen, dann ein grauenhafter, lauter Knall, als der Stock auf Beatrices stramme Backen niedersauste. Die Ärztin stöhnte auf, schrie aber nicht, und ihre angespannten Beine zitterten heftig.

Hinter Alexa ertönte leises, anerkennendes Gemurmel; das Publikum war offenbar beeindruckt. Selbst für den ungeübten Zuschauer war zu erkennen, dass der Hieb meisterlich ausgeführt war – und Beatrice hatte ihn mit Anmut hingenommen. Alexa wusste, dass sie an ihrer Stelle bereits aufgejault und lautstark geheult hätte, doch das hinderte sie nicht daran, auf Beatrice neidisch zu sein. Und ihre Möse hinderte es nicht, vor Verlangen sachte zu pochen.

Den Blick gebannt auf Beatrice und ihren leidenden Hintern gerichtet, fragte sich Alexa, ob sie es wagen sollte, die Hand diskret zu senken und sich zu berühren. Nur ein wenig durchs Kleid hindurchreiben, dann würde sie bestimmt kommen. Sie fühlte sich geschwollen, der Kitzler dick und gierig, vom Anblick eines einzigen Hiebs mit dem Rohrstock zur Raserei getrieben. Wie würde sie sich dann erst nach sechs Hieben fühlen? Oder nach einem Dutzend? Oder wenn Beatrice den unausweichlichen Befehl bekam, sich zu entblößen?

Nach einer Weile holte D'Aronville erneut aus, ließ den Stock niederfahren und fiel dann in einen langsamen, bedächtigen Rhythmus; Beatrices Hinterteil wurde mit unerbittlicher, nicht nachlassender Präzision immer wieder getroffen. Die Ärztin beherrschte sich etwa sechs Hiebe lang, dann begann sie zu keuchen und um Selbstbeherrschung zu ringen. Nach dem zehnten Hieb schluchzte sie hemmungslos.

«Ach, Beatrice … *Ma petite*», murmelte D'Aronville, hielt inne und trat dicht an die lautstark schluchzende Frau heran. «Wie sehr du mich heute Abend enttäuschst. Wo ist deine Tapferkeit geblieben? Deine Seelenstärke? Deine Selbstbeherrschung, die wir beide unter Mühen aufgebaut haben?» Er bückte sich, drehte Beatrices tränennasses Gesicht zu sich herum und küsste sie zärtlich auf den Mund und zwischen die Augen. «Ich fürchte, wir müssen ganz von vorn anfangen. Und zwar mit größerem Nachdruck.» Als Beatrice von neuerlichen Schluchzern geschüttelt wurde, trat er zurück und gab Sly lässig ein Zeichen. «Schwester, bitte entblößen Sie sie. Den Po und ein bisschen mehr Schenkel.»

Sly trat erneut vor und legte Hand an ihre Arbeitgeberin. Sie hakte die Daumen unter das Gummiband des Schlüpfers und streifte ihn bis auf Kniehöhe hinunter, dann zog sie die aufgerollten Strümpfe darüber. Beatrice war jetzt bis zu den Knien nackt, und Alexa musste sich einen gequälten Aufschrei verkneifen, als sie die heftig geröteten Hinterbacken sah.

Die kaffeebraune Seide hatte keinen Schutz geboten. Beatrices makellos weiße Pobacken wiesen ein erschreckend symmetrisches Muster auf. Sacha D'Aronville war offenbar ein Künstler des Schmerzes.

Alexa war sich bewusst, dass ihr bei dem Anblick die Kinnlade heruntergeklappt war, und sie staunte noch immer mit offenem Mund, als D'Aronville auf dem Absatz kehrtmachte und mit dem Stock auf sie zeigte.

«Vielleicht möchten Sie uns assistieren, Alexa?», sagte er mit der sanften, vergnügten Stimme eines Schullehrers, der einen bedauernswerten Schüler bloßstellt. «Beatrice dürfte sich jetzt ein bisschen winden, um dem

Stock auszuweichen. Meine Hiebe werden umso eindrucksvoller ausfallen, wenn Sie herkommen und ihr die Hände festhalten.» Er zeigte auf eine Stelle, die nur Zentimeter von den bebenden Schultern des Opfers entfernt war.

Wie im Traum trat Alexa vor und griff nach Beatrices schlanken Händen, die schlaff auf der Sitzfläche des Sessels lagen. Die Haut der Ärztin fühlte sich erhitzt an, die Handflächen waren verschwitzt, doch als sie aus ihrer erniedrigenden vorgebeugten Haltung aufschaute, strahlten ihre verweinten Augen.

Das gefällt dir, stimmt's?, dachte Alexa, während sie in Beatrices braune Augen blickte. Die Ärztin wollte ihr anscheinend wortlos das Geheimnis ihrer Empfindungen übermitteln.

Aber das weiß ich doch schon!, dachte Alexa, in ihrer Macht schwelgend. Sie verstand, was in Beatrice vorging. Der Schmerz beinhaltete Lust; die Erniedrigung barg die Erhöhung. Wie lange wird es wohl dauern, bis ich ihre Stelle einnehme?, fragte sich Alexa, als Beatrices Finger sich verkrampften und D'Aronville um eine Armlänge zurücktrat.

«Sind Sie bereit, Mesdames?», fragte er und stellte bedrohlich die Füße auseinander. Alexa hatte den Eindruck, dass die bisherigen Hiebe nur ein Vorspiel gewesen waren und er nun ernsthaft zuschlagen wollte.

«Ja», antwortete sie; ihre Stimme klang so leise wie eben die von Beatrice.

«Ja», sagte die Ärztin mit rauer Stimme und bewegte leicht die Hüften auf der Lehne, wobei ihr wundervoll gezeichneter Hintern erbebte.

Der Stock sauste nieder und traf ebenso kraftvoll auf

wie zuvor. Als es knallte, krallte Beatrice die Finger mit aller Kraft in Alexas Handflächen und stöhnte, die Zähne fest aufeinandergepresst.

Während der Stock wieder und wieder niederging, wurden Beatrices Schreie immer lauter. Sie tat Alexa jetzt weh und drückte mit jedem schmerzhaften Striemen, den D'Aronville ihr verpasste, immer krampfhafter zu. Ein Zickzackmuster entstand auf dem Hintern der Frau, grellrot auf cremeweißem Grund.

«Küss mich!», sagte die Ärztin plötzlich und stürzte Alexa damit in Verwirrung. Redete Beatrice mit ihr? Oder mit Sly oder D'Aronville? Sie zögerte und suchte in Beatrices schmerzverzerrtem Gesicht nach einer Antwort.

«Küss mich, Alexa», wiederholte Beatrice und schrie auf, als ein weiterer Hieb ihren Po traf. «Gib mir deinen Mund ... Hilf mir, das durchzustehen. Hilf mir, das zu ertragen.»

Gehorsam bückte sich Alexa, sich des Umstands bewusst, dass aufgrund des kurzen Kleids ihre Schenkel und mehr zu sehen waren. Als sie sich zu Beatrice beugte, reckte die Ärztin ein wenig den Hals, heftete mit wilder Gier ihre Lippen auf Alexas Mund und schob ihr augenblicklich die Zunge hinein.

Es war der zügelloseste Kuss, den Alexa je mit jemandem getauscht hatte. Ihr Mund wurde geplündert, ihr Kiefer gedehnt und alle Lebenskraft herausgesogen und verzehrt. Jeden Hieb nahm sie als Ruck wahr, der durch Beatrices Körper fuhr; jedes Mal ging wildes Entzücken damit einher. Sie war hingerissen und bekam kaum mehr Luft, doch als sie sich gerade wieder fasste und Beatrices Kuss leidenschaftlich zu erwidern begann, wimmerte die Ärztin auf und entzog ihr den Mund.

Noch immer prasselten die Stockhiebe nieder, doch das Zielgebiet wanderte im Kreis. Beatrice war jenseits der Scham, jenseits des Schmerzes und der Tyrannei des Stocks. Ihr Becken schlug gegen die Lehne, ihre Hüften kreisten in einem obszönen, ursprünglichen Rhythmus. Allein von den Schlägen kam sie zum Höhepunkt.

«Und was ist mit Ihnen, möchten Sie ebenfalls den Stock ausprobieren?», fragte D'Aronville kurze Zeit später, als Alexa sich langsam wieder aufrichtete, während Beatrice sich noch immer am Stuhl rieb und leidenschaftlich wand.

Der Franzose musterte Alexa freimütig und herausfordernd, seine Augen waren so strahlend und so klar wie der blaue Winterhimmel. Alexa hätte gern ja gesagt. Sie hätte gern sich oder Beatrice berührt oder sich hingekniet und den rotgestriemten Po der Ärztin geküsst. Sie verlangte danach, sich über den Stuhl zu legen und sich vom Stock malträtieren zu lassen, verspürte aber auch einen Rest von Angst. Sie zögerte, und zwar einen Moment zu lange …

«Dann vielleicht ein andermal?», meinte D'Aronville mit leichtem Spott, dann nickte er Siddig und Yusuf zu. «Bringt sie weg, meine Freunde. Ich glaube, sie bedarf jetzt eurer Zuwendung.»

Alexa wollte protestieren, doch der Franzose beachtete sie schon nicht mehr. Er wandte sich ab, reichte den Stock Sly und löste seinen schmalen Gürtel aus Schlangenhaut. Siddig legte ihr die Hand auf den Arm, und benommen ließ sie sich von ihm fortgeleiten, sich der Blicke der Zuschauer bewusst, doch durch eine Art undurchdringliche Membran von ihnen getrennt. Die Leute, die sie anschauten, bedeuteten ihr nichts, sie waren Nullen. Die Einzigen, die zählten, waren Beatrice, D'Aronville und Sly. Und ihre Begleiter, ihre Auto-Geliebten.

Ihre Füße schwebten über den Boden, vor ihrem geistigen Auge sah sie Beatrices gezeichneten Po, nahm am Rande ihres Bewusstseins aber wahr, dass sie von der Gruppe weggeführt wurde. Die «Jungs» waren bei ihr, hatten sie in die Mitte genommen, stützten und führten sie. Ihr Geschlecht war feucht und angeschwollen, erregt vom Anblick und vom Klang des Schmerzes. Das war grotesk, doch sie konnte es nicht leugnen.

Sie wandte den Kopf Siddig zu und setzte zu einer Frage an, er aber legte ihr den Finger auf die Lippen. «Gedulde dich noch ein bisschen, dann reden wir … Aber ich glaube, eine intimere Umgebung wäre passender.»

Sie gelangten auf einen Gang, von dem mehrere weiße Doppeltüren mit vergoldeten Klinken abgingen; ohne zu zögern, öffnete Siddig die zweite Tür in der Reihe.

«So, da wären wir, Alexa», sagte er mit sanfter Stimme. «Hier sind wir für uns, und du hast deine Ruhe.» Er und Yusuf traten beiseite und ließen sie eintreten.

Der Raum glich dem Schlafzimmer eines französischen Monarchen. Das ganze Haus war überladen, doch hier parodierte sich der Luxus selbst. Wohin sie auch blickte, überall waren vergoldete Schnörkel, Spiegel, Samtvorhänge und Troddeln. Wäre sie nicht so durcheinander gewesen, hätte sie laut aufgelacht.

«Ist das ein abgekartetes Spiel?», fragte sie Siddig, als der die Tür schloss. «Sag nicht, dass hier immer zufällig

Magnumflaschen herumstehen ...», fügte sie hinzu und zeigte auf den Eiskübel mit der Champagnerflasche auf dem Nachttisch.

Das Bett hatte gewaltige Ausmaße, sozusagen Breitwandformat. Alexa hatte schon Himmelbetten gesehen und sogar in welchen geschlafen, doch dieses hier hatte die Größe eines kleinen Parkplatzes, und die goldene Tagesdecke funkelte so stark, dass es in den Augen wehtat.

«Doch, genau so ist es!», rief Siddig vergnügt, ging zum Nachttisch und ließ geschickt den Korken knallen. Er ließ den Champagner in drei schlanke Kelche sprudeln, dann drehte er sich mit einem spitzbübischen Lächeln zu Alexa um. «Bei diesen Veranstaltungen teilen sich die Leute gern in kleine Gruppen auf, deshalb sind die Schlafzimmer stets bezugsfertig. Wir hätten auch irgendein anderes Zimmer auf diesem Gang auswählen können und hätten auch darin Champagner vorgefunden.» Er reichte ihr ein funkelndes Glas.

Alexa nahm es entgegen, dann entfernte sie sich von ihm und tat so, als sähe sie sich um. «Diese Leute ... Die kleinen Gruppen ...», begann sie, hielt aber inne, als sie sich in einem der Spiegel sah. Ihr Gesicht war gerötet, ihre Augen wirkten doppelt so groß wie sonst. «Was tun sie hier? Du weißt schon, was ich meine: Ist das eine Orgie?»

«Ach, das wäre zu gewöhnlich», antwortete Siddig, leerte sein Glas und stellte es weg. Von Alexa argwöhnisch aus den Augenwinkeln beobachtet, ließ er das helle, modische Jackett von den Schultern gleiten, legte es über einen Stuhl und streifte seine Gucci-Schuhe ab. Dann ließ er sich – wie ein übermütiger Internatsschüler im Schlafsaal – nach hinten fallen und federte auf der dickgepolsterten Matratze.

«Was dann?», beharrte sie und wandte ihm das Gesicht zu, während er sich ausstreckte und die Hände unter dem Kopf verschränkte. Yusuf stand sozusagen in Habtachtstellung am Fußende des Betts. Vom Champagner hatte er kaum getrunken.

«Natürlich geht es auch um ganz normalen Sex», meinte Siddig leichthin, «vor allem aber trifft man hier auf interessante Spielarten.» Er ließ die Bemerkung im Raum schweben, dann lächelte er und klopfte neben sich aufs Bett. «Warum setzt du dich nicht zu mir, Alexa? Das Bett ist weich, das Laken sauber, und wir beide beißen auch nicht, es sei denn, man bittet uns darum.» Er blickte Yusuf an, der sein Grinsen erwiderte.

«Mit ‹interessanten Spielarten› meinst du wohl, dass Leute geschlagen werden, mit Stöcken und ohne besonderen Grund?», sagte sie, dann hielt sie inne und stürzte den Champagner in kleinen, nervösen Schlucken hinunter, ohne viel zu schmecken. Sie begriff allmählich, was sie da miterlebt und weshalb es sie erregt hatte, doch aus irgendeinem Grund war es wichtig, dass sie die Frage stellte.

«Sie hat es sich gewünscht, Alexa», erklärte Siddig; sein hübsches Gesicht war unvermittelt ernst geworden. «Wahrscheinlich hat sie dir deshalb das Kleid geschenkt.» Er zögerte, strich mit seinen langen Fingern über die helle Brokatdecke. «Die Spielchen, die D'Aronville spielt, verlangen nach einer Struktur. Nach einem formellen Anlass … Das ist wie ein Ritual. Ohne Ursache und Wirkung geht es nicht.»

«Und wollt ihr mich ebenfalls schlagen?», fragte Alexa mit leiser Stimme und auf die Gefahr hin, dass sie damit schlafende Hunde weckte.

«Nur wenn du willst», erwiderte Siddig und streckte die Hand nach ihr aus.

«Ich weiß nicht … Ich weiß nicht, was ich will.»

«Dann lass es uns herausfinden, was meinst du?», schmeichelte er und klopfte wieder aufs Bett. «Komm her zu mir, Alexa … Bitte!»

Plötzlich tauchte Yusuf neben ihr auf und drückte ihr seine kräftige Hand leicht in den Rücken. Sie hatte wieder das Gefühl zu schweben und bewegte sich auf Siddig zu, reichte Yusuf das Glas, zog die Schuhe aus und ließ sich von Siddig aufs Bett ziehen.

Als er Platz machte und sie seitwärts kroch, schob sich ihr hauchdünnes Kleid nach oben. Sie zeigte ihre Schenkel, die Strumpfbänder und sogar eine blanke Hinterbacke. Obwohl die beiden Männer das alles auch schon im Wagen gesehen hatten, war sie nervös und fühlte sich verlegen. Sie wünschte, Yusuf hätte das Licht gedämpft, traute sich aus irgendeinem Grund aber nicht, ihn darum zu bitten. Während sie immer unruhiger wurde, konnte sie nur zusehen, wie er ebenfalls Sakko und Schuhe auszog und aufs Bett kletterte. Mit einer sanften, mühelosen Bewegung drückte er sie an den Schultern auf die Kissen nieder.

«Und jetzt … fängt unser Abend erst richtig an», flüsterte er beinahe feierlich und legte die Fingerspitzen auf ihre Brüste.

11. Kapitel ∼ Duett für drei

«Aber …», protestierte Alexa, wurde jedoch von einem raschen, leidenschaftlichen Kuss zum Schweigen gebracht.

«Es reicht jetzt», sagte Siddig mit erstaunlicher Heftigkeit. Sein Mund wanderte zu ihrem Hals, mit seinen weißen Zähnen knabberte er an einer Sehne. Er legte die Hände um ihre Brüste und drückte so fest zu, dass es fast wehtat. Sie wollte sich gerade beklagen, als der Druck nachließ, er den Kopf hob und auf sie blickte.

«Du bist noch nicht ganz bereit für den Schmerz, nicht wahr?», sagte er leise, mit funkelnden Augen.

Alexa schwieg. Sie konnte nicht sprechen. Noch immer sah sie D'Aronville mit dem Stock vor sich; sah Beatrice sich animalisch winden; spürte die leidenschaftliche Ekstase ihres Kusses.

«Ich weiß nicht», wiederholte sie und wünschte, sie wäre tapferer und sinnlicher gewesen. Sie spürte die heftige Erregung der beiden Jungs – eine Art Gier. Doch ihnen stand der Sinn ebenfalls nach besonderen «Spielarten», nicht nach dem einfachen Vergnügen des Fickens.

«Nein. Du bist noch nicht so weit», meinte Siddig, setzte sich kopfschüttelnd auf und lächelte. «Noch nicht.» Er blickte Yusuf an. Der große Mann beugte sich daraufhin vor, nahm einen Fuß Alexas in die Hände und begann mit einer langsamen, sinnlichen Massage. «Das sollten wir besser D'Aronville überlassen. Schließlich ist er der Monsieur le Maître …»

«Was –» Abermals wurde Alexas Ausruf zum Schweigen gebracht. Siddig verschloss ihren Mund mit seinen Lippen und schob ihr augenblicklich die Zunge hinein. Sie versuchte, ihn wegzuschieben, doch mit seinen schlanken, drahtigen Händen hinderte er sie daran, während er weiterhin ihren Mund schändete. Gleichwohl begann sie sich zu wehren, doch Yusuf hielt ihre Füße fest und drückte den Mund auf den Spann.

Was will D'Aronville von mir?, überlegte sie fieberhaft, während Siddig ihre Zunge mit der seinen liebkoste. Der Franzose hatte sie auf arrogante Weise herausgefordert, das ja, doch ihr war es eher so vorgekommen wie ein spontaner Einfall, eine pikante Ergänzung zu Beatrices Züchtigung.

Ich bedeute ihm nichts, dachte Alexa, bestimmt bin ich für ihn eine Enttäuschung. Zu unerfahren, um sich mit mir abzugeben. Sie fragte sich kurz, was Beatrice ihm wohl von ihr erzählt hatte, dann wand sie sich auf dem Bett, da ihr Begehren neu entflammte. Es war Siddig, der sie küsste, dessen Zunge fast in ihrer Kehle steckte wie eine exotische Lust spendende Schlange; auf einmal aber stellte sie sich vor, es sei D'Aronville, der sie mit wilder Leidenschaft küsste, während er sie gleichzeitig aufmerksam beobachtete. Seine Augen waren weit geöffnet, während er sie schmeckte, ihre Reaktionen registrierte und gleichzeitig unberührt davon blieb.

«Weshalb sollte D'Aronville mich für seine Sexspiele gewinnen wollen?», fragte sie, als Siddig von ihr abließ.

«Mir scheint, er hat mit Beatrice schon genug zu tun. Er ist ihr Gebieter oder was auch immer, hab ich recht?»

«Das stimmt», bestätigte Siddig, zog sie hoch wie eine schlaffe Stoffpuppe und langte zur Rückseite ihres Kleids. «Aber dich begehrt er ebenfalls. Ich dachte, das wüsstest du. Beatrice schuldet ihm einen Gefallen. Einen großen Gefallen. Das ist überhaupt der Grund, weshalb sie dich hierhergebracht hat.» Er hatte das Gesuchte gefunden, und auf einmal lockerte sich ihr knappes Kleid. Er hatte den Knopf im Nacken geöffnet und zog nun den kleinen Reißverschluss herunter. «Wir sollten uns allmählich ausziehen», fuhr er ganz sachlich fort und streifte ihr die Vorderseite des Kleids vom Leib.

Alexa war so sehr mit ihren Gedanken beschäftigt, dass sie nur am Rande mitbekam, dass sie entkleidet wurde. «Aber D'Aronville begehrt mich doch wohl kaum deshalb, weil sie ihm von mir erzählt hat? Das wäre absurd.» Unwillkürlich hob sie den Po an und ließ sich von Siddig das Kleid über die Hüften ziehen. Yusuf zog es ihr über die Knöchel und legte es säuberlich über das Fußbrett des Bettes.

«Siddig! Antworte mir!», rief sie und verschränkte die Arme vor der Brust, worauf Siddig sie augenblicklich wieder löste. «Was weiß D'Aronville über mich? Welchen Grund könnte er haben, mich so sehr zu begehren?»

Die beiden Männer wechselten Blicke, dann dämmerte Alexa auf einmal eine bizarre Erkenntnis. Siddig bestätigte ihre Vermutung mit sanfter Stimme.

«Er hat Fotos von dir gesehen», antwortete er und streckte die Hände nach ihren Brüsten aus.

O nein! Nein, nein, nein!

Alexa dachte an das, was sie in Loosies Studio getan hatte … An ihre verrückte Geilheit … Die ganze Fotosession über hatte sie eine Maske getragen, doch was bedeutete das schon, wenn die Fotografin bereitwillig ihre Identität preisgab?

Es war Loosies Schuld. Beatrices Schuld. Sie steckten beide unter einer Decke … Auch diese beiden attraktiven Männer, die ihren Körper begafften und berührten, waren beteiligt. Das Ganze war ein Komplott, um sie mit einem reizlosen französischen Perversen zu verkuppeln. Doch auch sie war nicht ganz unschuldig. Sie hatte gewollt – oder jedenfalls in Kauf genommen –, dass es so weit kam.

«Aber die Fotos wurden doch erst gestern aufgenommen!», meinte sie spitzfindig, während sie beobachtete, wie ihre Brustwarzen unter Siddigs kundiger Berührung hart wurden.

«Es gibt so was wie Kuriere, erinnerst du dich?», erwiderte er und kniff sie. «Außerdem entwickelt Loosie ihre Bilder selbst.» Er zog an ihrem Nippel, bis ihre Brust kegelförmig vorstand und sie sich lustvoll wand. «Kaum drei Stunden, nachdem die Fotos, auf denen du nackt masturbierst, aufgenommen wurden, hat D'Aronville sie bereits gesehen.» Alexa schloss vor Scham die Augen, dann drehte sie den Kopf weg. «Und wir haben sie kurz darauf zu sehen bekommen.»

«Aber warum?», fragte sie gepresst. Siddig spielte mit ihren beiden Brüsten, traktierte sie mit leichten Schlägen und kniff sie, versetzte sie in einen Zustand sinnlicher Raserei und löste damit zwischen ihren Beinen ein beinahe schmerzhaftes Verlangen aus.

«Weil du wunderschön bist», mischte Yusuf sich in die Unterhaltung ein, während er mit den Händen ihre Knöchel streichelte.

«Das stimmt», murmelte Siddig, beugte sich vor und berührte mit der Zungenspitze ihre linke Brustwarze, dann leckte er sie langsam und feucht. «Und was Schönheit angeht, ist er ein wahrer Kenner. Denk nur mal an Beatrice. An Sly. Und an Loosie … Er hat sie alle gehabt. Findest du nicht auch, dass du dich in guter Gesellschaft befindest?»

«Nein! Doch! Ich weiß nicht», wimmerte Alexa, als Siddig kräftig saugte und die andere Brust mit seiner schmalen Hand knetete. Sie spürte, dass Yusuf sich auf dem Bett bewegte, dann geriet sie in Panik und versteifte sich. Ihre Beine wurden angehoben und behutsam gebeugt, dann folgten Po und Hüften. Yusufs weiche Lippen wanderten über ihren Körper, küssten die Schenkel und die Kniekehlen.

Beunruhigt über ihre prekäre Lage, bewegte Alexa sich ruckartig, während die beiden Männer beschwichtigend auf sie einredeten. Als sie sich beruhigt hatte, wurde sie von einer heißen Woge der Verlegenheit überschwemmt. Yusuf hatte jetzt freie Sicht auf ihre nackten Hinterbacken; er konnte die Rosette in der dunklen Spalte und das schmale Band des Stringtangas sehen.

Noch schlimmer, sehr viel schlimmer, wurde es, als Siddig sich von ihrem Busen abwandte und sich neben seinen Freund hockte. Jeder der beiden Männer ergriff einen Knöchel und hob das Bein an, um besser sehen zu können.

«In diesem Moment treibt er es bestimmt mit Beatrice», meinte Siddig versonnen.

Im ersten Moment wusste Alexa gar nicht, von wem er redete, dann erinnerte sie sich voller Schrecken an D'Aronville und stellte sich vor, er befände sich ebenfalls in diesem Raum und musterte mit seinen kühlen blauen Augen ihren Po.

«Hier wird er sie zuerst nehmen.» Ein Finger schob sich verstohlen unter den Stringtanga und schlängelte sich in ihre Spalte. «Und dann hier.» Der von ihren Säften befeuchtete Finger wurde zurückgezogen und dann in ihren Anus geschoben.

Alexa stöhnte auf und fühlte sich genauso hilflos wie zuvor im Wagen. Sie hatte das Gefühl, der Finger in ihrem Po schwäche sie und unterwerfe sie den beiden Männern. Sie hätte um sich schlagen und versuchen können, sie wegzuschieben, wurde aber gelähmt von Angst und dunkler Wonne. Sie spürte, wie ihre Säfte in Wallung gerieten, auf den Finger zuflossen, der sie aufgespießt hatte, und das winzige Stoffband zwischen ihren Beinen durchtränkten. Als der Finger gekrümmt wurde, wimmerte sie und bewegte ein wenig die Hüften, als werde sie von dem Eindringling gesteuert.

«Ah, das gefällt dir also», meinte Siddig, und sein warmer Atem strich über ihre Hinterbacken. «Genau wie Beatrice.» Er küsste eine straffe Backe, dann rieb er das Kinn an dem von feuchter Baumwolle bedeckten Damm. «Jetzt schreit sie bestimmt. Wimmert vor Lust, während Monsieur le Maître sie in den Arsch fickt und sich von ihren Freunden dabei zuschauen lässt.» Er zog den Kopf zurück, nicht jedoch seinen Finger. «Sie liebt das … Sie mag es, gedemütigt zu werden. Und sich dabei zusehen zu lassen. Jetzt stößt er sie. Drückt mit dem Bauch gegen die Striemen, die er ihr mit dem Stock und dem Gürtel beigebracht hat. Sie ist wie rasend und kann vor Lust und Schmerz kaum noch an sich halten.»

«Ach, bitte», stöhnte Alexa nahezu außer sich. Der Finger in ihrem Po und Siddigs Stimme weckten in ihr Wünsche ... Wünsche, die sie nicht genau benennen konnte. Sie verlangte nach Lust und nach Orgasmen. Sie wollte mehr von der seltsamen, geradezu rauschhaften Schwäche, die sie empfand ... Preisgabe. Ohnmacht. Unterwerfung. Sie stellte sich vor, wie sie darum bettelte, ihr wehzutun, dann sah sie auf einmal Sacha D'Aronvilles gleichmütiges Gesicht vor sich und hörte, wie er es ihr verbot. Für den Moment ...

«Bitte», wiederholte sie, auf dem Finger in ihrem Hinterteil beinahe tanzend. Ihr Becken wogte auf und ab, doch Siddig vollzog die Bewegung mit, den Finger im engen, verbotenen Eingang.

«Begehrst du uns?», brummte er und presste seinen Mund auf ihre Wade. «Willst du uns hier drinnen haben?» Er ruckte mit dem Finger.

«O ja! Ach Gott! Bitte tut es!», flehte sie, während ihr Geschlecht von heißen Lustschauern bebte.

«Dann soll es so sein.» Er knabberte an der weichen Kniekehle und zog ganz, ganz langsam den Finger aus ihr heraus. «Meinst du nicht auch, Yus?»

«Aber ja», bestätigte Yusuf lakonisch, den Fußballen mit dem Daumen streichelnd, während sie Alexa zwischen sich aufs Bett sinken ließen.

Als sie vor Frust schwer atmend dalag, begann Yusuf sie zu küssen, neckte ihren Mund und knabberte an den Lippen, während Siddig ihr den nassen Stringtanga abstreifte. Alexa vernahm sein Seufzen, und als Yusuf mit dem Küssen aufhörte und sich auf die Fersen hockte, drückte Siddig sich das kleine, dreieckige Stück Baumwolle verzückt an Nase und Mund.

«Göttlich», flüsterte er, dann legte er es geradezu verehrungsvoll auf ihr Kleid. «Und jetzt wir ...», fuhr er mit funkelnden Augen fort, während sein Finger an der Innenseite ihres Beins nach oben wanderte.

Was habe ich getan? Was habe ich getan?, fragte sich Alexa, während sie rasend vor Begehren reglos dalag. Zwei attraktive Männer entkleideten sich vor ihren Augen und machten sich bereit für einen ausschweifenden Geschlechtsakt. Die beiden hatten sie zur Schau gestellt und gestreichelt, während sie sich auf Siddigs langem Finger gewunden und ihn schamlos angefleht hatte, sie von hinten zu nehmen. Sie hatte wie eine schamlose Schlampe um etwas gebettelt, das sie stets gefürchtet, aber auch ersehnt hatte – nach dem Gefühl, einen Schwanz im Anus zu haben. Sie dachte an ihr Erlebnis im Circe, als sie die Vorgänge in der Nachbarkabine sofort richtig gedeutet hatte. Eine vorgebeugte Frau und ein Mann, der sie leidenschaftlich von hinten nahm und zum Höhepunkt brachte.

Unruhig auf dem Laken hin und her rutschend, stellte sich Alexa etwas anderes vor. Jetzt sah sie Beatrice vor sich, wie sie sich im Salon in Gegenwart der vielen Zuschauer über den Sessel gebeugt hatte, den vom Stock gezeichneten Hintern von D'Aronvilles steifem Schwanz gepfählt. Ihre Beine zuckten unkontrolliert, und sie biss schluchzend ins Polster, während ihre Möse vor Lust flatterte.

Das leise Klirren einer Gürtelschnalle unterbrach Alexas Phantasie. Siddig und Yusuf hatten Socken, Schuhe und Hemd ausgezogen und legten gerade die

Hose ab. Beide Männer hatten einen glatthäutigen, wundervoll braunen Körper, und während Yusuf so rank und schlank wie ein Sprinter war, wirkte Siddig eher muskulös und kompakt. Beide trugen einen elfenbeinfarbenen Seidentanga.

Alexa, die damit rechnete, dass sie sich nun auch dieser beiden Kleidungsstücke mit schwungvoller Geste entledigen würden, beobachtete hingerissen, wie Siddig sich von Yusuf abwandte. Der große Mann beugte sich vor, löste den verknoteten Riemen auf dem braunen Kreuz seines Begleiters, und als der Riemen herunterfiel, langte er nach vorn und umfasste Siddigs Glied durch die Seide hindurch. Siddigs hübsches Gesicht nahm einen wollüstigen, geradezu selbstvergessenen Ausdruck an, als er den Unterleib gegen Yusufs Hand vorschob.

Natürlich sind sie ebenfalls bi, dachte Alexa, als Yusuf die Finger zusammen mit der winzigen elfenbeinfarbenen Umhüllung fortzog. Siddigs dunkler, beschnittener Schwanz war ebenso wohlgeformt wie der ganze Rest und bäumte sich unverzüglich auf.

Die Vorstellung, dass die beiden Männer Sex miteinander hatten, war einfach unwiderstehlich. Jetzt ließ Yusuf sich von Siddig entkleiden, doch in Alexas Vorstellung waren sie schon ein paar Schritte weiter. Vor ihrem geistigen Auge streichelten und küssten sie einander, dann änderten sie die Haltung. Yusuf – der Stillere, Zurückhaltendere der beiden – beugte sich vor, langte nach hinten und spreizte sich auf, dann überließ er seinen Arsch willig seinem Freund.

Sie tun es! Natürlich tun sie es miteinander! Sie sind ein Paar! Ihr erotischer Extrasinn war heute nahezu überlastet; zu viele Eindrücke stürmten auf sie ein, und alle waren sie zu stark. Jetzt aber, in diesem stillen, luxuriös eingerichteten Raum, trat auf einmal ein Signal unmissverständlich aus dem Gemenge hervor.

Obwohl Siddig und Yusuf sie beide begehrten, waren sie doch nicht minder scharf aufeinander. Wie würden sie wohl reagieren, wenn sie sie bitten würde, ihr zu zeigen, was sie miteinander so trieben?

Doch ehe sie etwas sagen konnte, waren Siddig und Yusuf auch schon bei ihr auf dem Bett, und ihre Schwänze befanden sich in Reichweite. Für sie war es die natürlichste Sache der Welt, die Hand auszustrecken und sie zu berühren, und dann stöhnte erst der eine auf und dann der andere.

«Hmmm … Das ist gut», murmelte Siddig und schob sich ihr entgegen. «Hast du noch Lust auf uns?», fragte er, verschränkte seine Finger mit den ihren und drehte mit der freien Hand ihr Gesicht zu sich herum. «Keine Zweifel mehr? Keine Bedenken?» Er wollte von ihr wissen, ob sie sich noch immer zutraute, worum sie gebettelt hatte.

«Keine Bedenken mehr», antwortete sie, wandte das Gesicht und küsste ihn auf die Hand. «Ich begehre euch. Ich will euch spüren, in meinem …» Das Blut schoss ihr ins Gesicht, von dem Wort in tiefere Verlegenheit gestürzt als von der eigentlichen Handlung.

«In deinem *joli petit cul*?», milderte er die Wucht seiner Worte, indem er ins Französische überwechselte. Alexa erschauerte dennoch, als sie an D'Aronville dachte. Am ganzen Körper errötend, nickte sie.

«Also, da kennen wir eine nette Methode, nicht wahr, Yus?», sagte er, nickte seinem Freund zu und hob ihre Hand von seinem Schwanz an die Lippen. «Eine sanfte Methode ...» Bedächtig küsste er ihre Finger, als koste er von seinem eigenen Geschmack, dann rutschte er zur Kopfseite des Betts. Er langte hinter sich und stopfte sich Kissen in den Rücken. Als er damit zufrieden war, spreizte er die Beine.

Was erwartet er von mir?, fragte sich Alexa, hilflos seinen dicken, sich bäumenden Schwanz anstarrend. Soll ich einfach auf ihn klettern?

Als sie zögerte, beugte Siddig sich zur Seite, zog eine Nachttischschublade auf und fischte etwas heraus.

Es war eine kleine, ovale Dose mit dem stumpfen Schimmer von schwarzem Onyx. Als Siddig den Deckel abnahm, breitete sich starker, aber recht angenehmer Kräutergeruch aus.

«Das wird uns den Weg ebnen», sagte er, tunkte die Finger in das Gefäß und verschmierte dessen Inhalt auf seinem Schwanz. Die Salbe war farblos, ließ seine dunkle Haut aber einladend glänzen. Er tunkte erneut die Finger ins Gefäß und schmierte sich gründlich ein, dann reichte er die schwarze Dose Yusuf. «Und jetzt etwas für die Dame», meinte er.

«Knie dich hin, meine Liebe», bat Yusuf leise und legte Alexa die Hand auf die Schulter. «Reck den Hintern. Schließlich sollst du ebenfalls hübsch glatt sein.»

Ach Gott, das kann ich nicht!, dachte Alexa, ließ sich aber gleichwohl auf allen vieren nieder und reckte den Po. Sie konnte nicht begreifen, weshalb sie so bereitwillig gehorchte und sich zur Schau stellte, doch andererseits hatte sie solche Sachen auch schon für Loosie getan, oder etwa nicht? Und die Kamera hatte ihre Schande nur noch größer gemacht.

Wiederholt hätte sie beinahe aufgeschrien, als Yusuf ihren Hintern langsam und systematisch mit der weichen, wohlriechenden Creme präparierte. Ihr Innerstes war in Aufruhr – sie verspürte einen verbotenen, schmutzigen Kitzel. Sie biss in die glänzende goldene Tagesdecke und hätte sie beinahe durchgenagt, während Yusufs Finger wiederholt in sie hineinglitten.

«So. Jetzt bist du bereit», erklärte er, als er fertig war, dann beugte er sich vor und küsste sie auf den Nacken.

«Und nun ... Wir müssen alle zusammenarbeiten, damit es klappt», erklärte Siddig mit rauer Stimme, und als Alexa sich aufrichtete, sah sie, dass er masturbierte. Der zwischen seinen Fingern hervorschauende Penis wirkte größer als zuvor, und Alexa stellte ihn sich in ihrem Anus vor.

«Hab keine Angst», sagte Yusuf, das Gesicht an ihrem Nacken. «Entspann dich. Lass dir von uns Lust bereiten.» Er küsste sie aufmunternd auf die Schulter. «Dreh dich jetzt um, Alexa. Mach dich locker und überlass alles uns.»

Fasziniert trotz ihrer Bangigkeit, drehte Alexa sich um und rutschte nach hinten, dann spürte sie, wie Siddig fest, aber sanft ihren Oberkörper umfasste. «Entspann dich. Geh mit», drängte Yusuf und packte ihre Schenkel. Dann hoben die beiden Männer sie wie auf ein geheimes Zeichen hin mühelos zwischen sich hoch und hielten ihren Körper allein mit ihren kräftigen braunen Armen in der Schwebe.

Über Siddig in der Luft hängend, spürte Alexa, wie sein Schwanz ihren Hintern streifte. «Fass unter dich, Alexa», hörte sie ihn sagen. «Fass unter dich und spreiz die Backen. Wenn du den Eingang dehnst, kann ich leichter hineingleiten.»

Unter den Armen von ihm gestützt, langte Alexa mit beiden Händen nach unten und umfasste ihre Hinterbacken. Es war wundervoll erniedrigend, die Backen zu spreizen, doch als Siddigs steife Rute gegen ihre Rosette stieß, schrie sie eher vor Freude auf als vor Angst.

«Ja!», zischte er.

«Ach Gott, ja!», keuchte sie, als sie ganz langsam abgesenkt wurde.

Die Penetration war unglaublich. Eine Unzahl von Empfindungen durchzuckte die Nerven ihres Hinterteils, ihres Geschlechts und ihres Bauchs. Sie wand sich und bewegte die Hüften, doch ihre beiden Liebhaber hielten sie fest. Unerbittlich ließen sie sie immer weiter auf Siddigs steifen Schwanz herunter und bemühten sich, ihre Bedenken mit aufmunternden und zärtlichen Worten zu zerstreuen.

Nach einer kleinen Ewigkeit verflüchtigten sich die unangenehmen Empfindungen und machten neuen Gefühlen Platz. Sie verspürte Lust, aber eine abartige, gefährliche Lust. Ein Mann war auf die primitivste Weise in sie eingedrungen und schändete sie. Ein Penis steckte tief in ihrem Hinterteil, eine lebendige Rute, die sie öffnete und dehnte; sie verspürte das Bedürfnis, zu weinen, sich zu erniedrigen, ihren Schänder zu preisen und sich noch weiter demütigen zu lassen, um ihm zu gefallen.

Dabei wusste sie, dass sie dieses Gefühl niemals würde erklären können. Dennoch gefiel es ihr. Sie seufzte und stöhnte vor Wonne, als sie abgesenkt wurde und sich ihre Hinterbacken gegen Siddigs Unterleib pressten.

«Hast du es bequem?», fragte er mit ironischem Unterton, während er und Yusuf sie allmählich losließen.

«Bequem» traf es nicht ganz, und das war Siddig durchaus bewusst.

«Ich ... ich weiß nicht», antwortete sie, dann stöhnte sie auf, als er die Hüften kreisen ließ und sein Schwanz sich kräftig in ihr bewegte. «So etwas habe ich noch nie empfunden.»

«Ist es das erste Mal, dass du einen Mann in deinen Arsch lässt?» Beinahe achtlos umfasste er ihre Brüste, doch Alexa spürte seine aufwallende Erregung. Sie hatte ihm eine Art Jungfräulichkeit geschenkt, und das erregte ihn. Er und Yusuf waren Sexobjekte für Frauen, doch tief in ihrem Innern fühlten sie noch immer wie typische Männer. Das galt auch für das überwältigende Bedürfnis, «der Erste» zu sein ... Alexa hätte gern mit Siddig oder ihnen beiden darüber gesprochen – doch mit einem steifen Schwanz im Po fiel es ihr schwer, sich ihre Argumente zurechtzulegen. Zumal er jetzt ihre Brüste in einem langsamen Rhythmus knetete.

Während sie zu keuchen begann und sich die leere Spalte mit ihren Säften füllte, wusste Alexa kaum mehr, was sie mit ihren Händen anfangen sollte. Sie wurde von Siddig gestützt, ihr Rücken ruhte an seiner Brust, ihr Po schaukelte auf seinem Schoss, und die Beine hatte sie auf den seinen ausgestreckt. Sie brauchte sich nicht abzustützen, denn sie war auf seinem Körper vollkommen ausbalanciert und auf seinem Schwanz sicher verankert. Außerdem hielt Yusuf ihre Knöchel umfasst.

«Bin ich der Erste?», fragte Siddig und begleitete die Frage mit einem Hüftstoß.

Alexa schrie auf und trat mit den Beinen aus, als wollte sie sich aus Yusufs Umklammerung befreien, dann antwortete sie flüsternd mit «Ja», während ihre Möse von Hitzewellen durchflutet wurde.

«Braves Mädchen», brummte Siddig und massierte ihre Brüste mit kraftvollen Kreisbewegungen, dann hielt er inne, bevor er ihr wehtat. Alexa stöhnte unwillkürlich auf, fasste sich zwischen die Beine und tastete mit den Fingern blindlings nach dem Kitzler.

«Das brauchst du nicht, meine Liebe», sagte Yusuf, schob ihre Hand weg und leckte den Saft davon an. «Lass mich das machen», fuhr er fort, saugte kurz an jedem einzelnen Finger, dann ließ er ihre Hand los und veränderte die Haltung.

Alexa, deren Möse in Flammen stand, schaute zu, wie er das Gesicht zwischen ihren Beinen aufs Bett legte und ein Stück vorrutschte. Im nächsten Moment leckte er sie.

«Ach Gott!», schrie sie und fand endlich Verwendung für ihre Hände. Sie grub die Finger in Yusufs glänzendes schwarzes Haar und versuchte, sein Gesicht näher an sich heranzuziehen ... obwohl er den Mund bereits an ihre Möse presste und seine lange Zunge immer wieder gegen den Kitzler vorschnellen ließ.

Der Orgasmus setzte rasch ein, und sie war sich verschwommen, auf träumerische Weise, bewusst, dass sie nicht die Einzige war, die sich stöhnend wand.

Während ihr Inneres im Orgasmus zuckte, spannte sich ihr Schließmuskel um Siddigs Rute an – und dann war auch er so weit. Mit rauer Stimme schrie er etwas Unverständliches in seiner Muttersprache. Sie hörte das Wort «Allah» heraus, gefolgt von einem Schwall fiebriger Ausrufe, dann ging er zu einem tiefen, geradezu gequälten Stöhnen über, während seine Rute eindrucksvoll in ihr zuckte.

Siddigs Orgasmus steigerte ihre Erregung noch mehr. Alexa hob wieder ab, ihr Kitzler schwoll und pulsierte an Yusufs emsiger Zunge.

«Ach Gott!», rief sie wie eben Siddig ihre eigene Gottheit an. Die Empfindungen waren zu vielfältig und zu stark, und obwohl sie sie gern festgehalten und abermals zum Höhepunkt gekommen wäre, verblassten sie allmählich, und ihr wurde schwarz vor Augen. Ihr Bewusstsein sank dankbar in einen warmen, dunklen Brunnen, und ihr Körper schien erst zu schmelzen und folgte ihm dann nach.

Als sie zu sich kam, war sie wieder leer, und Siddigs Schwanz ruhte an ihrem Hintern. Die beiden Männer hatten sie auf die Seite gedreht, und sie lag zwischen ihnen wie der Belag eines Sandwichs; Yusuf wandte sie das Gesicht zu und Siddig den Rücken. Siddigs Gesicht ruhte an ihrer Schulter, und aus seinem gleichmäßigen Atem schloss sie, dass er eingeschlafen war. Yusuf hingegen war wach.

«Wie fühlst du dich?», fragte er, legte ihr die Hand auf die verschwitzte Stirn und zauste die verklebten Locken. «Hat mein Bruder dir wehgetan?» Er langte um ihren Rücken herum und strich ganz leicht über ihre Rosette.

«Nein … Nein, ich glaube nicht», flüsterte sie, in der Berührung wieder den Geist der Inbesitznahme wahrnehmend. Unwillkürlich bewegte sie die Hüften, dann hielt sie inne und verharrte reglos, während ihr Verstand allmählich wieder auf Touren kam.

«Seid ihr beide Brüder?», fragte sie, sich die Leidenschaft vergegenwärtigend, die sie zwischen ihnen wahrgenommen hatte.

Yusuf umfasste lachend eine Pobacke. «Keine leiblichen Brüder, nur Verwandte», meinte er lächelnd. «Wir stammen aus derselben Familie. In unseren Adern fließt das gleiche Blut.» Er hielt inne, und sie spürte, wie seine Hand hinter ihrem Rücken Siddigs ruhenden Penis streifte. «Wir stehen einander viel näher als Brüder», schloss er vielsagend, dann schob er sich vor, sodass sie beinahe eingeklemmt wurde, und rieb sein steifes Glied an ihrem schweißnassen Bauch.

Alexa riss die Augen auf und bemühte sich, das Gehörte zu verarbeiten. Siddig und Yusuf waren, wie sie vermutet hatte, ein schwules Paar, und Yusuf war jetzt stark erregt. Aber begehrte er wirklich sie? Oder – und nach allem, was eben geschehen war, erschien ihr dies durchaus wahrscheinlich – stand ihm der Sinn nach einem Duett für drei? Nach einem dekadenten Gemenge von Lippen, Händen und Genitalien?

«Hast du manchmal Sex mit Siddig?», fragte sie leise, legte die Hand auf seinen angeschwollenen Schwanz und streichelte ihn.

«Ja, das hat er», sagte eine rauchige Stimme an ihrem Ohr, dann hauchte ihr jemand einen Kuss auf den Nacken, während sich eine kräftige Hand um die ihre legte und ihren Griff um Yusufs Schwanz verstärkte. «Möchtest du gern sehen, was wir miteinander so treiben?»

Alexa brachte kein Wort heraus, so stark war ihr Verlangen. Die Vorstellung, diesen wunderschönen Männern beim Sex zuzuschauen, stellte für sie eine äußerst reizvolle, unwiderstehliche Versuchung dar. Sie nickte.

Eher hätte sie das Atmen eingestellt als sein Angebot ausgeschlagen.

«Dann musst du uns etwas Platz machen, meine Liebe», bat Siddig und versetzte ihr spielerisch einen Klaps auf den Po, während Yusuf sich von ihr löste.

Als der Größere der beiden sich hinkniete und dann elegant vom Bett herunterglitt, hüpfte und baumelte sein langes Glied mit der tiefroten Eichel. Es sah wild aus. Aggressiv. Dominant. Und auf einmal machte Alexa eine faszinierende Entdeckung.

Obwohl Siddig in dieser Partnerschaft offenbar das Sagen hatte, übernahm er nicht immer die Führung. Im übertragenen wie im wörtlichen Sinne war er im Begriff, seinem «Bruder» Platz zu machen.

Da sie spürte, dass Siddig sich hinter ihr bewegte, setzte Alexa sich auf und rollte sich herum. Yusuf zog derweil eine dicke Angoradecke aus der Ottomane am Fußende des Betts und legte sie ihr um die Schultern, dann kletterte er an ihr vorbei und wandte seine Aufmerksamkeit Siddig zu.

Mit Siddig hatte eine eigenartige Metamorphose stattgefunden. Auf einmal wirkte er weniger energisch, weniger selbstsicher und gefügiger als zuvor. Von einem Augenblick zum anderen war er nachgiebig und unterwürfig geworden, auf beinahe melodramatische Weise feminin. Er zog einen geradezu koketten Schmollmund. Und als der Größere sich entschlossen auf ihn warf, stöhnte er auf, ließ sich in die Kissen zurückfallen und unterwarf sich dem brutalen, strafenden Kuss seines Partners.

Alexas Körper erwachte unter der Decke zu neuem Leben. Sie hatte geglaubt, ihr Verlangen wäre für diesen

Abend gestillt, doch als sie sah, wie Siddig vollständig kapitulierte, sein Mund vergewaltigt und sein Körper derb liebkost wurde, entflammte auch ihr Geschlecht.

«Hure!», brummte Yusuf, schloss seine Hand grob um Siddigs Genitalien und drückte zu, bis sein Partner aufschrie.

Alexa hatte etwas ganz anderes erwartet, doch auf einmal wünschte sie sich, Siddigs Stelle einzunehmen. Er schluchzte jetzt, und da Yusuf mit der anderen Hand um seinen Hintern herumgelangt hatte, nahm sie an, dass er dort ebenfalls bedrängt wurde. Seine muskulösen braunen Beine bebten und traten aus, dennoch klammerte er sich wie eine Hure an seinen Peiniger.

Yusuf redete auf Siddig ein und blickte ihm in die tränennassen Augen. Er bediente sich seiner Muttersprache, doch sein Tonfall und seine Körperhaltung waren unmissverständlich. Er machte Siddig herunter und erniedrigte ihn körperlich, weil er «leicht zu haben», flatterhaft und das männliche Gegenstück einer breitbeinigen, sexbesessenen Schlampe sei.

Unter Seufzen und Stöhnen antwortete Siddig ihm. Offenbar bat er um Verzeihung, gelobte Besserung und bot Yusuf an, sich seines Körpers auf alle erdenklichen Weisen zu bedienen. Das Ganze war ein Psychodrama, unglaublich theatralisch und an den Haaren herbeigezogen, doch Alexas Möse war schon wieder feucht. Das Schauspiel war ebenso erregend wie Beatrices Züchtigung durch D'Aronville.

Als sie an den unnahbaren Franzosen dachte, erschauerte Alexa. Es war beinahe so, als wäre er ins Zimmer getreten und stünde neben ihr. Sie blickte sich um in der Erwartung, ihn irgendwo stehen zu sehen, sah aber ein, wie töricht das war, und wandte ihre Aufmerksamkeit wieder den beiden Männern auf dem Bett zu.

Mit offenem Mund beobachtete sie, wie Yusuf Siddig praktisch auf die Tagesdecke warf und ihn mit einem nachlässigen Stoß gegen die Hüfte auf den Bauch drehte. Siddig rutschte ein wenig umher, als wollte er die Blicke auf seine wundervoll geformten Hinterbacken und die in der dazwischenliegenden dunklen Höhlung lockende Ekstase lenken.

Yusuf klatschte seinem Partner auf den Schenkel. Sehr heftig. Dann ging er zu einer überaus zärtlichen Liebkosung über.

Er liebt ihn wirklich, dachte Alexa, versenkte ihre Fingerspitzen zwischen den Schenkeln und suchte nach der kleinen, pochenden Lustknospe.

Siddigs linke Hinterbacke derb knetend, beugte Yusuf sich vor, schnappte sich ein paar Kissen und schob sie seinem unglücklichen Opfer entgegen.

«Unter die Hüften, Nutte», befahl er knapp. «Ich will so tief wie möglich in dich eindringen.»

Erschauernd erinnerte sich Alexa, wie es sich angefühlt hatte, Siddigs Schwanz im Po zu haben. Sein Glied war sehr groß, doch Yusufs Schwanz war eher noch länger. Und dicker. Bestimmt fühlte er sich an wie ein Knüppel. Wie ein dicker, unbiegsamer Prügel.

Siddig brachte die Kissen in Position und rieb stöhnend den Unterleib daran.

Als Yusuf sich bedrohlich über ihn schob, nahm Alexa die Dose mit dem Gleitmittel und reichte sie ihm. Yusuf schüttelte den Kopf und winkte ab. Alexas Erschrecken zeigte sich wohl in ihrem Gesicht, denn auf einmal lächelte er.

«So mag er es lieber», formte er mit den Lippen, und seine braunen Augen leuchteten vor Erregung.

Dann hat also Siddig immer noch die Kontrolle, dachte Alexa verwundert, während sie zusah, wie Yusuf sich auf die Finger spuckte und erst sich und dann den Anus seines Partners mit Speichel befeuchtete. Das Spiel war so derb, weil Siddig es derb mochte. Um Yusufs Wünsche ging es gar nicht. Er gab Siddig genau das, was er haben wollte, und als er mit den Daumen die Pobacken des unter ihm liegenden Mannes aufspreizte, war dies ein Akt der Liebe und keine Schändung.

Gleichwohl heulte Siddig auf, als er penetriert wurde. Yusuf presste sich auf ihn und wackelte mit der Schwanzspitze, bis er den richtigen Ansatzpunkt gefunden hatte, dann trieb er seine Rute unerbittlich vor und verschaffte sich zusätzlich Halt an den Hüften seines Partners.

Während Yusuf sich auf und nieder bewegte, schwebte Siddig unübersehbar im siebten Himmel. Seine Schreie hatten nichts mit Schmerz oder Angst zu tun, sondern sollten seinen Geliebten anstacheln, und in seinem Gesicht spiegelte sich reine Wonne wider. Seine Lust war so intensiv, so überwältigend, dass sie auf Alexa übersprang. Sie war wie ein blendend helles Feuer in Fingern und Zehen, wie ein sanftes, elektrisierendes Pulsieren in ihrem Geschlecht.

Der Orgasmus setzte so schnell und leicht ein, dass es ihr den Atem verschlug und sie schon meinte, sie werde wieder ohnmächtig werden. Keuchend streckte sie tastend und suchend die freie Hand aus und fand Siddigs Hand, die er in das Laken gekrallt hatte. Sie verschränkten die Finger miteinander und drückten beide zu – während Yusuf den Kopf zurückwarf und vor Lust aufschrie.

«Bemerkenswert, wirklich bemerkenswert. Deine junge Freundin ist unersättlich, Bea. Ein unschuldiger Leib, aber erpicht auf die Sünde.»

Beatrice blickte zwischen Sachas Schenkeln auf, erstaunt über seine heisere Stimme. Sie ließ die Schwanzspitze aus dem Mund gleiten, lächelte und küsste sie obszön. Sie war froh, dass ihr neuester Plan aufgegangen war und dass etwas, oder vielmehr jemand, die kühle Fassade ihres Liebhabers durchbrochen hatte.

Auf dem großen Fernsehschirm sah sie aus dem Augenwinkel gestochen scharf Alexa Lavelle. Der Körper der jungen Frau war halb unter einer Decke verborgen, doch ihre Spalte war zum Glück deutlich zu erkennen. Sie masturbierte heftig und strampelte mit den bebenden nackten Beinen, schaffte es aber gleichwohl, Siddigs Hand festzuhalten. Na wunderbar, dachte Beatrice, dann widmete sie sich wieder ihren angenehmen Pflichten.

«Du hast eine ausgezeichnete Wahl getroffen, *chérie*», bemerkte Sacha im Plauderton, schob ihren Kopf zur Seite und ersetzte ihren Mund durch seine Hand. Während sie Loosies neuestes Video-Meisterwerk betrachteten, hatte sie ihm hin und wieder den Schwanz gelutscht, jedoch eher aus Gewohnheit als mit der Absicht, ihn zum Höhepunkt zu bringen. Das Video faszinierte ihn heute Abend mehr, und er hatte darauf bestanden, dass Loosie es kaum eine Stunde nach dem Entstehen gleich hier in seinem Schlafzimmer bearbeitete. Als der erste Schnitt vorgenommen wurde, waren Alexa und die Jungs vermutlich gerade ins Taxi gestiegen.

«Ob sie wohl geahnt hat, dass sich in deinem Schlafzimmer ein Videogerät befindet?», meinte Beatrice versonnen und streichelte den Sack ihres französischen Geliebten, während er sich den Schwanz rieb. «Hätte sie es gewusst, wäre sie bestimmt nicht so scharf geworden …»

«Glaubst du, sie mag mich nicht?», fragte Sacha, krallte die Finger in Beatrices langes rotes Haar und zog ihren Kopf hoch.

«Schon möglich», antwortete Beatrice, wie immer überwältigt von Sachas durchdringenden tiefblauen Augen. «Wahrscheinlich hasst sie uns alle. Sie ist ja nicht blöd. Sie hat bestimmt gemerkt, dass ich sie mit dir verkuppeln wollte.»

«Soll sie mir aufgrund deiner Unfähigkeit etwa vorenthalten werden?», fragte Sacha, dessen nachsichtiges Lächeln seine strengen Worte Lügen strafte. Beatrice stöhnte auf, als er die Hand von seinem Schwanz nahm und stattdessen ihren nackten, noch immer schmerzenden Po umfasste. Er krallte seine langen Aristokratenfinger tief in ihre rechte Hinterbacke, sodass der Schmerz neu aufflammte und ihr der Saft am Bein hinunterlief.

«Ich sollte dich noch einmal schlagen», brummte er und drückte ihren Po, den er wie ein Schraubstock umklammert hielt, auf die Laken nieder. «Aber ich brauche dich noch.» Wie es typisch für ihn war, versenkte er mit einer raschen, derben Bewegung seinen Schwanz in ihr und schob die Hüften vor, sodass ihr wunder Hintern an der Matratze scheuerte.

Getragen von einer köstlichen Woge des Schmerzes, miaute Beatrice wie eine Katze. Die Schmerzen, die vom Stock und der anschließenden Züchtigung mit Sachas schmalem Gürtel zurückgeblieben waren, mischten sich mit ihrem unersättlichen Verlangen. Im nächsten Moment erbebte sie in einem gewaltigen Orgasmus. Während sie pulsierte, um sich trat und ihrem Geliebten den

Rücken zerkratzte, bewegte er sich unermüdlich und presste ihre Hinterbacken gegen die Matratze, um ihren Schmerz noch weiter zu steigern.

Und sie hörte auch seine Stimme, die so kühl und gelassen war wie eh und je und ihr sagenhafte Strafen androhte, um ihre Lust zu mehren.

«Du wirst in Frankreich leiden, weißt du», murmelte er, während er tief in sie hineinstieß. «Ich werde dich nackt in Ketten legen. Dich jedem einzelnen Mann auf dem Anwesen ausliefern. Ich werde dich im Garten mit gespreizten Beinen an einen Baum fesseln, damit alle deine Spalte sehen können. Man wird dich dehnen und knebeln. Ich werde alle meine Freunde von der Côte d'Azur einladen, dich zu befingern und zu nehmen. Sie können frei über dich verfügen und mit dir anstellen, was sie wollen … Und du kannst absolut nichts dagegen tun.»

Dann verstummte er, denn Beatrice küsste ihn, während es ihr unablässig kam.

12. Kapitel ～ Immer tiefer

«Wo zum Teufel ist unser Geld geblieben?»

Alexa hatte nicht die leiseste Ahnung, was sie darauf antworten sollte, außerdem hätte Tom ihren Erklärungen sowieso keinen Glauben geschenkt.

Du Blödian!, dachte sie. Du hast ganz genau gewusst, dass er jedes Passwort knacken kann. Hast du wirklich geglaubt, du würdest damit durchkommen?

Als Alexa in den frühen Morgenstunden ihre Wohnung betrat, hatte die Anwesenheit ihres Verlobten sie unvermittelt auf den Boden der Tatsachen zurückgeholt. Zumal er offenbar einiges herausgefunden hatte.

Wenigstens hat er mich nicht gefragt, wo ich bis um drei Uhr morgens gewesen bin, dachte sie am nächsten Morgen, als sie Kaffee trank und ihre leichten Kopfschmerzen auskurierte. Aus Verärgerung über das verschwundene Geld hatte Tom diesem Thema keine Beachtung geschenkt, und Alexa hatte seinen Zorn als Vorwand benutzt, um sich schnurstracks ins Bad zu flüchten.

Als sie in einem sauberen Nachthemd ins Schlafzimmer zurückkam – nachdem sie sich den Geruch nach Sex, Männerschweiß und Eau de Toilette abgewaschen hatte –, war das Licht gelöscht, und Tom hatte sich unter der Decke zusammengerollt und wandte ihr abweisend den Rücken zu.

«Darüber unterhalten wir uns morgen», hatte er geknurrt, als sie ins Bett geklettert war. Dafür war Alexa ihm zutiefst dankbar gewesen – und war es immer noch –, und erstaunlicherweise war sie auf der Stelle eingeschlafen.

Und sie hatte wie ein Murmeltier geschlafen. Als der Wecker klingelte, hatte sie sich einfach die Decke über den Kopf gezogen und weitergeschlafen.

«Irgendwann wirst du mir Rede und Antwort stehen müssen», hatte sie in Toms strengem Tonfall gemurmelt, nachdem er allein ins Büro gefahren war, ohne auch nur den Versuch zu machen, sie aufzuwecken.

«Aber was ist, wenn ich das nicht will?», sagte sie, hob die Kaffeekanne hoch und schenkte sich ein. Sie war noch im Morgenmantel, und Tom war längst weg, doch das alles berührte sie nicht.

Ich wünschte, ich könnte einfach weglaufen und dieses Durcheinander hinter mir lassen, dachte sie. Nach Barbados fliegen, das wäre ganz leicht. Ich könnte mir einen Job besorgen und für immer dort bleiben ... Vielleicht würde Beatrice irgendwann dorthin kommen. Und Drew. Ich könnte ein bisschen programmieren oder in einem Hotel arbeiten. Und nachts könnten wir alle –

Alexa, verflixt nochmal, was ist nur los mit dir?, fragte sie sich wütend, richtete sich ruckartig auf und hätte beinahe Kaffee auf den Morgenmantel verschüttet. Sie hatte sich hingesetzt, um in Ruhe über ihr «Geldproblem» nachzudenken, nicht über ihr «Sexproblem» – und schon hatte sie wieder erotische Phantasien.

Sie rutschte unruhig auf dem Stuhl umher, dann langte sie zwischen die Pobacken und berührte sich durch den Morgenmantel hindurch, denn sie wollte wissen, ob sie dort empfindlicher war als sonst. Ob das gestrige Erlebnis Spuren hinterlassen hatte.

Du hast dich von einem Unbekannten in den Arsch ficken lassen, dachte sie vorwurfsvoll. Lassen? Was dachte sie denn da? Sie hatte ihn dazu aufgefordert! Sie hatte ihn angefleht! Und währenddessen hatte sein bester Freund sie geleckt.

Das war verderbt gewesen. Obszön. So was gehörte sich nicht, verflixt nochmal! Trotzdem würde sie es jederzeit wieder tun.

Was ist nur los mit mir?, fragte sie sich erneut, als sie spürte, wie ihr Körper allmählich in Erregung geriet. Es war wie bei einem Riesenslalom. Oder bei einer Wildwasserbahn. Einem führerlosen Zug ohne Bremsen. Immer schneller ging es mit ihr bergab, und sie wollte gar nicht mehr langsamer werden.

Es gefällt dir, nicht wahr?, dachte sie. Das Erlebnis mit Siddig und Yusuf war wundervoll gewesen. Ein prickelndes und irgendwie auch bereicherndes Experiment. Wäre sie nicht mit den beiden zusammen gewesen, dann mit jemand anderem. Vielleicht mit Beatrice? Oder mit Sly? Oder der verführerischen, durchtriebenen Loosie? Oder gar mit Sacha D'Aronville? Auch jetzt wieder sah sie seine kühlen blauen Augen vor sich und stellte sich vor, von seinen Händen gestreichelt – oder gezüchtigt – zu werden.

Ich bin so oder so für ihn bestimmt, dachte sie, die sich häufenden Beweise zusammenfügend. Beatrice hatte es im Sprechzimmer anklingen lassen, und der

Fotoauftrag war ein weiterer Beleg. Loosie Quine hatte an dem Tag gar nicht auf ein anderes Model gewartet. Jetzt war Alexa klar, dass sie von Anfang an für die Fotosession ausersehen gewesen war. Loosie war beauftragt worden, sie in kompromittierenden Posen zu fotografieren und hatte dafür wahrscheinlich eine hübsche Stange Geld bekommen.

«Ich bin einfach nur Frischfleisch ... Eine neue Eroberung», sagte Alexa, den schnell abkühlenden Kaffee im Becher schwenkend. «Eigentlich sollte ich wütend sein. Und warum bin ich's dann nicht?»

Es war schon eigenartig. Sie hätte längst wütend werden sollen. Schon als Beatrice die ersten Andeutungen fallen ließ, hätte sie lautstark protestieren sollen. Dennoch hatte sie sich von Anfang an benutzen und manipulieren lassen. Und sich im Zentrum der Gefahr eigentümlich sicher gefühlt. Und erleichtert; als wäre ihr die schwere Bürde des Sich-entscheiden-Müssens auf einmal von den Schultern genommen. Vielleicht war das Leben ja einfacher, wenn man sich einer Wildwasserbahn anvertraute?

Alexa sah an sich hinunter, schnitt eine Grimasse und erhob sich energisch. Heute gab es für sie in der realen Welt eine Menge zu tun. Sie musste zahlreiche Entscheidungen treffen und einiges erledigen. Und Tom zu beschwichtigen stand ganz oben auf der Liste.

Als sie jedoch duschen wollte, klingelte das Telefon. Alexa schlang sich ein Handtuch um und wappnete sich mit einem resignierten Seufzen für die Vorwürfe ihres Verlobten. Bestimmt rief er sie von der Arbeit aus an und wollte ihr sagen, dass sie sich allmählich ebenfalls dort blicken lassen sollte ...

«Und, wie geht's dir heute Morgen?», meldete sich eine wohlbekannte weibliche Stimme, als Alexa abnahm. «Hoffentlich nicht völlig abgeschlafft? Ich hab den Jungs gesagt, sie sollten es langsam angehen lassen, aber manchmal überkommt es sie einfach.»

«Beatrice!»

«Wer sonst?» Die Ärztin lachte leise in sich hinein. «Also was ist, haben sie dich nun fertiggemacht oder nicht?»

«Nein! Natürlich nicht. Wie kommst du –»

«Weshalb bist du dann noch zu Hause? Offenbar hast du verschlafen. Ich habe in deinem Büro angerufen, und ein ausgesprochen unfreundlicher und mürrischer Mann hat mir gesagt, dir wäre nicht gut und du würdest heute nicht arbeiten.»

«Das muss Tom gewesen sein. Er ist ganz unerwartet gestern schon zurückgekommen. Und ausgerechnet da musste ich um drei Uhr morgens eintrudeln …» Als Beatrice «Ts-Ts» machte, stockte sie und wünschte, sie hätte sich durch die Telefonleitung schlängeln können, um einen Mord zu begehen. «Außerdem hat er herausgefunden, wie viel von unserem gemeinsamen Geld ich ausgegeben habe. Also, im Moment ist er auf mich nicht besonders gut zu sprechen.»

«Auf mich hat er den Eindruck eines elenden Knickers gemacht», bemerkte Beatrice. «Was hältst du davon, wenn wir zusammen zu Mittag essen, und du erzählst mir alles?»

«Ja, ich glaube, das wäre eine gute Idee», erwiderte Alexa im Versuch, die Initiative zu übernehmen. «Ich habe einiges mit dir zu bereden, Beatrice.»

«Oje, das klingt aber bedrohlich», meinte die Ärztin

unbekümmert. «Aber wahrscheinlich habe ich alles verdient, was da auf mich zukommt. Wie wär's mit Selene's Kitchen um eins? Ich lad dich ein.»

«Das will ich auch hoffen! Wie dir wohl klar sein dürfte, bin ich total abgebrannt. Teilweise ist das auch deine Schuld.» Das war eigentlich übertrieben, doch es schien ihr wichtig, sich ein bisschen mehr Geltung zu verschaffen. In den Strom hinauszuschwimmen und zu steuern.

«Ach, über Geld würde ich mir keine Sorgen machen, Alexa», erwiderte Beatrice geheimnisvoll. «Ich glaube, in der Beziehung kann ich dir vielleicht helfen. Also dann, bis um eins!»

«Beatrice! Beatrice! Wie hast du das gemeint?», rief Alexa in den Hörer, doch es war zu spät. Die reizende Ärztin hatte bereits aufgelegt.

Selene's Kitchen war eines dieser exklusiven, überteuerten Restaurants, die Alexa niemals ausgewählt hätte. Nicht einmal jetzt, da sie ihre Geldausgaben ebenso wenig unter Kontrolle hatte wie ihre sexuellen Begierden. Ungeachtet des schlichten Namens, herrschte in der Küche diskreter Luxus, und die Gäste pflegten vermutlich einen ganz ähnlichen Lifestyle. Obwohl sie eins ihrer besseren Kostüme angezogen hatte, kam Alexa sich vor wie eine von der Straße hereingeschneite Pennerin; dass Beatrice sich verspätete, machte es auch nicht besser. Zum Glück war der Ober freundlich.

«Ah ja», murmelte er und strahlte Alexa an, als habe er einen Stammgast vor sich. «Miss Lavelle, Doktor Quines Gast. Bitte hier entlang. Ich habe Ihnen einen besonders hübschen Tisch reserviert.»

Alexa hätte gern erwidert, dass alle Tische gleich aussähen, und solange sie vier Beine mit einer Platte obendrauf hätten, sei ihr alles recht, doch sie beherrschte sich und lächelte freundlich. Als sie an der Sitzgruppe im offenen Wintergarten – wirklich ein schöner Tisch – Platz genommen hatte, verzichtete sie auf Alkohol und bestellte Wasser, denn für dieses Essen brauchte sie einen klaren Kopf.

Während sie die Karte studierte, hatte Alexa auf einmal das Gefühl, sie werde beobachtet. Unauffällig blickte sie sich um und stellte fest, dass sie sich nicht getäuscht hatte; mehrere Leute, die meisten von ihnen Männer, sahen zu ihr her. Ein wenig verwirrt konzentrierte sie sich wieder auf die Karte, schaute nach einer Weile aber erneut hoch. Die Leute, die sie eben beobachtet hatten, speisten jetzt, doch ein, zwei sahen immer noch in ihre Richtung.

Guckt ruhig!, dachte sie. Seht genau hin! Hoffentlich gefällt euch, was ihr seht … Mir jedenfalls gefällt es! Kühner geworden, schenkte sie einem der Gäste ein strahlendes Lächeln.

«So ist's richtig!», meinte eine aufmunternde Stimme, und als Alexa sich umdrehte, erblickte sie Beatrice, die sie mit ihren cognacfarbenen Augen amüsiert musterte. «Reserviert tun ist Zeitverschwendung, finde ich», erklärte die Ärztin aufgekratzt und nahm neben Alexa Platz. «Man weiß ja nie … Womöglich brüskiert man einen wahren Schatz. Ich halte mir gern alle Optionen offen.» Als sie energisch dem Ober winkte, fiel Alexa auf, dass ihre Haltung ein wenig angespannt war. Offenbar bereitete ihr das Sitzen einiges Unbehagen.

«Das habe ich auch schon bemerkt», sagte Alexa.

Jetzt brauchte sie sich nicht mehr den Kopf darüber

zu zerbrechen, dass sie angestarrt wurde, denn auf einmal stand Beatrice Quine im Mittelpunkt des Interesses.

Weit davon entfernt, sich als verantwortungsbewusste Ärztin zu kleiden, die eine Unterredung mit einer Patientin führte, hatte Beatrice sich heute als viktorianische Kricketspielerin herausstaffiert; komplett mit Blazer, cremefarbener Flanellhose und Zopfmuster-Pulli mit V-Ausschnitt. Der Blazer war gesäumt mit kastanienbraunem Satin, und ein schmales seidenes Halstuch in der gleichen Farbe hatte sie in den komplizierten Nackenknoten eingeflochten.

«Verurteile mich nicht, Alexa», bat die Ärztin mit sanfter Stimme. «Ich habe Gelüste und befriedige sie.» Als sie lächelte, wurden ihre Augen schmal. «Außerdem, meine Liebe, habe ich den Eindruck, dass du an deinem Leben in letzter Zeit durchaus Gefallen findest. Wie ich höre, haben weder Siddig und Yusuf noch Loosie dich zu irgendetwas zwingen müssen … Übrigens galt das auch für Drew auf Barbados. Du bist ebenso ausschweifend wie ich!»

«Ach, ich glaube, ich habe noch einen weiten Weg vor mir, bevor ich mit dir gleichziehen kann, Beatrice», erwiderte Alexa schnell, wie immer verstört durch die Tatsache, dass die Ärztin anscheinend über alles Bescheid wusste. Gleichwohl lächelte sie. Beatrice war ein lasterhafter Mensch, eine Intrigantin und eine Schande für ihren Berufsstand. Trotzdem war sie auf ihre verruchte Art auch sympathisch.

«Wahrscheinlich hast du recht», meinte Beatrice und berührte Alexas Hand. «Sollen wir etwas trinken?»

«Danke, ich hab schon», sagte Alexa, deren guten Vorsätze sich allmählich in Luft auflösten. Beatrices

Berührung war so warm und sanft und ihr Lächeln so betörend, dass man ihr unmöglich etwas abschlagen konnte.

«Unsinn! Ich rede von einem richtigen Drink!»

Mit unschlagbarem Timing tauchte in diesem Moment der Ober auf, und Beatrice bestellte eine Magnumflasche Champagner, ohne sich von Alexas Protesten beirren zu lassen.

«Hast du denn keine Termine mit Patienten mehr oder so was?», fragte Alexa, als sie auf den Champagner warteten. «Ich verstehe nicht, wie du eine erfolgreiche Praxis führen kannst, wenn du ständig …» Wie sollte sie es ausdrücken? «Wenn du ständig mit anderen Dingen beschäftigt bist.»

«Zerbrich dir darüber nicht den Kopf, mein Kind, ich komme schon zurecht», erwiderte Beatrice und lehnte sich – ziemlich schwungvoll, wie Alexa auffiel – ins Polster zurück. «Heute müssen wir uns über deine Finanzen Gedanken machen. Wie wär's, wenn du mir die ganze traurige Geschichte erzählen würdest?»

Nicht ohne Beklommenheit schilderte Alexa ihr den Hintergrund ihres zweiten «Problems» – das sie bislang nur gestreift hatte. Als der Champagner gebracht wurde, fiel es ihr alsbald leichter, zu erzählen, wie sie das Geld für die Barbados-Reise unterschlagen, weitere Unsummen für Kleidung und Unterwäsche verschleudert und dies alles mittels eines frisierten Computerprogramms verschleiert hatte.

«Jetzt kann ich dir nicht mehr folgen», sagte Beatrice, als Alexa ihr schildern wollte, wie sie die Buchhaltungssoftware überlistet hatte. «Aber ich verstehe, was du meinst.» Sie leerte ihr Glas, dann schenkte sie sich und Alexa nach. «Du musst irgendwie eine große Geldsumme auftreiben … Und zwar bald. Sonst geht eure Firma pleite.»

«Äh … ja. Das könnte man so sagen», bestätigte Alexa und trank einen großen Schluck Champagner. «Ich schätze, ich sitze bis zum Hals in der Scheiße.»

«Ich kann dir helfen, weißt du», sagte Beatrice und klimperte zur Bekräftigung mit den Wimpern. «Ich kenne jemanden, der bereit wäre, eine beträchtliche Summe in dich zu investieren.»

«Das glaube ich dir aufs Wort», meinte Alexa, die sich ganz benommen fühlte – nicht vom Champagner, sondern von einer mächtigen dunklen Woge der Geilheit, die von Beatrice auf sie überschwappte. Sie sprachen über etwas Mächtiges und Verbotenes. Über Sex gegen Geld. Über das Verkaufen des eigenen Körpers. Das allerdings auf der höchsten Ebene der Verfeinerung.

Beatrice schwieg, hob aber die säuberlich gezupften Augenbrauen, als wollte sie sagen: «Nur zu. Sag mir, was du weißt.»

«Es geht um D'Aronville, hab ich recht?», fragte Alexa leise. «In deiner Praxis hast du von ihm gesprochen. Er hat irgendwas mit mir vor. Etwas wie gestern Nacht … Etwas Ähnliches wie das, was er mit dir gemacht hat.»

«Ja, schon möglich, dass er dich mit dem Stock schlagen will», erwiderte Beatrice gelassen, als wäre die körperliche Züchtigung um des erotischen Kitzels willen etwas ganz Alltägliches. «Aber ich vermute, das wäre nur eine Zerstreuung unter vielen.» Sie stockte, schnappte nach Luft und fixierte verdattert einen Punkt rechts hinter Alexa. «Aber das kannst du ihn selbst fragen …»

«Was fragen?», sagte eine leise Stimme mit starkem französischem Akzent.

Alexa wollte schon herumfahren, fasste sich aber im letzten Moment und trank einen Schluck, dann wandte sie langsam den Kopf.

Unmittelbar hinter ihr stand Sacha D'Aronville, so streng und elegant wie am Abend zuvor, aber mit einem unerwartet persönlichen Lächeln. Er trug eine schwarze Lederjacke und ausgebleichte Jeans, war aber dennoch die bei weitem kultivierteste Erscheinung unter den anwesenden Männern. Alexa erstarb die lässige Begrüßung auf den Lippen.

«Ha-hallo», flüsterte sie und fragte sich, was um Himmels willen sie zu einem Mann sagen sollte, der entschlossen war, sie zu kaufen.

«*Bonjour, Mademoiselle*», erwiderte er mit funkelnden blauen Augen und nickte ihr grüßend zu. «Beatrice.» Als er der Ärztin zunickte, verzog er belustigt die Lippen.

Alexa, die erwartet hatte, D'Aronville werde ihr gegenüber Platz nehmen, reagierte alarmiert, als der Franzose sich nicht rührte. Er und die Ärztin tauschten winzige Signale aus, dann glitt Beatrice anmutig auf der geschwungenen Sitzbank weiter und klopfte auf den frei gewordenen Platz.

«Rutsch rüber, Alexa. Wenn du zwischen uns sitzt, ist es viel gemütlicher.»

Alexa hätte den Ausdruck «tollkühn» für diese Sitzanordnung viel passender gefunden, gehorchte aber gleichwohl ohne Widerrede, noch immer ganz verwirrt von der kühlen Gelassenheit des Franzosen.

«Nun, Beatrice, jetzt hast du mir endlich einmal gehorcht», murmelte Sacha, als er sich auf Alexas frei gewordenen Sitzplatz setzte, sodass er und Beatrice sie praktisch zwischen sich eingeklemmt hatten. «Ich hatte schon gefürchtet, die junge Dame nicht anzutreffen. Oder aber in einem deiner Kleider.»

«Ich habe Ihre Anweisungen bis in kleinste Detail befolgt, Maître», sagte Beatrice in respektvollem Ton, aber mit sehnsuchtsvoller Miene. «Ich habe Alexa bereits instruiert, aber die Einzelheiten kennt sie noch nicht.»

«Verzeihung», meldete sich Alexa aufgebracht zu Wort. Die beiden redeten nicht mit ihr, sondern über sie. «Ich bin anwesend, falls ihr das vergessen haben solltet. Und ich bin weder stumm noch begriffsstutzig. Gibt es etwas, das Sie mit mir besprechen möchten, Mr D'Aronville?»

«Ja, Mademoiselle Lavelle», sagte er mit ruhiger Stimme und wandte sich ihr zu. Seine blauen Augen musterten sie gelassen, aber interessiert. «Und ich glaube, wir sollten offen miteinander sein.» Als der Ober diskret ein Glas, eine weitere Champagnerflasche und eine dritte Speisekarte brachte, wartete D'Aronville, bis er wieder gegangen war. «Wir haben beide etwas, das der andere begehrt. Oder vielleicht sollte ich besser sagen, was er braucht. Ich besitze ein großes Vermögen und wäre bereit, Ihnen einen Teil davon in Form von Verträgen und Empfehlungsschreiben zukommen zu lassen, um die Überlebensfähigkeit Ihrer Computerfirma auf Dauer sicherzustellen.» Er hielt erneut inne und probierte genussvoll den Champagner. «Und Sie, *chérie*, haben ein wunderschönes Gesicht und einen taufrischen und verführerischen Körper, dessen ich mich gerne auf verschiedenste Weise bedienen würde.» Er betrachtete sie über den Rand seines Glases hinweg, dann neigte er es, als wollte er mit ihr anstoßen. «Kommen wir miteinander ins Geschäft, was meinen Sie?»

Genau das hatte sie erwartet, trotzdem starrte sie D'Aronville fassungslos an. Es gab eine schlimme Bezeichnung für seinen Vorschlag, doch nicht das Angebot als solches entsetzte sie, sondern vielmehr ihre überwältigende Bereitschaft, darauf einzugehen. Die Tatsache, dass sie einwilligen würde, ohne auch nur nach den Bedingungen zu fragen oder irgendwelche Änderungen der Vereinbarung vorzuschlagen.

«Ich bin keine Prostituierte», stemmte sie sich mit letzter Kraft gegen das Unvermeidliche.

«Wenn Sie eine wären, würde ich Sie nicht begehren», flüsterte D'Aronville. «Eine Frau mit moralischen Grundsätzen ist weitaus reizvoller.»

Beatrice kicherte unvermittelt, worauf der Franzose sich ihr rasch zuwandte. Seine Miene war ausdruckslos, doch seine Augen versprühten blaue Funken. «Wie ich sehe, bedarfst du ebenfalls meiner Zuwendung», sagte er, setzte das Glas ab und fuhr mit dem Zeigefinger nachdenklich am Stiel auf und ab. «Komm heute Abend um acht in meine Wohnung. *Sans culotte.* Und bring ein Lineal mit, vorzugsweise aus weißem Kunststoff.»

«Aber, Maître, ich habe immer noch Schmerzen», protestierte Beatrice mit verzückter Miene.

«Umso besser», entgegnete Sacha, unentwegt sein Glas streichelnd.

«Ist das alles, was Sie tun?», brach Alexa das angespannte Schweigen, denn sie war zu erregt, um sich still zu verhalten. «Frauen den nackten Hintern versohlen?» Ein vorbeikommender Ober blickte sie erstaunt an. Alexa merkte, dass sie aufgrund des Champagners laut geworden war, und nahm vor Verlegenheit die Farbe einer Pfingstrose an.

Sacha D'Aronville hingegen bewahrte die Ruhe; seine matte, zarte Haut blieb so blass wie immer. «Ob das alles ist?», meinte er freundlich. «Ach, meine liebe Alexa, Sie wissen wirklich wenig von *la discipline*.» Er sprach das Wort französisch aus. «Es gibt zahllose Weisen, einen Hintern zu versohlen, und jede einzelne ist exquisit und sublim.»

«Für wen?», fragte Alexa, obwohl sie ihm bereits glaubte, auch wenn sie nicht hätte sagen können, weshalb.

«Natürlich für die Gezüchtigte.» Er lächelte, und sein kühles Gesicht wirkte auf einmal ganz freundlich. «Und für Sie auch, Alexa, falls Sie sich entschließen sollten, mein Angebot anzunehmen … Ich beabsichtige, Sie nicht nur zu züchtigen, doch das ist sicherlich ein wichtiger Punkt.»

«Aber … ich …»

Er legte seine Hand auf ihre. «Kommen Sie, Alexa. Ich habe meine Informanten. Ich weiß über Ihre Lage Bescheid. Verbringen Sie ein paar Tage mit mir in Frankreich, dann werde ich die Firma Ihres Verlobten – die auch Ihre Firma ist – vor dem Ruin bewahren.»

Alexa sah auf einmal Tom vor sich, in dessen Miene sich Bestürzung, Zorn und Enttäuschung widerspiegelten. Sie hatte ihn schon so oft hängen lassen – am schlimmsten war, dass sie ihn im Grunde nie geliebt hatte –, und wenn sie sich auf D'Aronville und dessen Ränke einließ, wäre dies zwar der schlimmste Verrat überhaupt, andererseits könnte sie Tom auf diese Weise wenigstens das veruntreute Geld zurückerstatten.

«Ich … bin einverstanden», sagte sie schließlich und erlag damit nicht nur ihrer eigenen Impulsivität, sondern auch Sacha D'Aronville.

Der Franzose lächelte eine Spur wärmer als je zuvor. «Gut, sollen wir gleich anfangen?»

«Hier?»

«Wo sonst?»

«Aber was … was haben Sie vor?» Allmächtiger, er wollte sie doch nicht etwa auffordern, sich hier im Restaurant über den Tisch zu legen? Um ihr vor den versammelten Gästen den nackten Hintern zu versohlen?

«Nur keine Sorge, Alexa, darum geht es nicht», sagte der Franzose, der ihren ängstlichen Gesichtsausdruck richtig gedeutet hatte. Jetzt, da er seinen Willen durchgesetzt hatte, wirkte er beinahe zuvorkommend. «Wir werden nur eine simple Übung machen, um Ihre Bereitschaft zur Unterwerfung auf die Probe zu stellen.»

«Und was soll ich tun?», fragte Alexa, während Beatrice verzückt lauschte.

«Sitzen Sie einfach still», antwortete Sacha mit einem schwachen spöttischen Lächeln. «Sitzen Sie still, und genießen Sie Ihren Lunch. So einfach und so schwierig ist das.» Er nickte Beatrice zu, dann legte er eine Speisekarte vor Alexa hin. «Wie wär's, meine Liebe, wenn du unserer jungen Freundin bei der Auswahl helfen würdest?», murmelte er verschmitzt, während Alexa sich des Eindrucks nicht erwehren konnte, dass er am Essen nicht das mindeste Interesse hatte.

Beatrice rutschte ein Stück auf der Sitzbank vor, studierte die quastengeschmückte Karte mit Goldrand und schlug währenddessen diskret das Tischtuch hoch, sodass es ihrer beider Schoß bedeckte. Nach einer Weile fuhr sie mit dem perfekt manikürten Zeigefinger der Linken an der teuren Speisekarte herunter, während ihre Rechte auf einmal verschwunden war.

O nein!, dachte Alexa voller Panik, als ihr klar wurde, dass D'Aronvilles «Arrangement» bereits erste Folgen zeitigte. Im nächsten Moment senkte sich eine schlanke Hand – Beatrices rechte – auf ihren Schenkel, schlug den Rock hoch und bewegte sich langsam nach oben.

Als der Stoff um Alexas Hüfte – unmittelbar unter dem alles verbergenden weißen Tischtuch – gerafft war, schoben sich warme, forschende Fingerspitzen unter die zarte Borte ihres Strumpfes. Da sie auf eine besonders gepflegte Erscheinung Wert gelegt hatte und ihre Bräune bereits wieder verblasste, hatte sie sich aus Anlass dieser entscheidenden Unterredung für Strümpfe entschieden.

«Nun, Alexa, was meinen Sie?», fragte D'Aronville unvermittelt, sodass Alexa beinahe erschreckt aufgequiekt hätte. «Der Küchenchef macht hier eine ganz ausgezeichnete Seezunge.» Die Finger hatten sich wieder in Bewegung gesetzt, und während D'Aronville sich vorbeugte und auf das fragliche Gericht deutete, setzten sie unter dem Tisch ihre Erkundung fort. «Sie ist ganz zart.» Eine Fingerspitze streifte federleicht über die nackte, erschauernde Haut ihres Oberschenkels. «Ausgesprochen feucht und saftig. Das Fleisch zergeht einem buchstäblich auf der Zunge.» Die Finger wurden in dem Maße kühner, wie die Schilderung poetischer wurde; ein einzelner forscher Finger presste sich in ihren Schritt, der ebenfalls feucht und saftig war.

«Wie wär's damit, Alexa?», flüsterte Beatrice, ohne mit ihrer Erkundung innezuhalten. «Es wird dir schmecken. Das ist eine Spezialität.» Ihr roter Mund war jetzt ganz dicht an Alexas Wange, als wollte sie sie verstohlen küssen. Der Atem der Ärztin roch nach dem teuren Champagner, berauschender aber waren ihre Berührung und ihre Nähe.

«Ja. Ja, das nehme ich», murmelte sie schwach, während sich eine Fingerspitze unter ihren Slip schob und sich zu ihren feuchten Löckchen vorarbeitete.

«Eine gute Wahl», meinte D'Aronville, rückte von der anderen Seite an sie heran und ergriff ihre Hand. «Das Gericht ist leicht verdaulich, aber pikant», fuhr er fort und streichelte über ihre Handfläche, während Beatrice behutsam ihren Kitzler befingerte. «Ich bin sicher, es wird Ihnen munden.»

Alexa wurde von Panik erfasst. Sie spürte, dass sich ihr Gesicht von der Anstrengung, ihren Körper und ihre Stimme in der Gewalt zu behalten, rötete. Beatrices federleichte Berührungen bereiteten ihr Höllenqualen; perfekt platziert, aber gleichwohl beinahe schwebend.

«Trinken Sie einen Schluck, *chérie*», forderte D'Aronville sie freundlich auf, hob selbst das Glas an Alexas Lippen und bestand darauf, dass sie mehrmals schluckte.

Während der perlende, köstliche Geschmack auf ihrer Zunge explodierte, intensivierte Beatrice ihre verstohlenen Liebkosungen. Die Ärztin tauchte den Finger in die Öffnung von Alexas Möse, als wollte sie den heißen Saft herausschöpfen, dann verteilte sie ihn auf dem anschwellenden Kitzler. Dies wiederholte sie drei-, viermal, und als sie ihn ausreichend befeuchtet hatte, setzte sie ihre verruchten Bemühungen mit doppelter Intensität fort: Sie rieb, klopfte und kniff ihn erst von der einen, dann von der anderen Seite, bis Alexa beinahe laut aufgeschluchzt hätte. Stattdessen schnappte sie vernehmbar nach Luft und wand sich unwillkürlich, während die Stimulation ihren Fortgang nahm.

«Ist alles in Ordnung?», fragte die Ärztin vergnügt und drückte so fest zu, dass Alexa erneut aufkeuchte. «Soll ich dich vielleicht auf die Toilette begleiten und untersuchen? Ich habe den Eindruck, es gibt da einiges für mich zu tun.»

«Ich ... ich ...»

Alexa brachte kein Wort heraus. Sie stand kurz vor dem Höhepunkt, doch als sie ein Stückchen vorrutschte, um möglichst viel vom lüsternen Fingertanz mitzubekommen, zog Beatrice ihre Hand auf einmal zurück und legte sie auf die Innenseite des Schenkels.

«Ach, bitte ...», raunte Alexa, und auch jetzt wieder trug ihre Stimme viel weiter als sonst. Am Nachbartisch blickte ein hübscher, aber recht seriös wirkender junger Mann, der mit einer älteren Dame speiste, in Alexas Richtung. Zunächst schien er verwirrt, dann begannen seine Augen – die eine ungewöhnliche helle Goldfarbe hatten – zu funkeln, als verstünde er ihr Dilemma. Er beugte sich vor und flüsterte seiner Begleiterin etwas zu.

Alexa bekam deren Reaktion jedoch nicht mit. In diesem Moment kehrte Beatrices Finger zurück, während Sacha D'Aronville – wie er das angestellt hatte, wusste sie nicht – auf einmal ebenfalls die Hand in ihrem Höschen hatte und ihr die Schamlippen streichelte. Mit letzter Kraft lehnte Alexa sich zurück und tat so, als blicke sie sich im Raum um, während sie unter dem Tischtuch die bebenden Schenkel noch weiter spreizte und ihre Peiniger dazu einlud, ihr das Schlimmste anzutun.

«Ich wünschte, deine Brüste wären nackt, Alexa», flüsterte D'Aronville ihr ins Ohr, als er ihr zwei Finger in die Möse schob. «Dann könntest du dir für mich die Nippel reiben. Sie lang ziehen und deinen Orgasmus ins Restaurant hinausschreien. Würde dir das gefallen?»

«Ich weiß nicht ... Ich weiß nicht ...», murmelte Alexa, die sich den vorwitzigen Fingern unwillkürlich entgegendrängte.

«Und ich», sagte Beatrice leise an der anderen Seite, während sie Alexas brennenden Kitzler bearbeitete, «würde dich gern bäuchlings auf den Tisch legen, dir einen Vibrator in dein hübsches Hinterteil schieben und Champagner schlürfen, während alle Gäste sich um uns versammeln und dabei zuschauen, wie du dich im Orgasmus windest.»

Das war's. Zu viel. Der Auslöser. Als Alexa, deren Erinnerung an Siddig noch ganz frisch war, das Wort Hinterteil hörte, verlor sie augenblicklich die Beherrschung. Sie rutschte auf der Sitzbank herum und biss sich auf die Lippen, um nicht zu schreien. Die Hände ballte sie krampfhaft zu Fäusten und zerrte am Tischtuch, sodass die Gläser gefährlich schwankten. Zwischen ihren Beinen herrschte Chaos; ein feuchtes, pulsierendes Inferno. Ihre Säfte tränkten die Hände ihrer Peiniger und ihre in purer Ekstase zuckende Möse.

Alle gucken mich an!, dachte Alexa erneut. Diesmal hätte sie am liebsten um sich getreten, mit den Fäusten auf die Sitzbank gehämmert und das Becken den Händen entgegengestemmt, die ihr noch immer Lust verschafften. Sie wollte schreien, sich die Bluse aufreißen und ihre schmerzenden Brüste kneten; nicht Sacha zuliebe, sondern um ihre Lust zu steigern.

Sie hatte den Eindruck, dies sei der längste Orgasmus, den sie je erlebt hatte, doch in Wahrheit währte er nur Sekunden. Anschließend fühlte sie sich benommen und schwach und war nass zwischen den Beinen. Als sie auf der Bank in sich zusammensank, erfasste sie ein leichter Schwindel – eine Reaktion auf die unerträgliche Anspannung –, und als der Oberkellner sich fürsorglich nach ihrem Befinden erkundigte und fragte, ob sie einen Ohnmachtsanfall gehabt habe, kam er der Wahrheit recht nahe.

«Ach, es geht schon wieder», erklärte Beatrice schlagfertig. Sie hatte beide Hände auf den Tisch gelegt, träufelte ein wenig Wasser aus der Karaffe auf ihre Serviette und tupfte Alexa den Schweiß von der Stirn. «Sie ist nur ein bisschen übererregt. Kein Grund zur Sorge. Ich bin Ärztin, ich kümmere mich um sie.»

«Möchten Sie noch etwas Champagner, Alexa?», erkundigte D'Aronville sich nach einer Weile und hob die Flasche.

«Ja! Ja, bitte!», sagte Alexa und erschrak über den krächzenden Klang ihrer Stimme. Sie fühlte sich wie durch die Mangel gedreht, doch in ihrem Bauch war noch immer flüssige Glut. Als Sacha ihr ein Kelchglas mit schäumendem, gekühltem Champagner reichte, leerte sie es in einem Zug und forderte ihn sogleich zum Nachschenken auf.

«Dann machen Ihnen unsere kleinen Spiele also Spaß», sagte er, als der perlende Champagner erneut sprudelte. «Das habe ich in dem Moment gewusst, als ich Ihnen gestern Abend in die Augen geblickt habe. Während ich Beatrice gezüchtigt habe ...» Er bedachte die Ärztin mit einem Blick, der besagte, dass sich die Prozedur schon bald wiederholen würde. «Ich glaube, Sie werden es genießen, Ihre Schulden zu begleichen.»

Die Andeutung eines Lächelns umspielte seine schmalen, feingezeichneten Lippen. Alexa wusste, er hatte recht. In diesem exklusiven Restaurant zum Höhepunkt gebracht zu werden hatte sie erschreckt, aber auch bis zum Äußersten erregt. Das Adrenalin kreiste in ihren Adern, und als sie erst D'Aronvilles Hand ansah und dann die von Beatrice, wünschte sie, die beiden wären noch immer zwischen ihren Beinen zugange.

Sie stellte sich vor, sie läge rücklings mit entblößter Scham und weit gespreizten Beinen vor ihnen auf dem Tisch. Einer nach dem anderen traten alle Restaurantgäste – jeder Mann und jede Frau – zwischen ihre Schenkel und küssten, streichelten oder nahmen sie, je nach Vorliebe; während sie, ihr Opfer und ihre Göttin, immer wieder zum Höhepunkt kam. So lange, bis das Tischtuch unter ihrem Hintern mit ihren Säften getränkt und ihre Kehle von den Lustschreien ganz ausgedörrt war.

Ein Fingerschnipsen unterbrach ihre erotischen Phantasien.

«Hey. Wo warst du denn mit den Gedanken?», fragte Beatrice sanft, dann nickte sie dem Ober zu, der mit dem Schreibblock in der Hand auf ihre Bestellung wartete.

Alexa trank einen Schluck Champagner und schaute in die Speisekarte, die noch immer aufgeschlagen vor ihr lag. Vor lauter Orgasmen und Angst hatte sie ganz vergessen, dass sie noch nicht gespeist hatten.

«Das nehme ich!», sagte sie mit Nachdruck und zeigte auf das berüchtigte Tagesgericht. Beatrice musste lachen, und dann stimmte auch D'Aronville in ihr Gelächter ein.

13. Kapitel ～ Sünden büßen im Süden

Im Verlauf der nächsten Tage machte Alexa sich eine Menge Gedanken über dieses Gelächter, und auch jetzt auf ihrem Erste-Klasse-Sitz, als das Flugzeug gerade mit dem Landeanflug auf Nizza begann, meinte sie es wieder zu hören.

Sie hätte sich nie träumen lassen, dass sie einmal allein nach Frankreich reisen würde, doch irgendwie kam es ihr passend vor. Sie war auf eigene Faust nach Barbados gereist, und ihr Leben hatte sich grundlegend verändert. Welche Folgen würde dann diese Reise haben? Die Worte «Côte d'Azur» hatten einen legendären Klang, und der mythische Glanz färbte auf die Menschen ab, die dort lebten oder hin und wieder dort Urlaub machten. Jedenfalls auf die, die sie bislang kennengelernt hatte.

D'Aronvilles «ein paar Tage in Frankreich» hatten ihr weit weniger Ärger eingebracht als befürchtet. Nachdem ihr klar geworden war, dass sie das Angebot nicht ablehnen konnte, hatte sie zunächst angenommen, dass es nicht leicht sein würde, Tom das Vorhaben schmackhaft zu machen.

Doch sie hatte sich getäuscht.

Voller Begeisterung hatte sie ihm von einer Bekanntschaft erzählt, die sie auf Barbados geschlossen habe und der ein Geschäftsessen gefolgt sei, und als sie ihm eine große Summe nannte – den «Vorschuss», den D'Aronville ihr angeboten hatte –, hatte er widerwillig sein Einverständnis dazu erklärt, dass sie nach Frankreich flog und die Einzelheiten mit dem Kunden besprach.

Wenn du nur wüsstest, Tom, dachte sie nun. Wenn du nur wüsstest, welche Einzelheiten gemeint sind. Sie war im Begriff, ihren Körper auszuliefern und ihren freien Willen preiszugeben. Von der Vorstellung, schon bald hilflos zu sein, ein reines Sexobjekt, wurde ihr ganz schwindelig, und sie verspürte ein erwartungsvolles Prickeln im Bauch. Der Vorfall in Selene's Kitchen war genau das gewesen, was D'Aronville gemeint hatte – nämlich ein Anfang. Ein Vorgeschmack. Und seitdem war Alexa praktisch ständig erregt gewesen.

Und sie hatte sogar wieder mit Tom geschlafen.

Als sie, noch ganz benommen vom Champagner und den Orgasmen, vom Essen mit Beatrice und Sacha nach Hause gekommen war, hatte sie dem Zorn ihres Verlobten dadurch die Spitze genommen, dass sie ihm berichtet hatte, sie habe soeben einen neuen Vertrag unter Dach und Fach gebracht. Es gehe um eine Überarbeitung des internen Buchhaltungssystems der Société Financière D'Aronville. Er hatte zwar Bedenken gehabt, doch die waren durch die Geldsumme, um die es ging, zerstreut worden.

Abends im Bett hatte er leidenschaftlich, wenn auch wortlos, reagiert, als Alexa ihn zu streicheln begann. Im Handumdrehen war sein Schwanz steif geworden, und er war in sie eingedrungen; seine Leidenschaftlichkeit war für sie ebenso überraschend wie befriedigend gewesen.

Das Flugticket war am nächsten Tag eingetroffen, und kurz darauf waren auch die Kleider geliefert worden. «Eine Garnitur für die Reise», hatte die beiliegende geheimnisvolle Mitteilung gelautet, verfasst in einer nüchternen, eleganten Handschrift. «Tragen Sie das, sonst nichts. Alles, was Sie brauchen, werden Sie von mir bekommen.»

«Das» war ein Designerkostüm, dessen Farbe irgendwo zwischen Königsblau und Marineblau angesiedelt war. Es hatte einen raffinierten, aber wundervollen Schnitt, mit einem Pograbscher-Rock und einer strengen, funktionellen Jacke. Es war ihr wie auf den Leib geschneidert und keinen Millimeter zu weit, doch das war offenbar Absicht.

Außerdem waren noch mehrere andere Pakete geliefert worden, alle von exklusiven Läden, darunter auch ein Paket vom Circe. Darin befanden sich marineblaue Schuhe mit den höchsten Absätzen, die Alexa je gesehen hatte; eine dazu passende Handtasche, komplett mit Make-up und all den anderen Utensilien, die für Frauen unverzichtbar waren, darunter auch eine erstaunlich altmodische Haarbürste mit Holzgriff; und genau die Art Unterwäsche, mit der sie gerechnet hatte.

Der schwarze Bügel-BH schob ihre Brüste nach oben und innen, ließ sie mit seinen winzigen Spitzenkörbchen aber nahezu unbedeckt; der dazu passende Strumpfgürtel war aus hauchdünner Spitze und Borte; und die blauschwarzen Strümpfe waren aus Seide und hatten eine Naht. Ein Slip war nicht dabei.

Als sie sich angekleidet und wie verlangt ein lebhaftes Make-up aufgelegt hatte, kam Alexa sich vor wie eine Edelnutte. Im Flugzeug konnten die Männer die

Augen nicht von ihr lassen, und als sie in dem hautengen Rock Platz genommen hatte, zeigte sie ihre Beine vor. Zwischen Rocksaum und Schambein war kaum eine Handbreit Stoff, und es war völlig aussichtslos, die Strumpfbänder verbergen zu wollen. Wenn sie auf dem Sitz hin und her rutschte, nahm sie den schwachen Moschusduft ihrer Möse wahr und stellte sich vor, wie er sich in der Luft verteilte. Da sie keinen Slip trug, ließ sich der Duft nicht unterbinden, außerdem wurde sie von Minute zu Minute feuchter. Auf halber Strecke ertappte sie sich auf der Flugzeugtoilette dabei, wie sie masturbierte. Sie wollte sich zum Höhepunkt bringen – sich fieberhaft befingernd, die zitternden Beine gegen die Wand gestemmt –, doch in D'Aronvilles Nachricht hatte es geheißen: «Fassen Sie sich nicht an. Keine Orgasmen, bis ich es Ihnen erlaube.»

Als das No-Smoking-Schild aufleuchtete, schnallte sie sich an und biss die Zähne zusammen, da der Spitzen-BH an ihren Brüsten scheuerte. Sie war so erregt, dass ihre Möse beim leisesten Druck zu pulsieren begann. Die Vibrationen beim Landeanflug brachten sie zum Stöhnen.

Der langsame Sinkflug dauerte scheinbar eine Ewigkeit, und Alexa hatte hinter ihren geschlossenen Lidern Visionen …

Zunächst sah sie sich selbst im Mittelgang stehen, weit vorgebeugt und das Gesicht auf den Sitz gelegt, während ein Unbekannter ihren nackten Hintern knetete. Dann war es Sacha D'Aronville, der ihr gegenübersaß und ihren Kopf am Haar schmerzhaft in die Lücke zwischen den Sitzen zerrte, um sich von ihr sein erigiertes Glied lutschen zu lassen. Das Flugzeug legte sich auf die Seite, und auf einmal stand Beatrice neben ihr, langte in den Ausschnitt ihrer wunderschönen blauen Jacke und brachte eine silberne Klemme an ihrer Brustwarze an …

Als das Flugzeug aufsetzte, schrie Alexa auf und erlebte einen leichten Orgasmus. Sie war sich bewusst, dass einige Passagiere sie neugierig musterten, brachte aber nicht die Energie auf, verlegen zu werden. Sollten sie doch denken, was sie wollten; sie bedeuteten ihr nichts. Sie war es, die gerufen worden war und deren Dienste verlangt wurden; die engstirnigen Moralvorstellungen dieser Leute gingen sie nichts mehr an.

Beim Aussteigen mühte sich Alexa träumerisch mit dem verrutschten Rock und den unbequem hohen Absätzen ab. Sie hatte an Bord ein Glas Champagner getrunken, doch es war nicht der Alkohol, der ihr zusetzte. Es waren der ersehnte Sex und ihre Bestimmung, die sie benommen machten.

Sie beschirmte mit der Hand die Augen vor der Sonne und blinzelte in den Himmel der Côte d'Azur. Auf einmal war sie froh, am Leben und hier zu sein. Ihr Karibikurlaub war noch gar nicht lange her, doch irgendwie kam ihr die Sonne hier im Süden Frankreichs viel heißer vor. Die Flughafengebäude waren in ein goldenes, dekadentes Licht getaucht, und die Gerüche kitzelten ihre Sinne. Der Duft der Pinien, der Kräuter und anderer berauschender Pflanzen war trotz des Kerosin- und Teergestanks deutlich wahrnehmbar.

Als sie dem attraktiven Zollbeamten ein strahlendes Lächeln schenkte, nahm Alexa seinen Wunsch wahr, sie zu berühren. Ihr erotischer Extrasinn war dermaßen geschärft, dass es beinahe wehtat, und die Folge davon war, dass die von der Umgebung – einem der hedonistischsten, vergnügungssüchtigsten Orte der Welt – ausgehenden Reize nahezu ungefiltert auf sie einprasselten. In ihrer unmittelbaren Nähe dachten anscheinend alle an Sex, wodurch sie sich ihres eigenen Verlangens umso deutlicher bewusst wurde.

Als sie hinter der Schranke ein vertrautes Gesicht entdeckte, hätte sie beinahe aufgeschrien, so stark begehrte sie ihn.

Drew war für das warme Wetter ebenso unpassend gekleidet wie sie. Bei ihrer letzten Begegnung war er fast nackt gewesen, bekleidet mit knappen weißen Shorts, die nichts verbargen; jetzt trug er von Kopf bis Fuß lediglich Schwarz. Ein seidenes Polohemd umhüllte seinen kräftigen Oberkörper, dazu trug er eine schwere Jeans, deren Hosenbeine in Stiefeln aus weichem Leder steckten. Seine Augen waren hinter einer Ray-Ban-Sonnenbrille verborgen, und er sah aus wie der Wächter einer düsteren Geheimgesellschaft. Alexa machte sich schaudernd klar, dass dies der Wahrheit vielleicht sogar recht nahe kam.

Sein Lächeln allerdings war genauso strahlend wie auf Barbados. Unkompliziert und wunderschön.

«Willkommen in Nizza, Alexa», begrüßte er sie mit warmer, tiefer Stimme. Sie hatte den Eindruck, es sei nur Minuten her, dass sie unter dem langsam rotierenden Ventilator in der Cabana gelegen hatten, sein Schwanz tief in ihr versenkt.

«Ich ... ich habe nicht erwartet, dich hier zu sehen», stammelte sie, von ihren Phantasien und seinem Anblick aus der Fassung gebracht. Wenn Drew hier war, dann auch Beatrice; obwohl sie eigentlich damit hätte rechnen sollen, war die Vorstellung gleichwohl alarmierend. Sacha D'Aronville allein war schon Herausforderung genug, doch Beatrices Anwesenheit komplizierte alles noch weiter.

«Ach, ich komme halt viel herum», erwiderte Drew, während Alexa noch schwankte, wie sie ihn begrüßen sollte. In der Karibik hatten sie miteinander geschlafen. Er hatte sie gefickt, und sie hatte in seinen Armen vor Erregung geschluchzt, doch ihr Abschied war in Beatrices Anwesenheit betont zurückhaltend ausgefallen. So, wie er in seiner abweisenden schwarzen Kleidung aufrecht und selbstsicher vor ihr stand, war wohl eher ein Händeschütteln angesagt, auch wenn Alexas Libido nach mehr, nach sehr viel mehr, verlangte.

Am liebsten hätte sie sich an ihn geheftet wie eine Schnecke an einen Stein, ihren offenen Mund auf seine Lippen gepresst und ihn überall gestreichelt. Sie wollte, dass er sie auf die gleiche Weise berührte wie auf Barbados und dass sein Glied hart würde, während sie ihre Zunge gegen seine drückte.

Während sie noch zögerte, übernahm Drew die Initiative, fasste sie beim Oberarm und geleitete sie entschlossen aus dem Flughafengebäude.

«Sie warten schon», sagte er gelassen, als sie protestieren wollte, dann lächelte er einfach und führte sie zum Parkplatz.

Alexa hätte sich gern mehr Zeit gelassen und die ungewohnte Umgebung, die Geräusche und fremdartigen Gerüche auf sich wirken lassen, doch Drew hatte offenbar andere Vorstellungen. Er wirkte höflich, sogar liebenswürdig, doch Alexa konnte sich des Eindrucks nicht erwehren, dass sie abgeführt wurde. «Sie» – wahrscheinlich waren damit Sacha und Beatrice gemeint – warteten …

Auf dem Parkplatz kam der nächste Schock. Sie hatte damit gerechnet, dass sie in einem besonderen Wagen zu Sacha D'Aronville chauffiert werden würde, vielleicht in einem Bentley, einem Mercedes oder einem Rolls-Royce. Drew aber blieb vor einem viel weniger bequemen Gefährt stehen; einem flachen roten Monstrum, das ein Ferrari sein musste.

«Du erwartest doch wohl nicht, dass ich da einsteige!», protestierte Alexa mit Blick auf ihren superkurzen Rock und dachte an ihre Strümpfe und ihre nackte Scham.

«Entweder das, oder du gehst zu Fuß», erwiderte Drew mit einem Unterton von Unnachgiebigkeit in der Stimme. «Eigentlich solltest du dich geehrt fühlen. Normalerweise lässt D'Aronville seine Gäste nicht mit dem Ferrari abholen.»

An der Art und Weise, wie er das Wort «Gäste» betonte, merkte Alexa, dass er über ihre Situation Bescheid wusste und Kenntnis davon hatte, dass sie in den nächsten Tagen keinerlei Mitspracherechte hatte. Ihre Schmach bewirkte, dass sie feucht wurde.

Auf den hohen Absätzen schwankend, ließ Alexa sich regelrecht in den flachen, furchteinflößenden Wagen hineinstopfen. Als sie die Hüften herumschwenkte und den Hintern auf den Schalensitz absenkte, rutschte ihr wie erwartet der Rock über die Schenkel hoch, und ihr unbedeckter Schamhügel kam zum Vorschein. Drew sog scharf den Atem ein, verzog aber keine Miene. Außerdem war sie sich undeutlich bewusst, dass sie von einer Gruppe junger Männer angestarrt wurde, die neben dem Wagen standen, doch ehe sie auf deren erstaunten Ausrufe reagieren konnte, war sie wie eine unerreichbare Prinzessin im Ferrari verstaut, und Drew schritt zur Fahrerseite.

Durch die getönten Scheiben vor neugierigen Blicken geschützt, ließ Alexa sich tief in den Sitz sinken, während Drew den Zündschlüssel drehte und mit grollendem Motor vom Schauplatz ihrer Zurschaustellung verschwand. Der Rocksaum war schon wieder hochgerutscht und hatte den Blick auf ihre Strumpfbänder freigegeben, doch das war ihr inzwischen egal. Drew hatte das alles schon mal gesehen, weshalb hätte sie ihre Reize jetzt vor ihm verbergen sollen? Verstohlen rutschte sie auf dem Sitz noch ein Stückchen weiter vor.

«Willst du dich vor mir entblößen?», fragte er, als sie auf die breite Küstenstraße einbogen.

Bedrängt von ihren geheimen Wünschen, errötete Alexa, während ihr unter den Achseln und im Dekolleté der Schweiß ausbrach. Die enge Kostümjacke zwängte sie ein wie ein Korsett, und da sie sich bemüht hatte, die Anweisungen exakt zu befolgen, glühte ihr ganzer Körper vom Gefühl der Demütigung. Als sie den Blick senkte, sah sie die dunklen, schmalen Strumpfbänder und ein paar Löckchen ihres schwarzen Schamhaars, die unter dem Rock hervorlugten. Sie wusste nicht, was sie auf Drews Frage erwidern sollte, denn die Tatsachen sprachen für sich.

«Also, dann hast du deine Sache gut gemacht», sagte Drew und wies mit dem Kinn auf ihre Scham, während er um eine Kurve fuhr, die Ausblick bot auf die steilen Felsklippen und das Meer. In der Tiefe leuchtete das Mittelmeer in einem geheimnisvollen, beinahe kristallklaren Blau, und der reflektierte Sonnenschein glich einem Tanz von Glühwürmchen.

Alexa blickte auf die flache Bucht hinaus und tat so, als betrachte sie eine Segelyacht, legte gleichzeitig die Hände auf den Rock und schob ihn nach oben. Als ihre Blöße frei lag, stöhnte sie leise auf, während sich die Erregung wellenförmig in ihr ausbreitete. Sie war halbnackt. Verletzlich. Genau die Schlampe, die D'Aronville in ihr sehen wollte ... Wie zuvor im Flugzeug war sie auch jetzt wieder dem Höhepunkt gefährlich nahe, und ihre Finger, die auf dem Rand des Ledersitzes ruhten, juckten vor Vorlangen, ihr Geschlecht zu berühren.

«Tu's nicht», sagte Drew mit unvermittelt kühler Stimme. «Er hat nein gesagt. Du sollst erst kommen, wenn er es dir erlaubt.»

«Wer hat nein gesagt?», entgegnete Alexa der Form halber. Sie rutschte inzwischen unruhig auf dem Sitz hin und her und hätte sich am liebsten zwischen die Schenkel gefasst und sich stimuliert. Ihre Schamlippen waren angeschwollen, ihr Kitzler stand in Flammen.

«Das weißt du doch», meinte Drew. Hinter seiner undurchsichtigen Ray-Ban-Brille wirkte er gelassen und distanziert, doch seine schwarze Jeans wies im Schoß eine verdächtige Ausbuchtung auf. «Du bist auch so schon viel zu weit gegangen.»

Als Alexa die Schenkel anspannte, spürte sie, wie ihre Schamlippen sich öffneten. Der Rock war inzwischen bis zur Hüfte hochgerutscht, und ihr Bauch leuchtete golden im Sonnenschein, der durch die getönten Scheiben fiel. Als sie mit der Fingerspitze durch die feuchten schwarzen Löckchen fuhr, spürte sie, dass Drew lächelte. Sie war auf eine Ermahnung gefasst, doch stattdessen bremste er ziemlich scharf ab und bog, begleitet vom Hupkonzert der nachfolgenden Wagen, die er zum Bremsen gezwungen hatte, von der Küstenstraße ab.

Alexa erstarrte, die Fingerkuppe des Zeigefingers nur Millimeter vom Kitzler entfernt, während Drew mehrere scharfe Kurven nahm und auf noch schmalere, mit Schlaglöchern übersäte Nebenstraßen abbog, bis sie schließlich über einen Feldweg holperten, der mitten durch ein Myrtengehölz führte.

«Bitte steig aus», sagte er leise, als der Wagen zum Stehen kam. Als Alexa am Rocksaum nestelte, setzte er hinzu: «Und mach dir keine Sorgen wegen deines Rocks.»

Es war niemand in der Nähe; trotzdem stürzte es sie in Verlegenheit, mit nacktem Po und entblößter Scham auszusteigen. Das war nicht der attraktive, sanfte Drew, der auf Barbados so einfühlsam mit ihr geschlafen hatte. Das war ein neuer Drew Kendrick, ein emotionsloser Wächter, der in Beatrices und Sachas Diensten stand. Er würde ihren Willen bedenkenlos ausführen und es wahrscheinlich sogar genießen, denn es war ihr Wille, sich ihres neuen Spielzeugs zu erfreuen.

«Was hast du vor?», fragte sie und wich zurück, als er sich ihr näherte.

«Ich befolge einfach meine Anweisungen», antwortete er und fasste sie beim Arm. «Nur keine Panik.»

Der ironische Unterton seiner Stimme ließ Alexa aufhorchen. Sie musste an andere Anweisungen denken, die er gewissenhaft befolgt hatte.

«So, wie du auf Barbados Anweisungen befolgt hast, stimmt's?», meinte sie spöttisch. Sie wollte ihn verunsichern, doch das gelang ihr nicht. Er drehte sie um und drückte ihr Gesicht auf die heiße, rote Motorhaube des Wagens, sodass die Sonne auf ihren nackten Hintern schien.

«Natürlich», sagte er mit ruhiger, nahezu sanfter Stimme. «Obwohl ich nicht behaupten kann, dass es mir unangenehm gewesen wäre.»

«Du Schuft! Du ver–»

Als seine flache Hand auf ihren nackten Po klatschte, erstarb ihr die zornige Beschimpfung auf den Lippen. Es war das erste Mal, dass ein Mann sie geschlagen hatte, und es tat unglaublich weh. Die eine Hinterbacke stand auf einmal in Flammen, und sie meinte zu spüren, wie sie anschwoll. Als sie sich aufrichten wollte, legte Drew ihr die andere Hand ins Kreuz, dann folgten die Schläge in gleichmäßigem Rhythmus hintereinander.

Es war wie in einem Albtraum. Sie begriff kaum, wie ihr geschah. Sie wand sich auf der Motorhaube eines Ferrari, irgendwo im provenzalischen Hinterland. Sie wurde gezüchtigt, sehr schmerzhaft und sehr effizient, weil ein Mann, dem sie gerade erst zum zweiten Mal begegnet war, ihr verboten hatte, es sich selbst zu besorgen.

Und Drew, dieser Mistkerl, tat ihr richtig weh! Drew, den sie für sanft und freundlich gehalten hatte; Drew, von dem sie geglaubt hatte, er habe sie gern. Wenigstens ein bisschen …

«Was fällt dir ein?», fragte sie schniefend, denn die unsanfte Behandlung ihres Hinterteils trieb ihr die Tränen in die Augen. «Warum tust du das?»

«Ich habe meine Anweisungen», wiederholte er und landete einen wuchtigen Schlag auf der Unterseite von Alexas linker Backe, sodass sie aufquiekte, blindlings hinter sich griff und den nächsten Hieb abzuwehren oder zu mildern suchte. Mit erschreckender Schnelligkeit und Gewandtheit packte er mit der Linken erst ihre eine Hand und dann die andere und hielt sie fest, während er mit der Rechten unablässig zuschlug.

«Und du … du tust alles, was man von dir verlangt?», fragte Alexa, dann heulte sie unter einem gutgezielten Hieb auf.

«Wie ich schon sagte», meinte Drew, «ich stehe in Beatrices Schuld. Ich schulde ihr sehr viel. Und sie steht in D'Aronvilles Schuld … Das ist alles miteinander verknüpft. Verstehst du das denn nicht?» Seine Frage unterstrich er mit einem besonders kräftigen Hieb.

Alexa schluchzte eine Weile, während ihr Widerstand unter den Hieben immer mehr dahinschmolz. Es hatte etwas köstlich Schwächendes und Sinnliches, auf der Motorhaube zu liegen und den Hintern versohlt zu bekommen. Ihren Stolz aufzugeben war genau so erotisch, wie sie es sich vorgestellt hatte, und der brennende Schmerz hatte eine erstaunliche Wirkung.

Bestürzung und Zorn hatten ihre Erregung kurzzeitig gedämpft, doch als die Züchtigung andauerte, baute sie sich in ihrem Bauch neu auf. Sie litt, und ihre Gedanken schweiften ab. Auf einmal sah sie wieder vor sich, wie Beatrice mit dem Stock geschlagen wurde; sie hörte ihre Schmerzens- und dann ihre abgehackten Lustschreie. Sie erinnerte sich, wie sehr sie sich gewünscht hatte, die Gefühle der Ärztin zu verstehen: Jetzt verstand sie sie. Unwillkürlich wand sie sich und spreizte die Schenkel.

«O nein, tu das nicht», sagte Drew leise, ließ ihre Hände los und hob sie von der funkelnden Motorhaube des Ferrari hoch. «Auch das ist dir nicht gestattet. Komm, setz dich wieder in den Wagen.»

Alexa war zu geschockt, um sich zu ärgern, doch als sie auf den niedrigen Beifahrersitz glitt, stöhnte sie laut auf und fluchte mit zusammengebissenen Zähnen. Das glatte Lederpolster fühlte sich an ihrer brennenden Haut kühl an, doch der Kontrast verstärkte den Schmerz anscheinend. Ihr Rock war noch immer bis zur Hüfte hochgeschlagen, und ihn herunterzuziehen kam gar nicht in Frage. Und so saß sie einfach da mit entblößtem Geschlecht und ließ sich von Drew chauffieren.

Anscheinend fuhren sie zur Villa Isis, denn Drew hatte ihr gesagt, dass dies D'Aronvilles Sommerwohnsitz sei. Seine Reiseinstruktionen waren vage gewesen – vermutlich mit Absicht –, weshalb sie keine Ahnung hatte, was sie in Frankreich erwartete.

Sachas Zufluchtsort bot jedenfalls einen imponierenden Anblick. Die Villa Isis lag inmitten eines großen, subtropischen Gartens, der von hohen weißen Mauern umgeben war. Vor dem Ferrari öffnete sich automatisch das Tor und schloss sich hinter ihnen wieder. Was auch immer Sacha D'Aronville mit ihr vorhaben mochte, es würde vor den neugierigen Blicken der Touristen verborgen bleiben …

Als sie die geschwungene, von hohen Pinien gesäumte Auffahrt entlangfuhren, wandte Drew ihr lächelnd das Gesicht zu. «Fürchtest du dich?», fragte er und zwinkerte ihr über den Rand der Ray-Ban-Sonnenbrille hinweg zu.

«Nein! Nicht im Geringsten!», erwiderte sie trotzig, obwohl sie durch und durch verängstigt war.

«Das solltest du aber», meinte er. «Monsieur le Maître hat sehr eigenwillige Gelüste. Was ich mit dir gemacht habe, war nur ein kleiner Vorgeschmack.»

«Blödsinn! Du wolltest mich nur scharf machen.» Obwohl es wehtat, setzte Alexa sich gerade auf und reckte herausfordernd das Kinn. «Außerdem bin ich vielleicht gar nicht so naiv, wie du meinst.»

Drew lachte und ließ den Wagen ausrollen.

Der Hof der Villa Isis war nicht nur wunderschön, sondern auch außergewöhnlich. Der Wagen hatte vor einem klassischen Portikus aus hohen, hellen Steinsäulen gehalten, und davor, inmitten eines Ovals aus geharktem Kies, lag ein Zierteich mit Goldfischen und Fontäne. Alexa wäre am liebsten aus dem Wagen gesprungen und hätte die Finger ins Wasser getaucht, doch dann hätte sie beim Vorbeugen ihren flammend roten Po entblößt. Wäre niemand in der Nähe gewesen, hätte sie sich vielleicht tatsächlich getraut, doch oben auf der Treppe, vor der Doppeltür, stand Camilla Fox und sah ihnen entgegen.

«Nun denn, meine mutige, wahrheitsliebende Alexa, dann steigen wir mal aus, was meinst du?», sagte Drew vergnügt, als Alexa zögerte.

Unter allerlei Verrenkungen schaffte sie es, den Rock ein wenig herunterzuziehen, fühlte sich aber immer noch halbnackt. Sie richtete sich auf und bemühte sich vergeblich, den Rock zu glätten, denn es irritierte sie, dass Drew und Sly beide grinsten. Die Krankenschwester schritt leichtfüßig die Treppe herunter und eilte ihnen entgegen. Ihr weißer Kittel glänzte in der Sonne, dass es den Augen wehtat.

«Freut mich, dich wiederzusehen, Alexa», murmelte Sly, als sie vor ihr stand, dann beugte sie sich vor, um Alexa zu küssen. Alexa, die mit einem Wangenkuss rechnete, wandte den Kopf zur Seite – worauf Sly ihr beide Hände ums Gesicht legte und sie rasch, aber leidenschaftlich auf den Mund küsste.

Als Sly ihr Gesicht losließ, zitterte Alexa. Während Sly ein makelloses Taschentuch hervorholte und sich die Lippen abtupfte, stand sie wie erstarrt da. Als wüsste sie auf geheimnisvolle Weise, dass ihr Lippenstift wiederhergestellt war, steckte die Krankenschwester das Taschentuch ein, ohne Alexa anzubieten, sich ebenfalls den verschmierten Lippenstift abzuwischen.

Auch wieder so ein Trick, dachte Alexa erbittert, als sie Sly in die erstaunlich große Eingangshalle folgte. Mein Kostüm ist zerknittert, mein Lippenstift verschmiert, meine Frisur ruiniert. Ich sehe aus wie eine Stricherin. Und ich rieche auch so, setzte sie im Stillen hinzu, als ihr der Geruch ihrer erregten Möse in die Nase stieg.

«Kommt. Beeilt euch. Wir dürfen sie nicht warten lassen», drängte Sly, im Laufschritt durch die Diele eilend. Alexa stöckelte ihr hinterher; das laute Klackern ihrer Absätze auf den Fliesen dröhnte ihr in den Ohren. Der Raum, den sie durchquerten, war wunderschön, voller kostbarer Antiquitäten, die eigentlich ein genaueres Hinsehen erfordert hätten, doch dies war nicht der rechte Moment, sie zu bewundern. Ihre Gebieter warteten offenbar schon ungeduldig; und in Anbetracht dessen, was sie auf der Party beobachtet und soeben am eigenen Leib erfahren hatte, würden sie ihren Unmut bedenkenlos an ihr auslassen.

Sie gelangten in eine weitere opulent ausgestattete Diele, dann schritten sie durch einen kleineren Raum voller Bücher und traten schließlich auf eine Terrasse – einen breiten weißgefliesten Patio, an dessen einer Seite eine Markise wohltuenden Schatten spendete. Darunter stand ein großes, weichgepolstertes Sofa mit Kissen und einer schwarzen Samtdecke. Die beiden Personen, die darauf saßen, kannte sie.

Sacha D'Aronville saß, die langen Beine lässig übereinandergeschlagen, an der einen Seite, nippte an einem Drink und las in einem Buch mit Ledereinband. Er wirkte ausgeruht und jugendlich für sein Alter, trug eine ausgebleichte Jeans und ein enges weißes T-Shirt.

Beatrice hingegen machte gar keinen entspannten Eindruck, jedenfalls, soweit Alexa das erkennen konnte. Die Ärztin kniete an der anderen Seite des Sofas, hatte den Kopf auf die Arme gelegt und das Gesicht in den Kissen vergraben. Das flammend rote Haar war auf ihren Schultern ausgebreitet, doch abgesehen von einem G-String aus schwarzer Spitze und Pantoletten mit Pfennigabsätzen, war sie vollkommen nackt. Ihr Hintern, den sie emporreckte wie eine läufige Hündin, war von drei blassen Striemen gezeichnet. Neben Sachas Schenkel lag ein Stock.

Als er das Geräusch von Alexas Schritten vernahm, blickte der Franzose von seiner Lektüre auf. Er lächelte mit funkelnden blauen Augen, legte das Buch weg und setzte das Weinglas ab.

«Alexa. Endlich», sagte er, als hätte er schon eine Ewigkeit auf sie gewartet. Er erhob sich geschmeidig und kam ihr entgegen.

« *Chérie* », murmelte er, ergriff ihre Hände und küsste sie, der typische Franzose, auf beide Wangen. «Willkommen in der Villa Isis. Du wirst hier glücklich sein … auch wenn es nicht immer angenehm für dich sein dürfte.» Er ließ ihre Hände los und blickte Beatrice an, dann lächelte er wieder und hob vielsagend die Augenbrauen. «Beatrice, erheb dich und begrüß unseren Gast. Du hast einen wunderschönen Arsch, mein Engel, aber ich glaube, Alexa möchte dir lieber ins Gesicht sehen.»

Die Ärztin erhob sich mit erstaunlicher Anmut; dass ihr Hintern von Striemen gezeichnet war, sah man ihrem blassen Gesicht nicht an. Sie legte sich einen Bademantel um – Alexa erkannte den Kimono wieder, den sie auf Barbados getragen hatte – und schwebte ihnen gleichsam entgegen, ungeachtet ihrer hohen Absätze.

«Meine Liebe», sagte sie und küsste Alexa. Ihre Lippen waren ein wenig feuchter als Sachas und verweilten länger. «Ich kann dein Geschlecht riechen, du unartiges Mädchen», flüsterte sie Alexa ins Ohr, dann küsste sie sie erneut. «Hast du im Wagen mit Drew Dummheiten gemacht?»

«N-nein», stammelte Alexa und errötete heftig.

«Sicher scheinst du dir aber nicht zu sein», meinte sie spöttisch und fuhr mit den Fingerrücken an Alexas bebendem Körper hinunter.

«Nicht *im* Wagen», setzte Alexa hinzu, sich Sachas Anwesenheit, seiner vor der Brust verschränkten Arme und seines aristokratischen, aufmerksamen Gesichts deutlich bewusst.

«Ah, dann warst du also tatsächlich unartig!», rief Beatrice triumphierend aus.

«Nein! Nein, war ich nicht!»

«Ach, meine Liebe, Widerspruch ist ein ganz ernstes Vergehen», sagte Beatrice und schwankte auf den Absätzen, wobei sich der Kimono um ihren cremefarbenen Leib bauschte. «Was hat sie sich sonst noch zuschulden kommen lassen, mein Lieber? Welche Vergehen hat sie begangen?», wandte sie sich an Drew, der unbemerkt hinter Alexa getreten war.

«Zügellose Rede. Zurschaustellung ihrer Nacktheit. Unerlaubtes Befummeln», zählte er mit ernster, aber volltönender Stimme auf.

«Wenn das so ist, wissen wir, was wir zu tun haben», meinte Beatrice, unvermittelt geschäftsmäßig geworden. Sie machte kehrt und ging mit Sacha D'Aronville zum Liegesofa zurück. «Du kannst sie schon mal vorbereiten, Drew», sagte sie leise, wartete einen Moment, bis Sacha Platz genommen hatte, dann senkte sie ihren Po behutsam auf seinen Schoß. Sacha rückte sie zurecht und schob ihr ohne weitere Umschweife seine lange Hand zwischen die Beine.

Ganz gefesselt von der erotischen Szene, zuckte Alexa zusammen, als Drew sie anfasste. Mit einer geschickten, energischen Bewegung riss er den Ausschnitt ihres teuren Kostüms auf, langte hinein und packte ihre Brüste. Er hob sie aus dem weit ausgeschnittenen BH heraus und ließ die beiden weichen Kugeln im Ausschnitt ihres Kostüms hängen, dann strich er mit den Fingern über die Spitzen ihrer Brustwarzen. Die Berührung war flüchtig, und Alexa drängte sich ihm unwillkürlich entgegen, um sie besser zu spüren. Drew aber nahm seine Hände fort und wandte sich stattdessen ihrem Rock zu. Mit der gleichen erregenden Heftigkeit, mit der er über die Jacke hergefallen war, riss er ihn nach oben, bis auf die Hüfte.

«Dreh sie um», sagte D'Aronville, Beatrice unablässig bearbeitend. Benommen beobachtete Beatrice, wie vier seiner Finger sich wie ein Kolben in gleichmäßigem

Rhythmus zwischen ihren gespreizten Schenkeln vor- und zurückbewegten, während sein abgewinkelter Daumen immer wieder gegen ihren Kitzler stieß.

«Ah», murmelte er, als Drew Alexa bei den Schultern packte und sie in Position brachte. «Ein geröteter Hintern. Davon habe ich auch nichts gesagt.»

«Aber das war er!», schrie Alexa, wandte sich um und zeigte auf Drew, der ein Stück abseits stand und wie zuvor D'Aronville die Arme vor der Brust verschränkt hatte. «Er hat mich auf die Motorhaube gedrückt und mir den Hintern versohlt.»

«Auf meinem Ferrari?» Sacha musste auf einmal grinsen; Alexas Verlegenheit machte ihm anscheinend ebenso viel Spaß wie Beatrices Zappelei. Die Ärztin stöhnte jetzt, der Mund stand ihr vor Erregung offen, ihre Hüften zuckten, und ihre blassen Schenkel bebten. «Und du hast ihn einfach machen lassen?», fuhr der Franzose fort, und seine Augen funkelten, als stünden sie in Flammen.

Alexa begriff, dass es keinen Ausweg mehr für sie gab. Was immer sie sagte, würde zu ihrem Nachteil ausgelegt werden; die Züchtigung war unvermeidbar. Widerwillig löste sie den Blick von Beatrice und richtete ihn auf die im Schatten liegende Wand.

«Würdest du mir bitte Alexas Handtasche bringen, Camilla?», bat Sacha, während Beatrice wimmerte wie ein Baby und Alexa ihre Lust am eigenen Leib zu spüren meinte. «Da ist etwas drin, was wir brauchen.»

Ach Gott, nicht die Haarbürste! Die war nämlich so ... so schwer!

Warum muss gerade mir das passieren?, überlegte Alexa, während sich das Warten scheinbar endlos hinzog. Wie konnte ich das nur zulassen? Das ist nicht mal Sex! Es geht um Demütigung. Um Schmerz. Erniedrigung. Wieso bin ich dann trotzdem feucht? Wieso ist meine Möse geschwollen, und ich will kommen?

Als sie hinter sich das Geräusch von Slys flinken Schritten vernahm, spürte Alexa, wie ihr der Saft am Bein hinunterlief. Jeden Moment würde es passieren, und es würde viel stärker wehtun als Drews Hand.

Hinter ihr entstand einige Bewegung, doch Alexa blickte starr an die Wand. Sie stellte sich vor, wie ihre Handtasche geöffnet und die Bürste herausgenommen wurde. Vor ihrem geistigen Auge sah sie, wie Drew sie prüfend in der Hand wog. Sie sah, wie seine Finger erst über das honigfarbene Holz und dann mit gleicher Behutsamkeit über ihre Haut streiften. Um Himmels willen, wie war sie eigentlich darauf gekommen, dass allein Sacha ein Experte für Züchtigungen war?

«Bitte einen Stuhl, Sly», sagte plötzlich der Franzose mit einem kaum merklichen Stocken. Ging ihm das, was er mit Beatrice anstellte, nun doch endlich nahe? Das Stöhnen der Ärztin klang inzwischen geradezu mitleiderregend, so als wäre sie am Ende ihrer Leidensfähigkeit.

Dann wurde etwas Schweres über die Fliesen geschleift; unwillkürlich wandte Alexa den Kopf. Obwohl Drew und Sacha ihr tadelnde Blicke zuwarfen – schließlich hatte sie sich schon wieder ohne Erlaubnis bewegt –, musterte sie den Stuhl aus Buchenholz, der nur wenige Schritte von dem Paar auf dem Sofa entfernt in der Mitte des Patios stand.

Der Stuhl war einfach und massiv, keine unbezahlbare Antiquität und auch kein modernes Designerstück. Offenbar war er speziell für diesen Zweck ausgewählt worden. Nach einer Weile nahm Drew darauf Platz, sein sonnengebräuntes Gesicht eine glatte, ausdruckslose Maske. Sly, die bei dieser Gelegenheit offenbar die Rolle der Gehilfin spielte, trat vor ihn hin und reichte ihm seine normale Brille mit Goldfassung, worauf er die Sonnenbrille abnahm und sie gewissenhaft durch die Goldrandbrille ersetzte. Als das zu seiner Zufriedenheit erledigt war, entfernte sich die Krankenschwester wieder und kehrte mit der Haarbürste zurück.

«Nun, Alexa», sagte Sacha, die Hand immer noch an Beatrices feuchtglänzender Möse. «Möchtest du wissen, wie es weitergeht? Hat dich schon einmal ein Mann übers Knie gelegt?»

Ich hab auf einem Ferrari gelegen, das ja, dachte sie, aber nicht auf einem Schoß. Mit leiser Stimme antwortete sie: «Nein.»

«Dann tritt vor und leg dich über Drews Knie. Keine Sorge, er weiß, was er zu tun hat.»

Darauf möchte ich wetten, dachte Alexa und gehorchte wie ein Roboter. Mit einer Selbstverständlichkeit, die sie selbst in Erstaunen versetzte, legte sie sich über Drews Schenkel und fand wie von selbst die richtige Lage. Drew rückte ihre Beine zurecht, worauf sie noch etwas weiter vorrutschte, und auf einmal hatte sie das Gefühl, sie hätte dies schon ihr Leben lang getan. Trotz ihrer Angst und ihres Widerwillens, ihren nackten, geröteten Hintern vor aller Augen zu präsentieren, und trotz ihrer intensiven, nahezu quälenden Erregung dämmerte ihr allmählich, dass sie sich in dieser Rolle «zu Hause» fühlte. Und der Laut, den sie bei der ersten Berührung von sich gab, kündete eher von Freude als von Furcht oder dem Gefühl, bedrängt zu werden.

«Gut», murmelte Sacha D'Aronville, als verstünde er ihre Gefühle genau. «Bitte die Bürste, Camilla», befahl er, und Alexa spürte, wie die Krankenschwester näher trat, das gefürchtete Objekt übergab und dann wieder beim Sofa Aufstellung nahm. «Wenn du bitte in deinem eigenen Rhythmus beginnen würdest, Drew», drängte der Franzose leise, während Beatrices Lustschreie erneut erklangen.

Was um Himmels willen stellt er mit ihr an?, fragte Alexa sich, die im Moment nur Drews Stiefel und die Bodenfliesen sehen konnte. In ihrer Vorstellung aber sah sie Beatrices gespreizte Schenkel, das nasse, rosige Geschlecht und dann, als die Bürste auf ihren Hintern klatschte, nur noch ein reines, flammendes Weiß.

Es war ein Moment reinen Schmerzes, und ihr überraschter Aufschrei wurde augenblicklich von der stöhnenden Beatrice übertönt. Instinktiv wollte Alexa sich an den Po fassen, doch Drew fing ihre Hand geschickt ab.

«Nein. Das darfst du nicht», flüsterte er. Es war seine erste Bemerkung nach längerem Schweigen, und er klang atemlos und weit weniger gelassen als zuvor.

Alexa gehorchte, vermochte ihre heftigen Hüftbewegungen aber nicht zu unterbinden. Der erste Hieb pulsierte wie ein Dämon in ihrem Fleisch, und die davon ausgehende Hitze flutete durch den Hintern in ihr Geschlecht. Das Bedürfnis, sich an die schmerzende Stelle zu fassen, war ebenso stark wie der Wunsch, sich den Kitzler zu reiben, und beide waren so übermächtig, dass sie unwillkürlich aufschluchzte.

Ach Gott, steh mir bei, dachte sie. Und das war gerade mal der erste Hieb …

14. Kapitel ➳ Szenen aus dem Traum eines unartigen Mädchens

Alexa lag in einem kühlen, nach Kräutern duftenden Raum, und der Luftzug spielte mit dem dünnen Netzvorhang. Noch immer spürte sie den ersten Hieb …

Wie alle folgenden hatte er sie in einen Zustand der Raserei versetzt und ihre Wahrnehmung gleichzeitig geschärft. Sie hatte beinahe gemeint, die Beschaffenheit des Schmerzes analysieren zu können – massiv und atemberaubend –, während sie sich gleichzeitig gewundert hatte, wie eine solche Erfahrung, ein solch grässliches Gefühl, es vermochte, ihren Körper zu entflammen und eine derartige Gefühlsekstase auszulösen. Allein schon bei dem Gedanken an das schwere, unnachgiebige Holzstück, das, bewegt von Drews kräftigem Arm, auf ihren bereits schmerzenden Hintern niedergesaust war, zuckte ihr noch Stunden danach die Möse und wurde feucht, während sie bäuchlings und gefesselt im Bett lag.

Abgesehen vom Flattern der Vorhänge und dem allgegenwärtigen Zirpen der Zikaden, herrschte in Alexas Zimmer tiefe Stille. Der perfekte Ort, um die Geräusche in sich nachklingen zu lassen: ihr schrilles, klägliches Gewinsel um Gnade, obwohl sie genau wusste, dass sie ihr vorenthalten werden würde; Beatrices gutturales

Ächzen und Stöhnen, als Sacha ihrem bereits erschöpften Körper einen Orgasmus nach dem anderen abrang …

Was passiert jetzt mit Beatrice?, dachte Alexa. Sie stellte sich vor, dass die Ärztin in diesem Moment auf einem ganz ähnlichen Bett lag. Allerdings würde sie auf dem Rücken liegen; die langen, anmutigen Schenkel von Kissen gestützt und weit gespreizt, damit der Luftzug ihr die Möse kühlte. Sie war nackt oder hatte sich allenfalls ein Tuch um Schultern und Brüste gelegt, und Sly hatte sich bestimmt um sie gekümmert. Die einfühlsame Krankenschwester hatte ihre geliebte Arbeitgeberin auf die gleiche Weise versorgt wie Alexa, bloß dass sie in Beatrices Fall das schmerzlindernde Gel nicht nur auf das malträtierte Hinterteil, sondern auch auf den brennenden und gereizten Genitalbereich aufgetragen hatte.

Von erotischen Vorstellungen bedrängt, warf Alexa den Kopf auf dem Kissen hin und her. Sie stellte sich Beatrices saftig rote, offene Vulva vor und verspürte den überwältigenden Wunsch, sie zu küssen.

«Ich werde noch wahnsinnig», sagte sie und bewegte sich unruhig. Dann lächelte sie und fragte sich, ob die Tatsache, dass sie Selbstgespräche führte, vielleicht schon eine Bestätigung dafür war. Ich wurde geschlagen und gedemütigt, ich musste Dinge tun, die ich mir vor einem Monat nicht im Traum hätte vorstellen können, und will trotzdem noch mehr.

Wie wäre es wohl, jetzt auf dem anderen Bett zu liegen und wie ein Tier, das einen Festschmaus verschlingt, zwischen den langen, blassen Beinen Beatrices zu kauern? Für ein solches Vergnügen würde sie bestimmt bezahlen müssen.

Vielleicht würde sie gezüchtigt werden, während sie ihren Spaß hatte? Sie stellte sich vor, wie Sacha sie erst in den Hintern kniff und sich dann mit dem Stock darüber hermachte; Drew spreizte die brennenden, schmerzenden Backen auf, damit er die Schwanzspitze in sie hineinschieben konnte.

Nein, nein, nein! Sie stemmte sich heftig gegen die Fesseln, versuchte die Hüften anzuheben. Ihre Lenden waren wie mit Gewichten beschwert und geschwollen, ihr Kitzler schmerzte. Wenn sie sich nur ein bisschen bewegen, sich schräg legen könnte, dann hätte sie sich am Bett reiben und zum Orgasmus bringen können.

Sly! Um Himmels willen, bitte komm zurück!, flehte sie leidenschaftlich und erinnerte sich an die wohltuende Freundlichkeit, welche die Krankenschwester ihr hatte zuteil werden lassen.

Als sie unbeholfen von Drews Schoß geklettert war, hatte Sly sie gestützt. Sie hatte ihr geholfen, sich hinzuknien, und ihr tränenüberströmtes Gesicht an die Ausbuchtung in seiner Hose gedrückt. Als Alexas Peiniger die kräftigen Schenkel öffnete, war es die Krankenschwester, die ihm den Reißverschluss herunterzog, den schwarzen Nylonslip zur Seite schob und seinen steifen Schwanz hervorholte.

Benommen das Glied anstarrend, hatte Alexa unwillkürlich die Lippen geöffnet. Drew war in jeder Beziehung ein großer Mann; als er sie beim Kopf packte und ihr seinen Schwanz in den Mund schob, hatte sie gewürgt und gemeint, sie müsse sich übergeben. Dieses Gefühl währte jedoch nur einen Moment …

Als seine geschwollene Eichel gegen ihre Zunge und den Gaumen stieß, lockerte sich etwas in ihr. Auf einmal war mehr Platz für ihn, der Speichel floss in Strömen und dämpfte seine Stöße, und unwillkürlich schlang sie ihm die Arme um den Leib und streichelte ihm den Rücken, während sein Schwanz zwischen ihren Lippen zuckte.

«Braves Mädchen», sagte Sly an ihrer Seite und begann, ihr den Hals zu streicheln.

Von verwirrenden Empfindungen überwältigt, schluchzte sie, den Schwanz im Mund. Sie hätte gern auch die sanfte Krankenschwester umarmt. Sie wollte Teil der Lust sein, die sie um sich herum wahrnahm, und doch war die Erfahrung äußersten Frusts – das überwältigende Verlangen, das ihre Möse von innen her verzehrte –, beinahe schon selbst so etwas wie Lust. Sie spürte, wie sie in ihr anschwoll, sich in eine Flamme purer unbefriedigter Lust verwandelte, die von ihrem schmerzenden Hintern nur noch weiter angefacht wurde.

Gerade als sie meinte, sie könne es nicht länger ertragen, stöhnte Drew auf, explodierte und ergoss sich in ihrem Mund. Während sein Schwanz an ihrer Zunge zuckte, grub er ihr die Finger ins Haar. Kaum war er gekommen, entspannte sie sich wieder. Sie schluckte seinen Saft wie ein esoterisches Beruhigungsmittel, dann ließ sie sich von seinem Geschlecht wegziehen. Mit starken Schmerzen in Hintern und Vulva und auf den lächerlich hohen Absätzen schwankend, richtete sie sich auf und ließ sich von Sly auf ihr Zimmer führen.

Das Letzte, was sie sah, war eine Serie bizarrer, aber kristallklarer Standbilder.

Drew, zusammengesunken auf dem Holzstuhl, die Arme an den Seiten herabhängend, der erschlaffende Schwanz glänzend von ihrem Speichel. Dann Beatrice, noch immer auf D'Aronvilles Schoß, die cremeweißen

Schenkel obszön gespreizt, den Stringtanga wie eine Fußfessel auf den Knöcheln. Ihr blauäugiger französischer Liebhaber quälte noch immer ihr nasses Geschlecht und schob gerade einen Gegenstand in sie hinein – einen langen, unglaublich dicken Alabasterpenis, und die Augen der Ärztin weiteten sich, als sie davon aufgespießt wurde.

«Nein! O ja, ja, ja ...», waren die letzten Worte, die Alexa hörte, als sie ins Haus stolperte.

Sacha D'Aronvilles Villa Isis war unglaublich schön, ein geradezu paradiesischer Zufluchtsort, doch Alexa vermochte sich nicht auf die vielen Wunder zu konzentrieren. Folgsam wie ein Lamm ließ sie sich von Sly durch die Halle und eine große, geschwungene Treppe hinaufführen. Ihre Wahrnehmung war nach innen gerichtet. Jeder schwankende Schritt ging ihr durch und durch: Das gepeinigte Hinterteil tat ihr weh, und zwischen ihren Beinen brannte ein ganz anderer Schmerz. Als die Krankenschwester vor einer vierfach unterteilten holzgetäfelten Tür stehen blieb, biss Alexa sich auf die Lippen, um nicht in Tränen auszubrechen.

«Immer mit der Ruhe, Schätzchen», murmelte Sly, als sie ins Zimmer getreten waren. «Mach dir keine Sorgen, ich kümmere mich jetzt um dich.»

Und das hat sie auch getan, dachte Alexa, die gefesselt auf dem bequemen, weißbezogenen Bett lag und allmählich in die Gegenwart zurückkehrte. Mit «kümmern» hatte Sly Folgendes gemeint: Sie schob Alexa ihre langen, geschickten Finger zwischen die nassen Schamlippen und brachte sie auf der Stelle zum Orgasmus.

Nach der Erleichterung hatte sie sich lange gesehnt, und die Ekstase war so gewaltig, dass sie zusammengebrochen wäre, hätte die Krankenschwester sie nicht gestützt. Als wäre es die normalste Sache der Welt, dass Patienten im Orgasmus gegen sie fielen, fing Sly Alexas Gewicht scheinbar mühelos auf und hielt sie aufrecht, bis die Lustwellen verebbt waren. Danach geleitete sie sie in das angrenzende luxuriöse Bad und kümmerte sich weiter um sie.

Sie zog Alexa aus, badete sie und führte ein Dutzend intime Verrichtungen aus. Die schweigsame, aber tüchtige Krankenschwester nahm Alexa alles ab, putzte ihr die Zähne, massierte ihr Feuchtigkeitscreme in die Haut und überwachte sie sogar beim Gang auf die Toilette. Alexa wollte zunächst protestieren, doch als sie erst einmal auf dem Sitz Platz genommen hatte – und wegen des Drucks auf ihren Po zusammenzuckte –, fand sie das Ganze ausgesprochen erregend. Zumal sie hinterher noch abgetupft und abgewischt wurde …

«So ist's brav», meinte Sly anerkennend, als die Waschungen beendet waren. «Und jetzt legen wir uns schön hin und ruhen uns aus.»

Die fürsorgliche Art der Krankenschwester hatte Alexa eingelullt und ihr das Gefühl vermittelt, in guten Händen zu sein, doch schon bald wurde ihr klar, dass die Dinge nicht so einfach lagen. Nachdem Sly ihr ein ausgesprochen hübsches Nachthemd angezogen hatte – ein rüschenbesetztes, bauschiges Nachtgewand aus nach viktorianischem Stil gerafftem weißem Voile –, forderte sie sie auf, sich bäuchlings aufs Bett zu legen, und fesselte sie zu ihrer Verblüffung. Das altmodische Bettgestell hatte Kopf- und Fußteile aus Messing, und an denen band Sly sie fest. Die Fesseln waren nicht unbequem – weiche, pelzgefütterte Ledermanschetten, an denen weiße Stricke befestigt waren –, dennoch konnte sie sich praktisch nicht bewegen. Sly legte ihr ein dünnes Kissen mit Baumwollbezug unter den Kopf und schob ihr ein dickeres Kissen unter die Hüften, dann schlug sie das Nachtgewand sorgfältig hoch und entblößte ihre geröteten Pobacken.

Anschließend schmierte die Krankenschwester ihren nackten Hintern ganz behutsam mit einer klaren, schmerzlindernden Salbe ein und streifte ihr hübsche Schlafsocken über die Füße.

«So. Jetzt wären wir bereit», hatte Sly geflüstert, dann hatte sie Alexa mit liebevoller Fürsorglichkeit auf die Stirn geküsst, war hinausgegangen und hatte die große Tür hinter sich geschlossen.

«Bereit wofür?», hatte Alexa gemurmelt, während das Feuer der Erregung in ihren Lenden erneut aufflammte.

Ging es um eine weitere Züchtigung? Oder um Lust? Und wer würde sich ihrer annehmen? Sie war hierhergekommen, um sich dafür erkenntlich zu zeigen, dass Sacha ihre Firma gerettet hatte – doch seit ihrer Ankunft hatte er sie lediglich auf die Wange geküsst. Bestimmt begehrte er sie – wenngleich sie seine sexuellen Bedürfnisse seltsamerweise nicht erspüren konnte –, machte aber den Eindruck, als zögere er, sie anzufassen. Er begnügte sich damit, dass andere dies taten. Dabei war er gar nicht wählerisch. Bislang war sie von allen angefasst worden, die ihr hier unter die Augen gekommen waren. Und wenn noch andere Personen auf der Warteliste standen?

Jeden Moment konnte jemand eintreten und alles Mögliche mit ihr anstellen. Ihr Hintern war entblößt;

ihr Geschlecht war zugänglich; sie war hilflos. Sie dachte an Beatrice und den weißen Dildo. Und wenn Sacha das Ding als Nächstes in sie hineinstecken wollte? Womöglich nicht in die Möse, sondern …

Ach Gott! Alexa zerrte heftig an den Fesseln, denn die obszöne Vorstellung brachte ihren Kitzler zum Zucken. Was hatten ihr Hintern und die Dinge, die diese Menschen von ihr verlangten, nur an sich, dass sie plötzlich so stark erregt war? Vor der Veränderung hatte sie nie so empfunden.

Wie sie so dalag, kamen ihr seltsame Gedanken. Wie lange war es eigentlich her, dass Sly gegangen war? Ihr kam es vor wie eine Ewigkeit, dennoch fühlte sie sich, abgesehen von den Schmerzen, die von den Züchtigungen zurückgeblieben waren, und dem anderen Schmerz zwischen ihren Schenkeln, eigentümlich zufrieden. Allmählich baute sich in ihr ein Gefühl von Einverständnis auf. Das war wohl die Demut, von der Beatrice gesprochen hatte. Die Versöhnung mit ihrem eigenen Wesen und die Unterwerfung unter eine äußere Macht. Sie hatte das starke Gefühl, dass sie ungehindert fortgehen könnte, wenn sie darum bäte, von ihren Fesseln befreit und von ihrem Versprechen entbunden zu werden. Vielleicht hätte sie die «Bezahlung» sogar trotzdem bekommen.

Aber sie wollte nicht fortgehen. Diese Vorstellung löste in ihr eine tiefe Traurigkeit aus. Die Aussicht auf weitere Züchtigungen machte ihr Angst, doch selbst das kam ihr irgendwie richtig vor. Als wäre dies ihre Bestimmung oder Ausdruck ihrer Persönlichkeit.

Während sie die Gedanken schweifen ließ, vernahm sie auf einmal ein Geräusch – das leise Knarren einer großen Tür.

Dann hörte sie Schritte …

Wer mag das sein? Wer bist du?, dachte Alexa mit klopfendem Herzen. Sie brachte keinen Laut heraus und vermochte auch den Kopf nicht zu wenden. Der unbekannte Besucher war leichtfüßig, also konnte es ein Mann oder eine Frau sein, und sie spürte ein Zögern, eine bewusste Zurückhaltung, deren Grund allerdings weder Furcht noch Zweifel waren, sondern der Wunsch, sie zu quälen und zu erregen. Sie bemühte sich, in Gedanken eine Verbindung zu einem Verlangen herzustellen, das dem ihren entsprach – und spürte nichts.

Der fehlende Widerhall verriet den Besucher, und als spürte er, dass er enttarnt worden war, trat Sacha in Alexas Blickfeld.

«Wie fühlst du dich, *chérie*?», murmelte er und setzte sich im Schneidersitz aufs Bett; der Jeansstoff spannte sich über den Schenkeln. Er durchbohrte sie mit Blicken aus seinen blauen Augen, und einen Moment lang meinte sie, vor Begehren keine Luft mehr zu bekommen. Sein Gesicht war so aristokratisch, sein Blick so aufmerksam, und in seiner Miene spiegelte sich umfassendes Verstehen wider. Mit seinem weißen Haar sah er aus wie ein Eisgott; weder alt noch jung, doch für immer auf dem Gipfel seiner Kraft und Einsicht erstarrt. Alexa lag die Zunge wie Blei im Mund, während sie ihn doch anflehen wollte, sich auf alle erdenkliche Weise ihres Körpers zu bedienen.

«*Chérie?*», wiederholte er schmeichelnd, kniete sich hin und streichelte ihr über die Wange.

«Ich habe Angst», sagte sie mit kindlicher Stimme.

«Aber doch nicht etwa vor mir?», fragte er und strich mit dem Daumen über ihre Unterlippe, dann drückte er sie nach unten und öffnete ihren Mund. Er beugte sich vor, schob die spitze Zunge in die Lücke und leckte über Alexas Zunge. Der Moment war so sinnlich und erinnerte so sehr an eine andere Art des Leckens, dass Alexa unwillkürlich lasziv die Hüften bewegte und aufschluchzte, als er seine Zunge zurückzog und sich wieder auf die Fersen setzte.

Mit einem leisen Lachen legte er den Kopf schief. «Was willst du, Alexa?», fragte er, und seine kühlen Augen verdunkelten sich, als verspürte er eine ganz ähnliche Erregung wie sie.

«Ich weiß nicht», flüsterte Alexa. «Ich … ich will irgendwas.»

«Also, wenn du es mir überlässt, *ma petite*» – seine kultivierte Stimme hatte einen beinahe wehmütigen Klang –, «dann muss es wohl nach meinem Willen gehen.»

Er stieg vom Bett, betrachtete sie und legte die Finger auf ihren Po.

«Willst du das?», flüsterte er ihr ins Ohr, als er sich über sie beugte und mit der Hand ihren geröteten Hintern umfasste. «Du hast einen prachtvollen Arsch, Alexa. So frisch und so verführerisch. Er hat nicht weniger als die allerstrengste Behandlung verdient.»

«Aber warum?», keuchte sie, während er ihr den Hintern knetete.

«Warum nicht?», fragte er und drückte zu, betastete sie. «Ein *cul* wie dieser sollte stets entflammt sein. Ein rosiger Augenschmaus.»

Alexa zerrte an den Fesseln. In ihrem Bauch loderte Hitze auf, die sich in ihrem Unterleib verdichtete. Sie ließ die Hüften am Kissen kreisen, während Sacha mit der Hand die Bewegung lenkte, wobei seine Fingerspitzen ihre Spalte streiften.

«Ich werde dich jetzt vorbereiten, *chérie*», sagte er leise und setzte sich neben sie aufs Bett, ohne ihren Hintern loszulassen. Er beugte sich über ihren Rücken und küsste ihren Nacken; berührte mit seinen Lippen ihre empfindliche Haut, pustete darauf und knabberte daran.

«Du bist wundervoll, Alexa», sagte er und zauste ihre widerspenstigen schwarzen Locken. «Es würde mir gefallen, dir so lange den nackten Arsch zu peitschen, bis du in Tränen aufgelöst bist. Und dich dann zu nehmen … Dich zu ficken, während du noch schluchzt, und zu hören, wie dein Wehklagen in Lustschreie übergeht.»

Als er sich wieder aufrichtete, schob er ihr die freie Hand unter die Taille und ließ sie nach oben wandern, bis er ihre Brust umfassen konnte. Mit Zeigefinger und Daumen ergriff er den Nippel und kniff ihn durch den Stoff des Nachthemds hindurch. Alexa stöhnte wieder. Zerrte an den Fesseln. Da sie ganz auf ihren Po und ihr Geschlecht konzentriert gewesen war, hatte sie gar nicht gemerkt, wie sehr ihre Brust nach seiner Berührung verlangte.

«Bitte», schluchzte sie. «Ach, bitte …»

«Worum bittest du mich?», fragte Sacha mit einem Anflug von Schärfe.

«Ich weiß nicht», wiederholte sie verwirrt. Doch das war gelogen, denn sie wusste ganz genau, was sie wollte. Oder zumindest, was sie als Erstes wollte.

«Du lügst, *ma petite*», brummte er und ließ die flache Hand um ihre gerötete Hinterbacke kreisen. «Das willst du!» Er kniff sie, was ein infernalisches Prickeln auslöste. «Du willst, dass ich dir den Arsch versohle. Ihn schlage. Zum Brennen bringe. Hab ich recht?»

Sie wimmerte, und er beugte sich vor und küsste sie aufs Kinn.

«Hab keine Angst, Alexa. Lass deine Wünsche zu. Deine Bedürfnisse. Ich werde sie dir alle erfüllen.» Er krallte die Finger in ihre Pobacke, während er mit dem Mund zärtlich ihre schweißnasse Stirn liebkoste. «Sag es!», zischte er, sein Atem an ihrer Haut eine Wahrheitsdroge.

«Bi-bitte. I-ich will, dass Sie mich schlagen», stammelte sie flüsternd, wenngleich ihr kaum bewusst war, was sie da sagte. Vom letzten Mal schmerzte ihr noch immer der Po, warum in aller Welt bat sie ihn dann – nein, warum bettelte sie um mehr?

«Mit dem allergrößten Vergnügen», murmelte er an ihrem Hals, während er ihr Hinterteil und ihre Brust bearbeitete. «Du ahnst gar nicht, wie groß mein Vergnügen sein wird.»

Alexa stöhnte unter seinen Händen in Erwartung der bevorstehenden noch größeren Schmerzen. Ihre Hüften wiegten sich auf dem Kissen, und sie spürte, wie das Laken unter ihrer Möse feucht wurde.

Als Sacha sich unvermittelt aufrichtete und vom Bett entfernte, hatte sie das Gefühl, als hätte sich nicht nur die Luft abgekühlt, sondern auch seine Haltung. «Du bist so ungeduldig, Alexa», sagte er streng. «So zügellos. Wie du dich windest, das ist geschmacklos. Ist dir eigentlich klar, dass du dir dadurch eine harte Lektion verdienst hast?»

Das ist eine Formel, dachte Alexa und bemühte sich, stillzuhalten. Das ist der Vorwand, die willkürliche Begründung, die vorgeschobene Rechtfertigung für alles, was kommt. Es muss ein Ritual geben, einen Handlungsrahmen. «Ursache und Wirkung», vernahm sie auf einmal eine andere Stimme in ihrem Geist, und ihr wurde klar, wie treffend diese Bemerkung gewesen war.

«Alexa!»

«Ja, ich verstehe», flüsterte sie mit zusammengebissenen Zähnen, und wünschte sich, das Martyrium, von dem sie wusste, dass es sie auf eine harte Probe stellen, ihr aber auch Erfüllung bringen würde, hätte schon begonnen.

«*Bon*», sagte Sacha. «Und ich glaube, ich habe hier das perfekte Instrument.» Er bückte sich außerhalb von Alexas Blickfeld, und als er sich wieder aufrichtete, hielt er einen Slipper mit dünner Ledersohle in der Hand; die Slipper hatten säuberlich aufgereiht vor dem Bett gestanden. In ihrer Naivität hatte sie gemeint, sie wären zum Hineinschlüpfen gedacht, doch offenbar dienten sie einem ganz anderen Zweck.

«*La pantoufle*», erklärte er, ließ ihn mutwillig durch die Luft schwirren und bückte sich mit funkelndem Blick, um ihn ihr zu zeigen. «Kräftig, aber biegsam … *Formidable*. Ich glaube, wir sollten mit fünfzig Schlägen beginnen.» Er stockte, als überlege er. «*Qui. Cinquante* … aber alles Weitere halten wir uns offen.»

Er ließ den Slipper aufs Bett fallen und schob ihr den Arm unter den Bauch. Er hob sie an, wobei sein Ärmel ihren Schamhügel streifte, arrangierte das Kissen neu, passte den Winkel ihres Körpers an. «So ist es viel besser», meinte er, als er sie wieder absenkte. «Jetzt kann ich die Unterseite mit viel größerer Genauigkeit treffen.»

Obwohl er sich so kühl und berechnend gab, wurde Alexa immer schärfer. Als er zurücktrat, wohl um die Situation auf sich wirken zu lassen, erschauerte sie. Aus dem Augenwinkel sah sie, wie er den Slipper in der Hand wog und ihn nach allen Seiten wendete, als berechne er die Kraft, die er würde aufwenden müssen. Als er wieder ans Bett trat und seine Beine ihr nahe kamen, stöhnte sie unwillkürlich auf. Sie konnte erkennen, dass er eine Erektion hatte; der zugeknöpfte Hosenstall wölbte sich merklich. Er fasste sich kurz an, dann konzentrierte er sich wieder ganz auf ihre Misere.

«Das wird wehtun, Alexa. Ordentlich wehtun», sagte er gelassen. Als sie in bodenloser Angst zu zittern begann, beugte er sich jedoch vor, küsste sie auf den Hals und flüsterte: «Hab keine Angst, *chérie*. Ich bin da. Hab keine Angst.»

Das ergab keinen Sinn. *Er* war die Gefahr, die sie in Angst und Schrecken versetzte. Doch es blieb keine Zeit mehr, über solche Absurditäten zu diskutieren, denn im nächsten Moment begann er sie zu schlagen.

Der Schmerz war intensiv, gesteigert durch die Wundheit des Pos, der bereits von Hand und mit der Bürste gezüchtigt worden war. Durch den blutroten Schleier des Schmerzes hindurch wurde Alexa bewusst, dass Monsieur le Maître zählte. Mit leiser, gleichmäßiger Stimme zählte er die Hiebe. Sie verstand ein wenig Französisch, konnte ihm aber schon bald nicht mehr folgen. Die Zahlen waren bereits viel zu groß …

Sie wand sich schluchzend und begleitete jeden einzelnen Hieb mit einem Aufschrei. Der Aufprall des Slippers fühlte sich außergewöhnlich massiv an, und jedes Mal zerrte sie an den Fesseln. Nach einem besonders heftigen Schlag, der sie veranlasste, die Hüften vom Kissen zu heben und der ihr Jaulen zu einem schrillen Schrei steigerte, hielt Sacha vorübergehend inne und setzte sich zu ihr auf die Bettkante.

«Bitte versuch, nicht zu schreien, *chérie*», sagte er leise, als hätte sie überreagiert und ein kindisches Aufhebens um nichts gemacht. «Beatrice schläft, und wenn sie aufwacht und dich schreien hört, könnte es sein, dass sie mich braucht.»

Durch den Schleier ihres Begehrens und ihrer Qual hindurch meinte Alexa, die Empfindungen der Ärztin ganz deutlich wahrzunehmen. Und wenn Beatrice ebenfalls gefesselt war? Wenn sie den Lärm – das Klatschen der Ledersohle und die Schreie einer Frau, die gezüchtigt wurde – die ganze Zeit mit angehört hatte und dadurch in eine unerträgliche Erregung versetzt worden war? Wenn sie sich nicht anfassen konnte, um den süßen Schmerz zu lindern?

«Sie ist gefesselt und geknebelt, deshalb kann sie nicht nach Camilla rufen», sagte Sacha leise und bestätigte damit Alexas bizarre Visionen. «Soll ich dich ebenfalls knebeln?», fragte er, beugte sich vor und streichelte ihr tränennasses Gesicht, dann ließ er sie an seinem Daumen nuckeln wie an einem Schnuller.

Alexa nickte, unverwandt saugend. In ihrem Hintern tobte noch immer das Feuer, doch da war noch ein anderes, weit stärkeres Gefühl, das es ihr unmöglich machen würde, sich still zu verhalten.

Sacha öffnete eine Schublade des Toilettentischs und nahm ein schönes schwarzes Seidentuch heraus. Er band es ihr fest um die untere Gesichtshälfte und zwängte es zwischen ihre Zähne, was gar nicht so unangenehm, irgendwie aber auch verstörend war. Trotzdem war es für Alexa beruhigend, das Ding im Mund zu haben. So konnte sie sich besser entspannen und sich vollständig Sachas Willen unterwerfen. Jetzt konnte er sie so heftig schlagen, wie er wollte, ohne dass sie sich Sorgen wegen des Lärms machen mussten.

Die Züchtigung nahm ihren Fortgang, und Alexa bäumte sich auf und zerrte an den Fesseln. Jetzt, da ihr der Mund verschlossen war, entwickelte Sacha eine ganz neue Kunstfertigkeit und hob die Züchtigung auf eine andere Ebene. Mit der Slippersohle bearbeitete er jeden Quadratzentimeter ihres Hinterteils, bis der ganze Bereich ein einziges gewaltiges Pulsieren war. Ihr angeschwollenes Geschlecht seufzte, und statt lauter Schreie brachte sie nur ein gedämpftes Ächzen hervor – doch das Einzige, worauf es ankam, waren die unerbittlich aufeinanderfolgenden Hiebe. Längst hatte sie aufgehört, sie zu zählen.

Plötzlich wurde Alexa bewusst, dass die Hiebe aufgehört hatten. Die Abwesenheit des Schmerzes fühlte sich höchst eigenartig an. Sie hatte den Eindruck, ihr Hintern hätte das brennende Leder schon seit einer Ewigkeit zu schmecken bekommen, und jetzt auf einmal vermisste sie es zu ihrer Verblüffung. Während es draußen dämmerte, senkte sich eine sonderbare Stille auf das Zimmer herab. Die einzigen Geräusche, die sie vernahm, waren das unablässige Zirpen der Grillen und das Säuseln des Luftzugs in den Vorhängen.

Nach einer Weile des angestrengten Lauschens meinte Alexa, noch ein anderes Geräusch wahrzunehmen. Das Pulsieren des Bluts in ihrem Hintern. Und dann hörte sie noch etwas anderes – den rauen, keuchenden Atem eines Mannes. Hatte er sich bei der Züchtigung verausgabt – oder keuchte er aus einem anderen Grund?

Alexa wandte den Kopf und blickte mit feuchten, verquollenen Augen zu ihm auf. Dann wurde sie auf einmal von weiblichem Triumph überwältigt. Monsieur le Maître wirkte nicht mehr ganz so kühl und beherrscht. Sein Aristokratengesicht war gerötet, und in seinem Blick lag ein nahezu wahnsinniges Funkeln. Sein glattes Silberhaar war zerzaust, und eine Hand hatte er in den Schritt gepresst. Es war das erste Mal, dass er in ihrer Anwesenheit seine Gelassenheit ablegte.

«*Pauvre petite*», murmelte er bedrohlich über ihr und schob seine Hände unter ihr Nachthemd. Er streichelte ihre Brüste, dann zog er die Hände zurück und machte sich an seinem Gürtel zu schaffen.

Einen grauenhaften Moment lang verzagte Alexa, denn sie fürchtete, er könnte der Züchtigung mit dem Slipper eine Auspeitschung mit dem Riemen folgen lassen, doch dann ließ er den Gürtel zu Boden fallen, streifte die Schuhe ab und knöpfte die Jeans auf.

Er trug keinen Slip, und sein beschnittenes, großes Glied bäumte sich unter dem Saum seines T-Shirts. Als er näher rückte und die lederne Manschette löste, die ihr linkes Handgelenk umschloss, streifte es ihren Arm. Schweigend trat er nacheinander zu allen vier Bettpfosten und löste ihre Fesseln, ohne ihren flammend roten Hintern auch nur ein einziges Mal zu berühren.

«Du bist wunderschön, Alexa», stieß er atemlos hervor, kletterte neben ihr aufs Bett und schob ihr die Hände unter die Achseln. «Knie dich hin», befahl er, und Alexa stöhnte auf, als er sie von hinten ruckartig hochhob, was ihr Schmerzen im malträtierten Hintern verursachte.

Jetzt will er mich nehmen, dachte sie benommen, wie ein Tier vor ihm hockend. Sie stellte sich vor, ihr feuerrotes Hinterteil leuchte wie eine obszöne, gespaltene Zielscheibe. Er wird mich in die Möse ficken oder in den Arsch oder beides, dachte sie, reckte ihm einladend die flammenden Backen entgegen und biss sich wegen der Schmerzen auf die Lippen.

«Ja!», zischte sie, als die feuchte Penisspitze gegen die Innenseite ihres Hinterns stieß. Sie versuchte, sich zu entspannen und zu öffnen, dann, als er mit beiden Händen je eine schmerzende Pobacke packte und die dazwischenliegende dunkle Spalte weitete, schrie sie auf.

Jeden Moment mit der Penetration rechnend, reagierte sie erst überrascht und dann gekränkt, als er nicht in sie eindrang. Stattdessen brachte er sie dadurch zum Wimmern, dass er sein Glied zwischen ihre Schenkel legte und ihre entflammten Backen nach innen und oben drückte, sodass er von der Hitze umfangen war, die er selbst erzeugt hatte.

Die Erniedrigung war so überwältigend und auf groteske Weise erregend, dass es Alexa beinahe auf der Stelle gekommen wäre. Sacha masturbierte sich mit ihren feuerroten Hinterbacken und rieb seinen Schwanz derb an ihrer schmerzenden Haut. Sie spürte, wie sein Hodensack gegen ihren sanftgerundeten Bauch schlug und seine Lusttröpfchen ihr Kreuz benetzten. Mit einem Aufschrei bewegte er sich heftig auf ihr, und als er die Fingerspitzen in ihre grausam misshandelten Hinterbacken krallte, spürte sie, wie sein Schaft an ihrer Rosette zuckte und dagegenstieß. Er ergoss sich auf ihren Rücken, während der Aufruhr in ihrem Hintern sie schluchzen und wimmern ließ.

Zum Glück erholte Sacha sich rasch.

«Verzeih mir», murmelte er, stemmte sich von ihr hoch, drehte sie um und schloss sie in die Arme. Als ihr sensibilisierter Hintern über das Laken scheuerte, stöhnte sie abermals auf, doch ihre Schmerzensschreie wurden von seinen Lippen erstickt. Sie ergab sich seiner Umarmung und linderte ihren Schmerz, indem sie sich wand wie ein Aal und ihre Möse gegen seinen warmen, nackten Schenkel drückte.

«Geduld, *chérie*, Geduld», flüsterte er an ihren Lippen, während er ihre schwitzenden Leiber energisch in eine neue Position brachte. Er führte seine Hand kurz an den Mund, dann schob er sie ihr zielsicher zwischen die Schenkel. Als sein befeuchteter Finger ihren Kitzler berührte, kam sie augenblicklich und schrie seinen Namen heraus, während die Wogen der Leidenschaft über ihr zusammenschlugen.

Eine kleine Ewigkeit später hatte Alexa das Gefühl, aus einem ganz eigenartigen, wirren Traum zu erwachen. Der Hintern tat ihr noch immer fürchterlich weh, doch der Schmerz hatte sich in ein funkelndes, sinnliches Inferno verwandelt, das Lenden und Bauch vollständig ausfüllte. Hin und wieder langte Sacha nach unten und liebkoste ihren wunden Po, brachte sie zum Stöhnen und küsste dann ihr Gesicht.

«Du bist wundervoll ... *magnifique*», flüsterte er, mit einer Hand ihre linke Hinterbacke knetend und mit dem Ballen der anderen Hand ihre Möse reibend. Ein weiterer Orgasmus baute sich in ihr auf, und als sie kam, biss sie ihn in den Hals. Dann, als die Lustwoge verebbte, küsste sie ihn mit größerer Zärtlichkeit. «So frisch … So lernbegierig. So unerschrocken, wenn es darum geht, anzunehmen, was du brauchst.»

Sie wusste nicht, was sie sagen sollte. «Danke» hätte zu banal und naiv geklungen. Ihn unablässig küssend, presste sie sich gegen ihn, bis sie mit ihrer beider Schweiß aneinanderklebten. Das dünne Nachthemd war jetzt bis zu den Achseln hochgeschlagen, und auch sein T-Shirt war hochgerutscht. Sie spürte ihn von der Hüfte bis zu den Schenkeln, doch zu ihrer Überraschung blieb er schlaff und entspannt.

Was halten Sie eigentlich von mir, Monsieur le Maître?, dachte sie und genoss die festen Konturen seines Körpers, obwohl er erstaunlicherweise nicht erregt wirkte. Eben noch hatte er sie begehrt, das war sicher, und er war sicherlich hingerissen von ihrem Hintern und dem Vorgang, ihn zu röten und zu sensibilisieren. Seine tieferen Gefühle aber waren ihr noch immer ein Rätsel. Alles, was sie über ihn wusste, entstammte der unmittelbaren Erfahrung. Sie konnte seine Gefühlsregungen weder «lesen» noch «erspüren» … Was würde sie wohl erblicken, wenn er die Maske der Zweideutigkeit jemals fallen ließe?

Sacha D'Aronville war zweifellos ein attraktiver und begehrenswerter Mann, und wie sie sich so an ihm räkelte, vergegenwärtigte sie sich das, was sie von ihm mit Sicherheit wusste.

Er war topfit: Er war schlank, muskulös und geschmeidig, seine Haut hatte einen gesunden Schimmer. Sein silberweißes Haar und die Falten in seinen Augenwinkeln ließen jedoch erkennen, dass seine Jugend seit vielen Jahren hinter ihm lag. Er verfügte über die unwiderstehliche Weltläufigkeit und die mit allen Wassern gewaschene erotische Erfahrung eines Mannes weit in den Fünfzigern, und doch hätte man ihn aufgrund seines Körpers für viel jünger halten können. Ungeachtet all dessen, was sich soeben zwischen ihnen abgespielt hatte, war er für sie noch immer das, was er zu Anfang gewesen war: ein Rätsel.

«Du bist unersättlich, Alexa», sagte er plötzlich und stemmte sich von ihr hoch. «Eine tolle Frau, aber unersättlich … Und ich muss meine Kräfte für später aufsparen.»

«Für Beatrice?», sprach sie den ersten Gedanken aus, der ihr in den Sinn kam.

Statt zu antworten, lachte er leise auf und kniff sie in den Hintern. Sie schrie auf, während ihr die Tränen in die Augen schossen, hielt seinem Blick aber furchtlos stand.

«Bist du etwa eifersüchtig, *ma petite*? Neidest du ihr die Lust, die wir miteinander teilen?»

Stimmte das? Noch ganz benommen vom brennenden Schmerz in ihrem Po, vergegenwärtigte sie sich die Gefühle, die sie Beatrice und «Beatrice und Sacha» gegenüber hegte. Beide fand sie faszinierend und anziehend, und die Vorstellung, dass die Ärztin und dieser seltsame, vielschichtige Mann es miteinander trieben, erregte sie maßlos und versetzte sie geradezu in einen Sinnestaumel. Auf einmal verlangte es sie, die beiden im Bett dabei zu beobachten, wie sich ihre Körper beim ausgedehnten Sex ineinanderschlangen. Wie Sachas langer, aristokratischer Schwanz sich tief in Beatrices Möse versenkte.

«Nein, ich bin nicht eifersüchtig», antwortete sie schließlich. «Aber ich würde euch gern zusehen. Das heißt, beim Sex zusehen, nicht nur bei ... nun, nicht nur bei der Züchtigung mit dem Stock oder beim Masturbieren.»

Die Bitte war unerhört und anmaßend. Als Sacha sich aufrichtete, lächelte er jedoch – ein so aufrichtiges, unkompliziertes und jugendliches Lächeln hatte sie bei ihm noch nicht gesehen.

«Beatrice» – er sprach ihren Namen französisch aus – «ist ebenso wundervoll und liebenswert wie du, meine reizende Alexa. Der Unterschied zwischen euch besteht darin, dass sie sich dessen nur allzu bewusst ist.» Sein Blick wurde berechnend, was Alexa das Blut in den Adern gefrieren ließ. Im nächsten Moment geriet es in Wallung. «Sie ist stolz und eigensinnig und braucht eine feste Hand, die sie leitet. Sie neigt dazu, von anderen Menschen zu viel zu fordern. Mehr, als ihr zusteht.»

Alexa fühlte sich gedrängt, die Ärztin zu verteidigen, denn schließlich hatte sie ihr die Augen geöffnet und eine ganz neue Welt erschlossen. «Sie ist ein bisschen intrigant, das stimmt», sagte sie ruhig. «Aber sie hat das Herz am rechten Fleck, da bin ich mir sicher!»

«Du hast recht», meinte Sacha in sanfterem Ton als zuvor. «Und ich vermute, du findest sie ebenfalls scharf.» Er lächelte wieder und ließ seine Fingerspitzen über ihre Brust wandern. «Hast du schon mit ihr geschlafen?»

«Nicht direkt», antwortete Alexa und dachte an die Untersuchung. Obwohl sie den Eindruck hatte, das sei bereits eine Ewigkeit her, erregte die Erinnerung sie noch immer. Sie stellte sich vor, wie sie auf der roten Lederliege gelegen hatte, während die Ärztin sie mit ihren langen Fingern betastete.

«Ah …», brummte Sacha, als sähe auch er ihre Erinnerungen vor sich. «Ich verstehe. Aber würdest du ihr gern näher kommen?»

Alexa konnte nur mit dem Kopf nicken, dann keuchte sie auf. Seine warme Hand war erneut zwischen ihre Beine gewandert und versetzte ihre Gefühle in Aufruhr, während sie mit den Gedanken bereits bei Beatrice weilte.

15. Kapitel ∾ Unerwartete Sinnesfreuden

Als Sacha ging, hatte es gedämmert, und obwohl sie eigentlich erwartet hatte, von einem Gong zum Essen nach unten gerufen zu werden, war es Alexa durchaus recht, als ein junges Dienstmädchen in einem schlichten grauen Kleid und gestärkter Schürze ihr ein Tablett mit dem Abendessen brachte.

Es erstaunte sie, in Sachas Palast der Ausschweifungen einer ganz gewöhnlichen Hausangestellten zu begegnen, doch eigentlich war es nur logisch, dass ein so großes Anwesen wie die Villa Isis von wahren Heerscharen von Bediensteten instand gehalten wurde. Alexa vermutete allerdings, dass Sachas Angestellte im Hinblick auf ihre Diskretion und die Fähigkeit, alles Außergewöhnliche mit Gleichmut hinzunehmen, besonders sorgfältig ausgewählt worden waren. Die junge Frau, die ihr die Mahlzeit brachte, lächelte mit ausgesuchter Höflichkeit, ohne sich von Alexas zerknittertem Nachthemd, ihrem zerzausten Haar, dem zerwühlten Laken und dem charakteristischen Spermageruch im Zimmer aus der Ruhe bringen zu lassen. Sie stellte eine Frage auf Französisch, und obwohl ihre diesbezüglichen Sprachkenntnisse kaum der Rede wert waren und sie vom Sex noch immer ganz benommen war, verstand Alexa, dass sie gefragt worden war, ob sie baden wolle.

«*Non!* Äh ... *merci*», antwortete sie und dachte an ihren malträtierten Hintern und wie es sich anfühlen würde, damit gegen die harte Porzellanwanne zu stoßen. «*Je prends une douche*», setzte sie zögernd hinzu, denn sie war sich nicht sicher, ob sie die richtigen Worte gewählt hatte.

Offenbar schon, denn das recht sympathische kleine Dienstmädchen lächelte wieder und murmelte: «*Bien sûr, Ma'm'selle*», dann suchte sie mit ruhiger, bescheidener Anmut ein frisches Nachthemd für Alexa heraus und bezog das Bett neu.

Alexa ließ sie in Ruhe ihre Arbeit verrichten. Mit langsamen, vorsichtigen Bewegungen duschte sie, dann trocknete sie sich noch behutsamer ab. Sie öffnete die Dose mit der kühlenden Kräutersalbe, mit der Sly sie eingerieben hatte, und schnupperte vorsichtig daran. Dann hielt sie den Atem an, biss die Zähne zusammen und trug die Salbe vorsichtig auf. Die Prozedur gehörte zu den unangenehmsten Dingen, die sie sich je angetan hatte, doch als sie fertig war, staunte sie, wie rasch die Wirkung einsetzte. Ihre Hinterbacken waren noch empfindlich und erhitzt, doch die Salbe wirkte wahre Wunder.

Als Alexa aus dem Bad kam, war das Dienstmädchen schon wieder gegangen, doch das Bett war gemacht und der ganze Raum aufgeräumt. Die Balkontüren waren etwas weiter geöffnet als zuvor, und Alexa bemerkte, dass in den mit getrockneten Kräutern gefüllten Terrakottaschalen gerührt worden war, um den Duft besser zu verteilen. Sperma- und Schweißgeruch hatten sich verflüchtigt.

Das Abendessen war einfach, schmeckte aber köstlich: Mangold und Käse mit saftigen Tomaten- und Paprikastücken. Neben dem Tablett auf dem Bett kniend, entwickelte Alexa einen ungeahnten Appetit. Sie aß den Großteil der schmackhaften Speisen mit großen Stücken frischen Brots auf. Auf dem Tablett standen auch eine kleine Karaffe Wein und ein hübsches, glockenförmiges Glas. Alexa, die sich eigentlich nicht viel aus Rotwein machte, schenkte sich versuchsweise etwas ein, doch der Geschmack überraschte sie angenehm. Der tiefrote Wein war wundervoll leicht, ganz weich am Gaumen, und entfaltete im Bauch eine wohlige Wärme.

Nachdem sie mehr getrunken hatte als eigentlich beabsichtigt und sie angenehm satt war, legte Alexa sich quer aufs Bett.

Was für ein eigenartiger Tag das gewesen war. Was für ein wundervoller Tag … voll leidenschaftlicher und unerwarteter Sinnesfreuden. Vorsichtig berührte sie durch das zarte Voile-Nachthemd hindurch ihren Hintern und vergegenwärtigte sich die Ekstase der Züchtigung.

«Alexa, meine Liebe, du bist nicht die, für die du dich gehalten hast», flüsterte sie vor sich hin und dachte an ihr Eintreten für den Feminismus und die persönliche Freiheit der Frau. Im Dunstkreis einer bestimmten Sorte von Mann kam es ihr vollkommen akzeptabel – nein, sogar angemessen vor –, sich seinem Willen zu unterwerfen. Schmerz blieb Schmerz. Was man ihr angetan hatte, tat höllisch weh, doch irgendwie war es ein Schlüssel zu etwas anderem gewesen. Zu einem besonderen Gefühlszustand, einer höheren Ebene sublimer Empfindungen. Zu einem Reich der Sexualität, wo die Regeln, denen gewöhnliche Sterbliche unterworfen waren, keine Gültigkeit mehr hatten. Voll Wehmut und mit einer Art Dankbarkeit machte sie sich bewusst, dass ihr früheres Leben vorbei war. Sie musste ihr Verlöbnis mit Tom lösen.

Aber er ist ein guter Mann, dachte sie, stemmte sich in Seitenlage hoch und griff zum Glas mit dem letzten Rest Wein. Ein guter Mann, der für eine andere Frau einen wunderbaren Ehemann abgeben würde. Für eine Frau, die keine sonderbaren Gelüste hatte.

Als sie den Wein getrunken hatte, vernahm Alexa im Garten ein Geräusch. Das Gelächter einer Frau und eine leise, ziemlich spöttische und eindeutig männliche Stimme. Da ihre Neugier geweckt war, glitt sie behutsam vom Bett, tappte barfüßig zum Fenster und lugte hinter dem Vorhang hervor nach draußen.

Zwei Personen trugen unmittelbar unter dem Fenster auf dem Rasen eine Art Scheinkampf aus. Zwei splitternackte Gestalten, deren makellose Körper sich als Silhouetten im Mondschein abhoben, rangelten miteinander und schlugen mit Handtüchern aufeinander ein. Nach einer Weile hielten sie inne und küssten sich, kaum mehr als eine kurze, nicht sonderlich erotische Berührung der Lippen.

Die beiden, die da nackt herumtollten, waren Drew und Sly. Drews kräftiger, imposanter Körper kam ihr vertraut vor, während die hübsche Krankenschwester ohne ihren sauberen Kittel und mit offenem, wehendem Haar ganz fremd wirkte. Das lachende nackte Paar strahlte eine sympathische Sinnlichkeit aus, so als könnte es zwischen ihnen jeden Moment zum Sex kommen – zu freundschaftlichem Sex. Und einen dritten Mitspieler würden sie sicherlich nicht abweisen …

In der Villa Isis war vermutlich jede Kombination von Körpern und Geschlechtern willkommen, doch Alexa fühlte sich noch zu neu hier, um sich zu beteiligen. Zumal ohne Einladung. Schließlich hatte Drew ihr gerade erst den Hintern versohlt. Und ihn mit einer Haarbürste bearbeitet. Vielleicht hätte sie gegen irgendwelche geheimen Verhaltensvorschriften verstoßen, wenn sie hinuntergelaufen wäre und ihn gebeten hätte, mit ihr zu schlafen.

Während Alexa noch überlegte, hallte ein leiser Schrei durch den Garten. Es war eine Frauenstimme, und da Sly und Drew zu einer Stelle blickten, die irgendwo links von Alexas Zimmer lag, schloss sie, dass der Laut aus einem anderen Schlafzimmer gekommen war.

Aus Beatrices Schlafzimmer?

Du meine Güte, was stellt er jetzt wieder mit ihr an?, fragte sich Alexa. Ein weiterer Schrei drang in die Nacht hinaus, doch diesmal war er klarer, eindeutiger. Was immer dort vor sich ging, Beatrice war offenbar im siebten Himmel. Ihre Schreie dauerten an und steigerten sich immer mehr, bis ihre Stimme sich schließlich zu einem klaren, wundervollen Wehklagen emporschwang, das triumphierend von ihrem Orgasmus kündete. Auch der leisere Aufschrei eines Mannes war zu vernehmen.

Drew und Sly wechselten auf dem Rasen ein vielsagendes Lächeln. Dann hoben sie die Handtücher auf, die sie fallen gelassen hatten, und schlenderten Arm in Arm den Weg entlang, der zum Strand führte.

Alexa verspürte einen Anflug von Eifersucht, dann wurde ihr bewusst, dass sie keinerlei Grund dazu hatte. Drew und Sly waren Kollegen. Wahrscheinlich waren sie auch miteinander befreundet und bestimmt schon miteinander intim gewesen, bevor sie selbst auf der Bildfläche erschienen war. Warum sollten sie nicht miteinander im Mondschein schwimmen? Außerdem war sie viel zu müde, um sich ihnen anzuschließen. Die Lider wurden ihr bereits schwer.

Sie stellte das Tablett weg, ging ins Bad und putzte sich die Zähne. Als sie sich wieder hinlegte, traten ihr jedoch augenblicklich Bilder vor die Augen. Sacha und Beatrice, die sich nackt auf den Seidenlaken wälzten. Sie meinte beinahe, die auf Französisch geflüsterten Koseworte zu hören, die süßen Nichtigkeiten unter Liebenden. Und wenn sie über sie redeten? Vielleicht schilderte Sacha ihr gerade, wie er die kleine Engländerin geschlagen hatte und sich dann zwischen den Backen ihres kleinen Arschs zum Orgasmus gebracht hatte – Beatrice würde das gefallen!

Aber Beatrices Hintern ist bestimmt ebenso stark gerötet wie meiner, dachte Alexa und wälzte sich auf den Rücken, worauf in den Backen ein pochender Schmerz einsetzte. Bestimmt hält er ihren Arsch gepackt, während er in sie hineinstößt, und krallt seine Finger hinein, wie er es bei mir getan hat. Ach Gott, kein Wunder, dass sie schreit! Als Alexa unter sich langte und ihren Po berührte, geriet ihre feuchte Möse in zuckende Bewegung. Sie legte die andere Hand zwischen die Schenkel und beschwor weitere Bilder herauf. Sie sah vor sich, wie Beatrice, nackt bis auf die ellbogenlangen Handschuhe und eine Militärmütze, zwischen den Beinen geleckt wurde, erst von Sacha, dann von Drew und schließlich von Sly … Sacha, mit nacktem Oberkörper und mit einer kessen Lederhose bekleidet, die seinen männlichen Po frei ließ. Sly, bäuchlings auf einer Art Altar ausgestreckt, mit Augenbinde und in weißem Büßerhemd, das bis über die Schenkel und den straffen Arsch hochgeschlagen war.

Mit dem letzten Bild kam sie zum Orgasmus. Während ihr Kitzler zuckte, stellte Alexa sich vor, wie Drew in Sly eindrang und ihre nackten Leiber auf dem Sand aneinanderschlugen, während die sanften, schaumgekrönten Wellen über sie hinwegrollten.

Alexa erwachte plötzlich mit dem Gefühl, jemand befinde sich im Zimmer. Sie hob den Kopf, öffnete die Augen und blickte sich in der warmen, nach Kräutern duftenden Dunkelheit um.

Sie wollte gerade etwas sagen, als sie sich der machtvollen Ausstrahlung eines Mannes bewusst wurde. Im nächsten Moment erhob er sich vom Stuhl vor dem Frisierspiegel und näherte sich ihr lautlos über die Holzdielen und den Teppich.

Sacha ist es nicht, dachte sie und schüttelte den letzten Rest Benommenheit ab. Ein dunkler Kopf neigte sich ihr entgegen, und eine große Hand legte sich auf ihren Mund. «Still!», flüsterte eine bekannte Stimme, dann wurde die Hand zurückgezogen. Die Decke wurde zur Seite geschoben, dann schlug der Mann ihr das dünne Nachthemd hoch. Mit festem Griff packte er ihre Hüften und zerrte sie über die Matratze, was brennende Schmerzen in ihrem Hinterteil auslöste. Ihre Beine hingen nun am Fußende des Betts herunter, dann wurden sie gespreizt und ihr feuchtes, nach Moschus duftendes Geschlecht entblößt. Zitternd vor Erwartung, blickte sie in Drews Gesicht, vermochte in der Dunkelheit aber nur das Funkeln seiner Brillengläser zu erkennen. Eine mächtige Woge wechselseitiger Erregung schlug über ihr zusammen, und als sie das Geräusch des Reißverschlusses hörte und er sie betastete und mit den Fingerspitzen ihre Spalte berührte, erstaunte es sie nicht, dass sie bereits nass und bereit war.

Das hast du dir schon die ganze Zeit gewünscht, dachte sie und biss sich auf die Lippen, als er ihre Hüften anhob und seinen Schwanz wie einen Knüppel in sie hineintrieb. Das ganze Schlagen und Schlecken war nur ein Ersatz gewesen. Ein kunstvolles Vorspiel für das Eigentliche.

Er fickte sie ganz normal; ohne Raffinesse, aber herrlich lustvoll. Als er ihre Hand ergriff und sie gegen ihr Schambein drückte, wollte sie protestieren, doch nach einem weiteren, nahezu telepathischen Befehl grub sie die Finger in ihr Schamhaar und tastete nach dem Kitzler. Er wollte, dass sie masturbierte, während er sie fickte, und auf einmal wünschte auch sie sich nichts anderes. Sie machte sich leidenschaftlich an die Arbeit.

Während sie sich rieb, hielt Drew sie bei den Hüften und stieß kraftvoll, aber gleichmäßig in sie hinein. Es fiel ihr schwer, nicht aufzuschreien, und ein- oder zweimal stöhnte sie auf, doch ansonsten gehorchte sie ihm und verhielt sich ruhig. Im Nu kam sie zum Orgasmus und umschloss zuckend seinen Schwanz, und ihre gespreizten Beine bebten, während er unverdrossen weitermachte. Ihre Zuckungen hatten anscheinend wenig Wirkung auf ihn, denn er stieß weiterhin gleichmäßig und tief in sie hinein. Erst nachdem er sie gut zehn Minuten lang gepfählt hatte und sie wieder und wieder gekommen war, näherte auch er sich dem Höhepunkt. Er krallte die

Finger in ihre Hüften, und am tiefsten Punkt eines Stoßes erstarrte er und warf den Kopf in den Nacken.

«Ach Gott!», schrie er mit rauer, aber erstaunlich gut verständlicher Stimme, während sein Schaft tief in ihrer Möse pulsierte und zuckte.

«Drew!», keuchte sie und setzte sich damit über sein Sprechverbot hinweg. Sie packte blindlings seinen Schenkel und liebkoste ihn. Drew wiederum löste eine Hand von ihrer Hüfte, ergriff damit ihre freie Hand und drückte sie. Ihre Finger verschränkten sich, während sie diesen köstlichen Moment miteinander teilten.

Als es vorbei war, verstummte er wieder. Das hieß, er zog sich aus ihr zurück, schob sie auf dem Bett nach oben, damit sie nicht herunterrutschte, und schloss den Reißverschluss seiner Jeans. Eine große, schwach-schimmernde Gestalt in der Dunkelheit, hob er sie mühelos hoch und setzte sie behutsam wieder ab, sodass ihr Kopf auf dem Kissen zu liegen kam. Er beugte sich über sie, hauchte einen Kuss auf ihr feuchtes, zerzaustes Schamhaar, dann zog er das Nachthemd herunter und deckte sie zu.

Ehe sie etwas sagen oder sich auch nur rühren konnte, war er verschwunden.

Ob das ein Gnadenfick gewesen ist?, überlegte sie träumerisch, während vom Mittelmeer der Schlaf heranwehte und sie übermannte. Und wenn es einer gewesen ist, wem hat die Gnade dann gegolten – ihm oder mir?

Seltsamerweise zeigte Drew sich auch in der nächsten Nacht gnädig. Und in der übernächsten ...

In der samtenen Dunkelheit in den frühen Morgenstunden kam er in ihr Schlafzimmer getappt, liebte sie leidenschaftlich und lautlos – und verschaffte ihr ausgedehnte, köstliche Orgasmen.

In der ersten Nacht, da sie sich schwitzend unter ihm wand, fragte sich Alexa, ob die anderen wohl wussten, dass Drew bei ihr war. Eigentlich war sie für die Dauer ihres Aufenthalts Sachas Spielzeug und vielleicht auch noch das von Beatrice. Der verstohlene, leidenschaftliche Sex mit deren kräftigem Masseur aber verschaffte weder Monsieur le Maître noch Madame la Maîtresse Lust. Zumal der Sex so direkt war.

Keine Haarbürsten, kein Hinternversohlen, keine Erniedrigung. Nur einfacher, ehrlicher, stinknormaler Sex voller Leidenschaft, Phantasie und Zärtlichkeit. Eine Oase handfester Genüsse, ein Zwischenspiel, das sie immer stärker in Anspruch nahm.

Als der Morgen anbrach, ließ man Alexa zu ihrem eigenen Erstaunen ausschlafen. Ein leises Geräusch hatte sie geweckt, doch als sie die Benommenheit des Schlafes abgeschüttelt hatte, war der Verursacher schon wieder verschwunden. Das Tablett mit dem Abendessen war durch ein Frühstückstablett ersetzt worden, darauf ein Teller mit frischen Croissants, Butterkringeln und Konfitüre sowie zwei hohe Silberkannen – eine mit dunklem, duftendem Kaffee und eine mit warmer, sahniger Milch.

Alexa aß auf der Stelle ein Croissant, dann langte sie hungrig, aber mit einem nagenden Schuldgefühl nach dem zweiten. Der Kaffee war ebenfalls köstlich … Es war für sie das erste Mal überhaupt, dass der Geschmack mit dem Duft mithalten konnte; stark, aber nicht bitter, das kräftige Aroma von der Milch angenehm gemildert.

Während sie erst ihr schmackhaftes Frühstück genoss und sich dann gemächlich zurechtmachte, überlegte Alexa, was der Tag wohl für sie bereithalten mochte. Erotische Disziplinierung war Sachas Vorliebe, doch irgendwie galt das jetzt auch für sie.

Aber warum?, dachte sie, als sie nach dem Duschen Feuchtigkeitscreme aufs Gesicht auftrug und im Spiegel die Spuren der Nacht begutachtete. Sich einem Mann zu unterwerfen, der ihren nackten Po malträtierte, widersprach dem Ideal der Selbstbestimmung, an das sie immer geglaubt hatte. Als sie die gestrigen Ereignisse Revue passieren ließ, erkannte sie die tüchtige, durchsetzungsstarke Alexa von KL Systems und die Verlobte, die meistens ihren Willen durchsetzte, kaum mehr wieder.

Sie war noch immer in Gedanken versunken, als auf einmal die Tür aufging und Sly mit laut klappernden Absätzen energischen Schritts den Raum betrat.

«Komm schon, du Schlafmütze, dein Typ wird verlangt», sagte sie aufgekratzt, ließ mehrere seltsame Gegenstände auf die Tagesdecke fallen und fasste Alexa beim Arm.

Offenbar bin ich anfällig für jede Art von Dominanz, dachte Alexa, als sie dem Drängen der hübschen Krankenschwester nachgab und sich erhob. Ihr Körper reagierte bereits, erregt von Slys Schwung und Selbstsicherheit und ihrer geschäftsmäßigen Art, gleich zur Sache zu kommen. Im nächsten Moment hatte sie den Morgenmantel abgelegt und stand nackt da.

«Monsieur le Maître wünscht eine Massage», verkündete Sly sachlich und warf den Morgenmantel beiseite. «Und er hat nach dir verlangt. Also solltest du besser frisch und ausgeruht erscheinen.»

«Aber ich kann nicht massieren!», protestierte Alexa

und musste an Drews nächtlichen Besuch denken. War er anschließend in Slys Bett zurückgekehrt?

«Das weiß ich doch», meinte Sly und umfasste erst Alexas Brüste, dann ließ sie eine Hand zwischen ihre Beine gleiten. «Der liebe Drew wird ihn massieren. Komm schon, dreh dich um … Ich möchte deinen Hintern begutachten.»

Mit klopfendem Herzen gehorchte Alexa. Sly tastete sie sacht nach Verletzungen ab. Stellenweise war die Haut noch gereizt, und als die Krankenschwester etwas fester zudrückte, entlockte sie Alexa damit ein leises Stöhnen, doch als sie über die Schulter einen Blick auf ihren Po warf, waren die Striemen so gut wie verschwunden. Lediglich eine leichte Rötung war zurückgeblieben.

«Gut. Ausgezeichnet», murmelte Sly. «Und jetzt beug dich vor, damit ich dich innen untersuchen kann.»

«Wa-was?»

«Na, na», machte Sly beschwichtigend und legte die Hand auf Alexas nackten Rücken. «Hab dich nicht so. Ich möchte keine Aufsässigkeit melden müssen. Das ist eine einfache Untersuchung.»

Auch das gehört zum Spiel, dachte Alexa erregt, beugte sich aufs Bett vor und legte das Gesicht auf die verschränkten Arme. Eine weitere versteckte Erniedrigung. Sie spürte, wie ihre Möse feucht wurde.

«Spreiz die Beine, Schätzchen», befahl Sly mit sanfter Stimme, trat neben Alexa und nahm einen Gegenstand von der Tagesdecke. Alexa hätte sich am liebsten zur Krankenschwester umgedreht, sie bei den Hüften gefasst und an sich gedrückt. Ob Sly dann vielleicht ihren schneeweißen Kittel heben würde?

Sie unterbrach ihre erotischen Phantasien, stellte die Beine auseinander und reckte den Po nach hinten, sich des Umstands bewusst, dass sie Sly dadurch freie Sicht auf ihre feuchtglänzenden Schamlippen ermöglichte. Sie wollte von ihr berührt werden, ihr Körper verlangte geradezu danach, und als die Hand der Krankenschwester sich auf ihre zartgerötete Hinterbacke legte, wimmerte sie erwartungsvoll auf.

«Du bist ganz schön scharf, meine Liebe, stimmt's?», stellte Sly amüsiert fest. «Ich bin noch nie einer Frau begegnet, die so schnell feucht geworden wäre wie du.» Sie hielt inne und krümmte die Finger. «Natürlich abgesehen von Beatrice, aber die ist ein Sonderfall.»

Alexa wartete – ihre Schenkel zitterten, ihre Brustwarzen waren steif, ihr Geschlecht nass. Sie schloss die Augen, um ihrer gewaltigen Erregung Herr zu werden, und lauschte auf die Vorbereitungen der Krankenschwester. Sie hörte, wie die Gummihandschuhe schnappten und Salbe aus der Tube gepresst wurde.

«Entspann dich, Alexa, Schatz», flüsterte Sly ihr ins Ohr, dann begann der Übergriff auf ihre Intimsphäre.

«O nein … O nein …», schmachtete Alexa, als ihre Rosette sich gegen den tastenden Finger sperrte. Flüchtig trat ihr das Bild Siddigs vor Augen, und da endlich entspannte sie sich.

«So ist's besser», lobte Sly. «Du schaffst das, nicht wahr?» Der Finger bewegte sich sanft hin und her. «Es fühlt sich gut an, was da drinzuhaben, findest du nicht auch? Du weißt, dass du's magst. In Beatrices Behandlungszimmer hat es dir jedenfalls gefallen. Und bei deinen hübschen sudanesischen Freunden auch, hab ich recht?»

Du liebe Güte, diese Leute wissen einfach alles, dachte Alexa und wiegte sich, während Sly den Finger drehte und tiefer hineinschob. Sie nahm an, dass in dem opulenten Schlafzimmer in London eine Kamera versteckt war; Versteckmöglichkeiten gab es dort genug. Sie stellte sich vor, dass Sacha, Beatrice, und der Himmel wusste, wer sonst noch, mit angesehen hatten, wie sie sich ganz langsam auf Siddigs harten Schwanz abgesenkt hatte und dann in den Genuss von Yusufs Zunge gekommen war.

Aufstöhnend drückte sie den Po gegen Slys Finger und schluchzte auf, als die Krankenschwester die Hand zurückzog.

«Nein, nein, nein», meinte Sly tadelnd. «Das muss noch warten … Ich habe Anweisung, dich erst in Gegenwart von Monsieur le Maître kommen zu lassen.»

Alexa zitterte, behielt die Haltung aber bei. In der Pospalte spürte sie das feuchte Gleitmittel. Sly wühlte wieder in ihren Sachen, und Alexa überlegte, was wohl als Nächstes kommen würde.

«Also, Schätzchen, wir müssen dir noch ein kleines Geschirr anlegen, dann sind wir fertig», erklärte Sly aufmunternd und hob etwas hoch, das leise klimperte. «Entspann dich nochmal. Überall diesmal. Er möchte, dass du in beiden Lustöffnungen etwas hast. Um dich daran zu erinnern, wo du bist und wem du gehörst.»

Ehe Alexa die Bemerkung der Krankenschwester hatte sacken lassen, nahm Sly sich schon wieder ihren Hintern vor. Etwas Rundes, sehr Großes und Glattes, wurde hineingeschoben, und Alexa wurde von wilder Panik überwältigt und verspannte sich.

«Ruhig ... ganz ruhig», meinte Sly beschwichtigend, langte unter Alexas Bauch hindurch und massierte ihr die Verspannungen weg. «Alles in Ordnung. Du bist so sauber wie eine Trillerpfeife. Da passiert schon nichts.»

Alexa mochte ihr kaum glauben, doch nach einer Weile beruhigte sich ihr Inneres wieder. Kurz darauf veränderten sich die Empfindungen erneut und wurden angenehm; und als Sly den zweiten Gegenstand einführte – diesmal in ihre Möse –, ging Alexas Keuchen in ein lustvolles Stöhnen über. Als ihr irgendwelche Riemen um die Hüfte geschnallt wurden, begriff sie, dass das Klimpern von den Schnallen gekommen war.

«Dann wollen wir dich mal verschnüren», meinte Sly und bedeutete Alexa, sie solle sich aufrichten. Zwischen ihren Knien baumelte etwas; deshalb schlug Alexa endlich die Augen auf und blickte nach unten.

Mit einer Mischung aus Respekt und Entsetzen stellte sie fest, dass Sly ihr eine Art Geschirr angelegt hatte. Ein schwarzer Lederriemen – der irgendwie mit den beiden Gegenständen in ihrem Innern verbunden war – führte zwischen den Hinterbacken hindurch zum Rücken und war dort, soweit sie das erkennen konnte, an einem weiteren schmalen Lederriemen befestigt, der um ihre Hüfte herumführte. Ein dritter Lederriemen baumelte an der Vorderseite herunter, doch Sly nahm ihn sogleich in die Hand und zog ihn zwischen Alexas geschwollenen Schamlippen hindurch. Dann schnallte sie den Schamriemen an der Vorderseite des Gürtels fest.

Während die Krankenschwester das Geschirr strammzog, den Sitz begutachtete und noch einmal nachjustierte, wurde Alexa bewusst, dass der Lederriemen, der durch ihre Möse führte, dick gepolstert war und am Kitzler eine Ausbuchtung hatte. Einen steifen, lederbezogenen Wulst.

«Ach Gott», wimmerte sie, als Sly ruckartig die Riemen anzog und sich die in ihren Körperöffnungen versenkten Gegenstände bewegten.

«Gut, nicht wahr?», bemerkte die Krankenschwester, fuhr sich mit der Zunge über die Lippen und zog die Handschuhe aus. «Also, ich trage das eigentlich immer ganz gerne.»

Sich Sly in dem Geschirr vorzustellen war beinahe zu viel für Alexa. Die Krankenschwester bot nackt einen tollen Anblick, wie sie gestern Abend im Mondschein unter Beweis gestellt hatte, und die Vorstellung, dass ihr schlanker, makelloser Körper auf so intime Weise eingeengt und missbraucht wurde, war ebenso schockierend wie erregend.

«Jetzt noch der Rest», sagte Sly, hob einen weiteren Gegenstand vom Bett auf – ein zwei Finger breites Band aus schwarzem Samt, das sie Alexa um den Hals legte. «*Voilá!*», rief sie aus und schob den Druckknopf in den Nacken. «Und jetzt das noch …»

«Das» kam aus einer mit Seidenpapier ausgeschlagenen Schachtel, und es handelte sich um zwei schwarze Pumps mit etwa zehn Zentimeter hohen Absätzen.

«Ich glaube, die kann ich nicht tragen», sagte Alexa, einerseits voller Bewunderung für die glänzenden schwarzen Schuhe, andererseits verunsichert durch die Höhe der Absätze.

«Doch, du kannst!», meinte Sly, bückte sich und schob Alexa den einen Schuh über den linken Fuß, wobei sich Alexa auf ihrem Rücken abstützte. «Das wird schon gehen. Außerdem sollst du damit ja nicht wandern.» Sie richtete sich auf und wiederholte den Vorgang mit dem anderen Schuh. Anschließend hatte Alexa das Gefühl, auf Stelzen zu stehen.

Sie fühlte sich wackelig und unsicher auf den Beinen, und als sie den ersten Schritt tat, wäre sie beinahe in Ohnmacht gefallen. Bei der kleinsten Bewegung bewegten sich die Dildos in ihrem Körper, und der kleine Lederwulst drückte gegen ihren Kitzler.

«Ich ... ich kann das nicht», keuchte sie schwankend.

«Ganz ruhig», sagte die Krankenschwester tadelnd, trat zurück und streckte die Hände aus. «Komm her ... Geh auf mich zu. Du schaffst es!»

Alexa gehorchte, sich auf die Lippen beißend und mit geballten Fäusten. Bei der kleinsten Bewegung grub sich das Geschirr tiefer in ihre Möse; jeder Atemzug ging mit einer subtilen Stimulierung einher. Ihre intimen Körperöffnungen waren nicht nur versiegelt, sondern auch ausgefüllt. Das war demütigend und erniedrigend, denn ihre Peiniger waren hirnlose Gummistücke, die praktisch unbegrenzt in ihrem Körper verweilen konnten: empfindungslos, leblos, passiv. Ein Finger oder ein Schwanz war da viel weniger beschämend.

«Ich bin gleich fertig. Halt still!»

Alexa stand so reglos da, wie sie es vermochte, während Sly ein paar sorgfältig ausgewählte Kosmetika auftrug. Ein wenig dunklen Eyeliner, etwas Mascara und feuerroten Lippenstift auf Mund und Brustwarzen. Auch die Möse rieb sie unter dem Riemen damit ein, bis Alexa stöhnte und ihr Bauch zu zucken begann.

«Eigentlich bist du dafür viel zu nass», stellte die Krankenschwester mit Blick auf ihre rotbeschmierten

Finger fest, dann reinigte sie sie sorgfältig mit Papiertüchern.

Der Weg nach unten war quälend – fünf lange, scheinbar endlose Minuten am Rande eines Orgasmus. Jeder Schritt war eine exquisite Folter für ihr feuchtes, geplagtes Geschlecht; bei jeder Ecke, um die sie bogen, stockte ihr aufs neue der Atem. Was wäre, wenn sie dahinter einem Dienstmädchen oder einem unerwarteten Gast begegnete und sie gefesselt vorgeführt wurde wie die nackte Kriegsbeute irgendeines Barbaren? Als Sly die letzte Tür öffnete und sie in einen langgestreckten, luftigen Salon mit Terrassentüren an der einen Seite und einer Massageliege in der Mitte geleitete, schnaufte Alexa wie ein Blasebalg.

«Ah, *chérie*, wir haben dich bereits erwartet», sagte Sacha D'Aronville, als sie sich ihm näherten. Mit kühlem Blick musterte er Alexas Scham – und das Geschirr – und setzte ein schmallippiges, wissendes Lächeln auf. «Wie gefällt dir unser kleines Accessoire?»

Er lag lang ausgestreckt auf der Massageliege, bereits eingeölt und die Lenden mit einem strategisch platzierten kleinen Handtuch verhüllt. Hinter ihm stand Drew, der neben dem schmalen Franzosen vergleichsweise klotzig wirkte und mit einer schwarzen Weste und kurzen Shorts bekleidet war. Er musterte sie ausdruckslos mit seinen grauen Augen hinter den getönten Brillengläsern.

«Na?», half Sacha nach, stützte sich auf einen Ellbogen auf und fuhr sich mit den Fingern durchs silberweiße Haar. «Gefällt es dir? Erregt es dich? Hast du das Gefühl, kurz vor dem Orgasmus zu stehen?»

«Ja. Ja, das stimmt», antwortete sie gepresst; allein das Wort Orgasmus hätte sie beinahe schon kommen lassen.

«Also, versuch dich zu beherrschen ... Ich wäre enttäuscht von dir, wenn du zu schnell schwach würdest.»

«O nein!», wimmerte sie und schwankte, sodass sie
beinahe gegen Sly gefallen wäre.

«O doch. Du musst warten», sagte er sanft und legte
sich wieder zurück. «Wenn du eher kommst, wird es
dir leidtun ...» Er machte es sich in Rückenlage bequem
und spreizte ein wenig die Schenkel. Das kleine Handtuch rutschte etwas zur Seite. «Meinetwegen können Sie
anfangen, Drew», sagte er freundlich und nickte dem
wartenden Masseur zu.

Was folgte, war reinste Folter. Drew knetete Sachas
Arme und Schultern, tastete mit Fingern und Daumen
nach Verspannungen und drückte dann zu, um sie auf-
zulösen. Alexa dachte an Barbados, wo diese kräftigen
Hände ihr die Schultern geknetet hatten, und dann
an gestern Nacht, als er mit ihr geschlafen hatte. Sie
wünschte sich sehnlichst, sie selbst läge auf der Liege und
würde massiert, die Spannung in ihrer Scheide gelöst.
Sie stellte sich vor, wie Drew ihr behutsam das Geschirr
abschnallte und den Gummi in ihren Körperöffnungen
durch seinen Schwanz ersetzte.

Während sie ihm zusah, hatte sie den Eindruck, die
Gegenstände in ihr würden größer und liebkosten ihre
empfindlichen Schleimhäute. Sie füllten sie vollständig
aus; es gab keine Möglichkeit, sich Erleichterung zu
verschaffen. Sie wurde gedehnt, wurde immer schärfer
und feuchter. Sie trat einen Schritt vor, stellte die Füße
auseinander und versuchte, die Spannung ein wenig zu
lindern. Als ihr Geschlecht zu pulsieren begann, jam-
merte sie kläglich los.

«Kommst du etwa, Alexa?», fragte Sacha und regte

sich auf der Liege. Die Augen hatte er geschlossen, bekam aber anscheinend trotzdem mit, was in ihr vorging, ganz so, als besäße auch er einen erotischen sechsten Sinn.

«Nein!», schrie sie, grub die Fingernägel in die Handflächen und wünschte, sie hätte es gewagt, sich zwischen die Beine zu fassen und das Geschirr gegen den Kitzler zu drücken. Sie war nur einen winzigen Schritt von der Explosion entfernt und schon viel zu weit gegangen, um sich an Sachas Verbot zu halten.

«Ich glaube, wir werden bald die Handschellen brauchen, Camilla», sagte der Franzose ruhig, als Drew ihm zum Zeichen, dass er sich umdrehen solle, auf die Schulter klopfte. Sacha drückte sich aufreizend das Handtuch an den Unterleib und wälzte sich herum, ohne seine Genitalien zu entblößen.

Wie schön er ist, dachte sie, als sie den Blick über die sonnengebräunten Rundungen von Sachas Hintern schweifen ließ. Sein Po war straff und muskulös; nicht zu flach, nicht zu rund, die Spalte sehr tief und scharfgezeichnet. Genau richtig für eine Züchtigung, dachte Alexa und stellte sich vor, sie halte eine Peitsche oder einen Gürtel in der Hand. Plötzlich sah sie vor sich, wie Drew Sacha festhielt, anstatt ihn einzuölen und zu massieren, während sie mit einem dünnen Stock unerbittlich auf ihn einschlug. Sie könnte ihm auch einen Dildo in den Arsch schieben, genau, wie er es mit ihr getan hatte.

Mit dieser Vorstellung erlahmte ihr Widerstand vollends. Sie packte den Bauchriemen und zerrte an der Verbindungsstelle mit dem Schamriemen.

Die Lust setzte augenblicklich ein. Ihr Kitzler zuckte, ihre Möse pulsierte, und selbst ihre Rosette schnappte nach dem Eindringling. Ein unartikulierter Schrei stieg aus ihrem Innersten auf, und wäre Sly nicht rasch näher getreten und hätte sie gestützt, wäre sie – von Lustwellen geschüttelt – gestürzt.

«Ach, Schätzchen, was hast du getan?», flüsterte die Krankenschwester, welche die schwankende Alexa erst festhielt und dann ihre Handgelenke packte und ihr Handschellen anlegte.

Alexa wehrte sich schluchzend gegen die Fesseln. Sly hatte ihr die Hände auf dem Rücken gefesselt, während ihr Geschlecht und ihre Brüste doch so dringend nach einer Berührung verlangten. Der Höhepunkt war flach und unbefriedigend gewesen – nichts weiter als ein Vorgeschmack auf die Erlösung, nach der ihr Körper verlangte.

«Bitte ... ach, bitte», flüsterte sie, an niemand Bestimmten gerichtet.

Sacha regte sich auf der Massageliege und wandte ihr das Gesicht zu, den Kopf auf die Arme gestützt. «Unartiges Mädchen», brummte er. «Ich habe dir doch verboten zu kommen.» Er grinste sie schläfrig an. «Und heute Nacht hast du ebenfalls ohne meine Erlaubnis Lust genossen», fuhr er mit einem kaum merklichen Kopfnicken in Drews Richtung fort.

Du Schuft!, dachte Alexa, den großgewachsenen Masseur böse anfunkelnd. Der Mistkerl hatte sie an seinen Herrn verraten ... oder was immer Sacha für ihn bedeutete. Als spürte er ihre Musterung, schaute Drew, der unbarmherzig auf Sachas glänzendes Hinterteil eintrommelte, hoch und erwiderte zurückhaltend ihren Blick.

In diesem Moment wurde Alexas erotischer Extrasinn auf eine ganz neue Ebene gehoben. Genau im Zentrum von Drews scheinbarer Gelassenheit nahm sie Bedauern und blanken, ohnmächtigen Zorn wahr. Genau wie sie war auch er nur eine Spielfigur und Sacha D'Aronville verpflichtet, da er in Beatrices Schuld stand. Wahrscheinlich hatte Sacha ihm gestern Abend befohlen, zu ihr zu gehen und mit ihr zu schlafen.

Vielleicht würde ja auch Drew bestraft werden?

Dieser Gedanke kam ihr aus heiterem Himmel, und daraufhin betrachtete sie ihn noch aufmerksamer als zuvor. Vielleicht war er ja doch aus freien Stücken zu ihr gekommen, und dass sie hier vor ihm in Fesseln zur Schau gestellt wurde, stellte eine Bestrafung für ihn dar?

«*Mon dieu ... C'est merveilleux*», murmelte Sacha plötzlich und bewegte die Hüften unter Drews Händen. Er rieb sich schamlos am weißen Laken und schnurrte vor Zufriedenheit wie ein Kater. Als die langen Finger des Masseurs in die Tiefe vorstießen und sich tastend krümmten, stöhnte der Franzose auf und stemmte seinen Hintern dem Druck entgegen.

«*Je vous en prie!*», sagte er heiser und hätte beinahe aufgewinselt, als Drew beide Daumen in seinen Anus schob. Alexa, die auf der Stelle wippte und schwankte, sah mit an, wie Sachas enge Öffnung gedehnt und geweitet wurde, während er verzückt die Augen verdrehte. Drew hockte jetzt unmittelbar über ihm, bearbeitete gnadenlos die runzlige Rosette und hätte es seinem stöhnenden Herrn beinahe mit den Händen besorgt.

Die Penetration währte mehrere Minuten, dann schüttelte Sacha den Kopf und keuchte: «Es reicht!»

Drew hörte wie befohlen auf und zog die Hände zurück. Sacha rollte sich auf den Rücken und setzte sich auf, sodass seine Rute nach oben ragte wie ein Horn mit glänzender roter Spitze.

«Alexa, *chérie*», sagte er leise. «Komm her und gib mir deinen Mund.» Er spreizte die Beine und klopfte neben sich auf die Liege, dann schüttelte er sein erigiertes Glied.

Die breite Massageliege bot ausreichend Platz, sodass Alexa sich zwischen seine Beine knien konnte. Der Weg dorthin allerdings brachte sie zum Keuchen und Wimmern. Da ihr die Hände auf den Rücken gefesselt waren, konnte sie sich nur ruckartig und schwankend vorwärts bewegen, obwohl Sly sie stützte. Als sie auf die Liege kletterte, verlagerten sich die Dildos in ihrem Innern und erzielten mit ihren infernalischen Konturen eine ganz neue Wirkung. Zwischen Sachas sonnengebräunten Beinen hockend, spürte sie, wie der klebrige Saft ihrer gepeinigten Möse am Geschirr vorbeilief und ihr über die Schenkel rann. Als sie Sachas Schwanz zwischen die Lippen nahm, kam sie.

Mit dem Steifen an der Zunge schreiend und leckend, fühlte sie sich zutiefst ohnmächtig und gedemütigt. Ihr französischer Gebieter hatte sie vollständig in Beschlag genommen und herrschte nicht nur über ihren Körper, sondern auch über ihren Geist und ihre Gefühle. Mit seinem lebendigen Schaft füllte er ihren Mund aus wie die kalten Gummidildos ihre Möse und ihren Arsch. Er hatte sie ihrer Lust und ihren Orgasmen hilflos ausgeliefert und zwang sie dazu, sich in Gegenwart eines Mannes, von dem sie glaubte, dass er sie bewunderte, beinahe wie ein Tier zu verhalten.

Heftig an Sachas Rute saugend, blickte sie zu Drew auf, der reglos wie eine Statue neben Sachas Schulter stand. Sie versuchte, einen Kontakt mit dem Masseur herzustellen, dessen Augen hinter der Brille verborgen waren, doch ehe ihr das gelang, fing Sacha irgendwie ihre geheime Botschaft auf.

Der Franzose lächelte sie an; ein bedächtiges, kühles Lächeln mit triumphierend funkelnden blauen Augen, das sich im nächsten Moment zu einer orgiastischen Grimasse verzerrte. Er stemmte ihr seine schlanken Hüften entgegen, und sein Schwanz stieß an ihren Gaumen, während er die Hand ausstreckte und Drews Gesicht zu sich herunterzog.

Und während Sacha sich in ihren Mund ergoss, musste sie mit ansehen, wie er leidenschaftlich einen Mann küsste.

16. Kapitel ～ Kein Zurück

Alexa sah nie wieder, wie die beiden Männer sich küssten, doch es beschäftigte immer noch ihre Phantasie, was die beiden wohl miteinander trieben, wenn sie nicht zugegen war.

Als er gekommen war, hatte Sacha sich belebt von der Liege erhoben. Er hatte nach einem Bademantel und einem Glas verlangt, und als Sly ihm seine Wünsche erfüllt hatte, setzte er sich und schaute zu, wie Drew Alexa züchtigte.

Es war eine kurze, aber unglaublich intensive Sitzung gewesen. Nach wie vor gefesselt und mit den Dildos im Leib, hatte sie über einem Bock gelegen, während ihr Hinterteil mit einer Rute gepeitscht wurde. Während sie sich noch schluchzend wand, hatte man ihr das Geschirr abgenommen, nicht jedoch Handschellen, Schuhe und Halsband; dann war Drew auf Sachas Befehl hinter sie getreten, hatte sie bei den Hüften gepackt – und sie genommen. Sie war so nass gewesen, dass es schon peinlich war; Drews Stöße hatte sie nicht nur gespürt, sondern auch gehört. Nach etwa einer Minute war sie zu einem gewaltigen Orgasmus gekommen und hatte Sacha auf dem Höhepunkt in die Augen geblickt. Er hatte sie angelächelt, war aufgestanden und hatte sie geküsst.

Das bringt es irgendwie auf den Punkt, dachte sie in ihrer Londoner Wohnung. Jede Begegnung, jede Szene, jede sexuelle Handlung in jedweder Kombination waren zugleich pervers und zärtlich gewesen. Man hatte sie einem Dutzend unterschiedlichen Demütigungen unterzogen, doch dabei war stets auch ein gewisses Maß an Freundlichkeit im Spiel gewesen. Ein Wort. Eine Geste. Ein Blick. Ein Juwel der Liebeswürdigkeit, das den tiefsten Schmerz gelindert hatte.

Man hatte ihr den Hintern versohlt, und Beatrice und Sly hatten sie befummelt. Sacha und Drew hatten sie auf Anweisung Sachas in jede Körperöffnung gefickt. Sie war gefesselt, angebunden und in beengende, sehr spezielle Kleidungsstücke gezwängt worden. In Lederkorsetts, Gummihauben, Slips mit Löchern und Ausbuchtungen an den intimsten Stellen.

Doch jeder perverse Akt hatte sie ihren Peinigern näher gebracht – falls man überhaupt von Peinigern sprechen konnte, denn die Grenzen waren fließend. War sie eben noch nackt an die Balustrade des Patios gekettet gewesen, während ihr der Hintern gepeitscht und liebkost wurde, lag sie im nächsten Moment zwischen Beatrice und Sacha im Bett und wurde von ihnen abwechselnd verwöhnt.

Und dann waren da noch die nächtlichen Begegnungen mit Drew gewesen, die manchmal leidenschaftlich, manchmal zärtlich ausfielen, stets aber tröstlich normal waren. Das einzig Seltsame daran war, dass sie anschließend nicht mehr darüber sprachen.

Jetzt aber war sie wieder zu Hause, wo die kühlere Luft nicht nach Pinien duftete und alles deprimierend normal war.

«Reiß dich zusammen, Alexa», sagte sie sich. «Jeder hat bekommen, was er wollte. Die Rechnungen sind beglichen. Das Spiel ist aus.» Sie musterte das Gepäck, das sie sich in Frankreich zugelegt hatte und das wahrscheinlich mit zum «Honorar» gehörte. Sacha hatte sie mit Geschenken überhäuft; in den Gucci-Koffern waren Klamotten zum Anziehen, hauchdünne Unterwäsche, teure Kosmetika und auch ein paar nützlichere Dinge.

Ein Scheck über eine enorm hohe Summe, überreicht mit einem französischen Handkuss und der in ernstem Ton und mit kühlem Blick vorgebrachten Versicherung, dass sie ihre Verpflichtungen vollständig erfüllt habe. Des Weiteren eine dünne Mappe mit Namen und Adressen und mehreren kurzen, aber aufschlussreichen Briefen – Empfehlungsschreiben der Société Financière D'Aronville, in denen die Firma KL Systems überschwänglich gelobt wurde. Es gab sogar ein paar ganz persönliche Empfehlungsschreiben, die sie als Systemanalytikern empfahlen, doch was den genauen Wortlaut betraf, hatte Alexa so ihre Zweifel. Einige Formulierungen klangen doch recht doppeldeutig.

Was immer diese Briefe besagten, eines war jedenfalls sicher: Ihr Leben hatte sich unwiderruflich verändert. Der Rückweg in ihr altes Leben war ihr versperrt. Jedenfalls galt das für die Beziehung mit Thomas. Was sie in Frankreich empfunden hatte, war mehr gewesen als eine von der exotischen Umgebung ausgelöste Rastlosigkeit. Sie hatte sich so sehr verändert, dass es ihnen beiden gegenüber unfair gewesen wäre, einfach so weiterzumachen wie bisher, und wenn ihr Gefühl sie nicht trog, würde er ihr in der Beziehung wahrscheinlich zustimmen.

In einem nachdenklichen Moment sah sie auf ihre linke Hand. Irgendwie ließ es schon tief blicken, dass sie nie die Kurve gekriegt und sich Verlobungsringe gekauft hatten.

Aber wenn ihr der Rückweg versperrt war, musste sie eben nach vorn blicken. Wie sollte es jetzt weitergehen? Konnte sie weiter für ihn arbeiten? Täglich mit ihm zusammen sein, auch wenn sie die Nächte nicht mehr miteinander teilten? Das wäre heikel. Und nach dem Vorfall im Waschraum galt das auch für Quentin.

Vielleicht sollte sie fortan selbständig arbeiten, wie Sacha es mit seinen enthusiastischen Empfehlungsschreiben angeregt hatte. Sie hatte viele eigene Kontakte, und wenn sie mit Tom erst einmal die Bezahlung durch die Société Financière D'Aronville geklärt hätte, bliebe ihr wahrscheinlich noch einiges übrig. Sie könnte beruflich und privat einen neuen Anfang machen, sich eine neue Beschäftigung suchen, den Alltag neu organisieren und neue Freunde gewinnen. Einen Freundeskreis, der auf der Beziehung zu der Ärztin aufbauen würde …

Beatrice hatte ihr versprochen, sich bei ihr zu melden, sobald sie nach einem mehrtätigen Zwischenstopp in Paris in London eingetroffen sei. Sie hatte Alexa überreden wollen, sie zu begleiten – hatte ihr gut zugeredet und dabei alle Register gezogen –, doch Alexa hatte abgelehnt. Sie hatte es richtiger gefunden, auf schnellstem Weg nach Hause zu fliegen. Und sich mit Tom auszusprechen.

Er war nicht da, hatte aber eine Nachricht auf dem Anrufbeantworter hinterlassen und ihr mitgeteilt, dass er später kommen werde. Sie hatte versucht, anhand seines Tonfalls auf seine Stimmung zu schließen, doch die kurze Nachricht war wenig aufschlussreich.

Als es auf den Abend zuging, duschte Alexa und untersuchte beim Abtrocknen ihren Körper. Sacha hatte bei ihr keinen Stock verwendet; er hatte angedeutet, das «spare er sich auf». Oben auf der linken Hinterbacke befanden sich ein paar verblassende blaue Flecke, doch ansonsten war ihre Haut glatt und unversehrt. Eigentlich war es enttäuschend, dass von ihrer Ekstase kaum Spuren zurückgeblieben waren. Seufzend schlüpfte sie in eins der neuen Teile, ein bodenlanges, schräggeschnittenes Nachthemd aus weißer Seide. Sie sprühte sich mit Parfüm ein, auch das ein Geschenk – ein leichter Jasminduft, der bestimmt ein Vermögen gekostet hatte –, und massierte sich französische Feuchtigkeitscreme in Gesicht und Hals ein. Dann fuhr sie sich durchs Haar und lockerte ihre weichen Locken.

Was machst du da eigentlich, Lavelle?, fragte sie sich und betrachtete ihr Spiegelbild, als stünden ihre Absichten darauf. Das Bedürfnis, begehrenswert und sogar erotisch zu erscheinen, war ihr inzwischen in Fleisch und Blut übergegangen, aber sollte sie ihm ausgerechnet jetzt nachgeben?

Habe ich's etwa auf eine letzte Verführung angelegt?, dachte sie. Wollte sie es ihm auf diese Weise sagen? Wenn er milde gestimmt und erregt war und seinen Schwanz in ihr hatte?

Das wäre grotesk gewesen, aber gab es eine schonendere Art, es ihm zu sagen? Unentschlossen schenkte sie sich ein großes Glas Wein ein.

Das Gefühl, im Bett nicht mehr allein zu sein, weckte sie auf. Das Schwanken der Matratze und die deutlich wahrnehmbare Nähe eines Mannes. Obwohl sie schlaftrunken war und kaum einen klaren Gedanken fassen konnte, spürte sie sein Begehren.

«Drew?», sagte sie und ertastete erst eine nackte Hüfte, dann einen strammen Männerschenkel.

«So heißt er also», erwiderte Tom eigentümlich gelassen.

Augenblicklich hellwach, wollte Alexa sich aufsetzen und das Licht einschalten, doch Tom legte sich über sie und hielt sie fest.

«Nicht! Ist schon okay. Im Dunkeln ist es besser.» Er stockte, suchte anscheinend nach Worten. «Seit du von Barbados zurück bist, weiß ich, dass irgendwas nicht stimmt. Etwas Grundlegendes … Ich habe darauf gewartet, dass du mir sagst, es gäbe da einen anderen Mann. Für deine Geldausgaben, die neue Frisur und all das musste es ja einen Grund geben.»

Alexa wog sorgfältig ihre Worte. Sie konnte nicht länger mit Tom zusammenbleiben, denn sie liebte ihn nicht und wollte auch nicht mit ihm zusammenleben, wollte ihm aber auch nicht wehtun. Er war ihr nicht gleichgültig; sie mochte ihn immer noch.

«Das ist schwer zu erklären», sagte sie vorsichtig, ergriff seine Hand und registrierte mit Erleichterung, dass er ihren Druck erwiderte. «Aber ich würde es gern versuchen … So gut ich kann. Du hast es verdient.»

Tom schwieg eine Weile und bewegte die Fingerspitzen an ihrer Handfläche, was sie früher immer erregt hatte.

«Also gut, ich höre», meinte er schließlich; sein Tonfall klang resigniert, aber nicht ganz uninteressiert.

«Auf Barbados ist irgendetwas mit mir geschehen», begann sie zögernd. «Dabei war kein Mann im Spiel.

Also, jedenfalls zu Anfang nicht. Ich war es, die sich verändert hat … Oder vielleicht ist etwas, das bereits in mir angelegt war, endlich zum Vorschein gekommen.»

Während sie von ihrem Sturz, den Kopfschmerzen und den darauf folgenden Ereignissen erzählte, hörte er ihr aufmerksam zu. Alexa schönte den Bericht sorgfältig, um seine Gefühle zu schonen, spürte aber seine Verblüffung und an manchen Stellen auch sein Erschrecken und seine Beunruhigung. Als sie geendet hatte, schwieg er nachdenklich, die Finger locker mit den ihren verschränkt.

«Damit … kann ich nicht umgehen», erklärte er schließlich, dann bewegte er sich unruhig. «Das klingt teilweise aufregend, aber für mich ist das nichts. Das ist mir zu extrem. So könnte ich nicht leben. Das würde ich auch gar nicht wollen …»

Er klang aufrichtig. Und auch verwirrt. Sie waren jetzt zu verschieden, waren es vielleicht immer schon gewesen. Sie öffnete den Mund, ohne zu wissen, was sie sagen sollte, doch Tom kam ihr zuvor.

«Im Grunde fühle ich mich erleichtert. Ich hatte immer schon den Eindruck, dass etwas nicht stimmt, aber ich habe geglaubt, es würde irgendwann weggehen. Wir würden schon damit klarkommen. Uns zusammenreißen, weißt du, um der Firma willen und so.» Er hielt inne, dann drückte er ihr die Hand, was sich anfühlte wie eine Liebkosung. «Aber das heißt nicht, dass du mir gleichgültig wärst, Lexie. Ich liebe dich noch immer und werde dich in gewisser Weise immer lieben, aber jetzt weiß ich, dass es ein schwerer Fehler wäre, dich zu heiraten.» Er stockte erneut, dann lachte er auf, zog ihre Finger an die Lippen und küsste sie. «Tut mir leid, das ist mir so rausgerutscht. Aber ich glaube, du weißt schon, wie ich's gemeint habe.»

«Ja. Und du hast recht», sagte sie und wurde jetzt, da es endlich heraus war, von einer Woge der Zuneigung erfasst. Schließlich war es zeitweise auch schön mit ihm gewesen. Und außerdem brauchten sie ja nicht alles über Bord zu werfen, was sie miteinander verband. Sie rollte sich zu ihm herum.

«Wir könnten doch Freunde bleiben», nahm er ihr zum zweiten Mal das Wort aus dem Mund. «Wir könnten uns überlegen, wie es mit der Firma weitergehen soll. Hin und wieder essen gehen, um der alten Zeiten willen. Wir könnten sogar ... Na ja ... Ach Gott, ich weiß nicht, wie ich's sagen soll!», rief er gequält aus. «Komm schon, du bist der sexuelle Freigeist, verdammt nochmal. Hilf mir doch!»

Alexa lächelte im Dunkeln und legte die Hand auf seine warme, schlanke Hüfte. Anders als sonst hatte er sich nackt ins Bett gelegt, und gleich darauf hatte sie ertastet, was sie erspürt und erwartet hatte.

«Du meinst, wir könnten trotzdem hin und wieder miteinander ins Bett gehen, stimmt's? Ist es das, was du sagen wolltest? Natürlich rein freundschaftlich», setzte sie neckend hinzu.

«Ja. Ja, das wollte ich sagen, irgendwie. Ich hab mir ge–» Er verstummte und stöhnte auf, als sie ihn mit langsamen, gleitenden Bewegungen zu liebkosen begann, so, wie er es gerne hatte. «Hör mal. Ach Gott, Lexie. Wir liegen miteinander im Bett, und wir sind Freunde. Glaubst du, wir könnten mit unserer neuen Beziehung gleich jetzt anfangen?» Er wand sich und stemmte die Hüften rhythmisch ihrer Hand entgegen.

«Aber nur ... nur das, was wir immer gemacht haben. Verstehst du? Nichts Perverses. Nichts von diesem anderen Zeug. Wär das okay?»

«Ich glaub schon», murmelte sie und drückte noch einmal zärtlich seinen Schwanz, dann zog sie die Hand zurück und ließ sich einladend in die Kissen zurückfallen. Sie wand sich, bis das Seidennachthemd hochrutschte und sie das kühle Baumwolllaken am Po spürte. Dann spreizte sie die Schenkel, streckte die Arme aus und zog Tom an sich.

Sein Körper fühlte sich kräftig, fest und heiß an. Er war kein Muskelmann wie Drew und auch nicht so ästhetisch schlank wie Sacha, doch auch Tom hatte durchaus seine Reize. Sein steifer, zuckender Penis streifte sie, doch er schob ihn ihr noch nicht hinein. Alexa lächelte unwillkürlich, als er ihr den Hals küsste und durch das Oberteil hindurch mit kreisenden Bewegungen die Brüste streichelte. Toms Technik war immer schon ganz passabel gewesen und bisweilen auch in Maßen inspiriert, doch jetzt spürte sie, dass er sich besonders anstrengte. Schließlich war er ein Mann mit einem Ego und wollte im Vergleich mit seinen imaginären Nebenbuhlern bestehen.

Sie wollte ihm sagen, er solle sich nicht darum scheren und sich keine Sorgen machen und der Sex mit ihm habe ihr immer Spaß gemacht. Schließlich war es nicht der Sex, der sie auseinandergebracht hatte, sondern ihre Denkweise, ihre unterschiedlichen Ziele und die Tatsache, dass sie sich verändert hatte.

Und die erotischen Phantasien, die sie auch jetzt wieder entwickelte ...

Als Tom sie durchs Nachthemd hindurch in die Nippel kniff, sah sie eine maskierte Frau vor sich, die sich über sie beugte und ihr kleine, mit kunstvollen Gravuren verzierte Klammern an die Brustspitzen knipste.

«O ja! O ja, fester!», raunte sie, und in ihrer Vorstellung zog die Frau – Beatrice? Sly? Loosie? – die Klammern mit kleinen silbernen Schrauben fest.

Tom gehorchte, und auch jetzt wieder spürte sie seinen unbewussten Eifer, sich zu beweisen. Er rieb ihre Brustwarzen, drehte sie ein wenig, und als sie sich wimmernd wand, ließ er eine Hand sinken und schob sie ihr zwischen die Beine.

«Das macht dich richtig an, was?», flüsterte er, mit der einen Hand drehend, mit der anderen reibend. «Schmerz. Dominanz. Die Sachen, die du geschildert hast.»

«Ja», keuchte Alexa, als er die eine feste Brust wie einen Kegel langzog und gleichzeitig den Nippel rieb und drehte. Ihre Hüften kreisten ganz von selbst, doch Toms Fingerspitze lenkte die Bewegungen und drückte fest gegen ihr erhitztes, schmerzendes Lustzentrum. Er setzte sich auf und hantierte mit ihr wie ein Marionettenspieler. Das Gefühl war wundervoll vertraut.

Einen Moment lang dachte sie an Sacha und dass es sich bei ihm ganz ähnlich angefühlt hätte, dann dachte sie nichts mehr. Überhaupt nichts mehr. Sie unterwarf sich den Forderungen ihrer Sinne, während Tom ihr seine Finger wie einen dicken Keil in die Möse schob, mit dem Daumen gegen den Kitzler drückte und ihn daran kreisen ließ.

«Ach Gott!», rief sie leise, als sie kam.

Anschließend hatte sie ihm einen geblasen. Sie hatte gewusst, dass es das war, was er wollte; die perfekte Belohnung für die Lust, die er ihr mit den Händen geschenkt hatte. Als sie sein Sperma schmeckte, hatte sie sich eigentümlich optimistisch gefühlt, doch nun, da mehrere Tage vergangen waren, wünschte sie, alles wäre klar und eindeutig gewesen.

Sich unbewusst mit der Zunge über die Lippen leckend, nahm sie wieder seinen Geschmack wahr, und sein heiserer Lustschrei hallte ihr in den Ohren. Als es ihm kam, hatte er sie beschimpft, doch es hatte auch Zuneigung darin gelegen; ein liebevoller Unterton, den nicht einmal der Orgasmus zu verbergen vermochte. Alexa lächelte. Sie könnten trotz alledem Freunde bleiben. Hin und wieder könnten sie miteinander schlafen. Und wer weiß, dachte sie, vielleicht wird er ja eines Tages auch an den «anderen Sachen» Gefallen finden.

Im Moment aber konnten sie nicht länger zusammenleben, und da die Wohnung Tom gehörte, musste sie ausziehen. Taktvollerweise hatte er eine Geschäftsreise arrangiert, diesmal nach Wales, damit Alexa Gelegenheit hatte, in Ruhe ihre Sachen zu packen.

Wenn es nur so leicht wäre, dachte sie, führte den Kaffeebecher an den Mund und trank, während sie in der Wohnung umherwanderte. Ihr wurde bewusst, dass sie Abschied nahm und ihre gemeinsame Zeit hinter sich ließ.

Es dauerte eine Weile und brachte sie beinahe zum Weinen, ließ sie in ihrem Entschluss jedoch nicht schwankend werden. Sie hatte eine neue Vision, neue Bedürfnisse, ein neues Leben, wusste aber nicht, wo sie anfangen sollte.

Vor einer Stunde hatte sich unverhofft eine Option eröffnet. Ein Kurier hatte einen langen, intimen Brief aus Frankreich überbracht, auf den sie beinahe schon gewartet hatte.

Leb bei mir, schrieb Sacha in einem Englisch, das ebenso unwiderstehlich war wie seine Stimme. *Reise mit mir. Wir können das, was in der Villa Isis angefangen hat, weiter erforschen ... Ich muss ständig an Deinen nackten Körper denken, Alexa. An Deine Brüste. Dein Geschlecht. Ich denke an Deinen Arsch, stelle mir vor, wie ich ihn mit dem Stock schlage. Höre Deine Schreie, schmecke Deine Säfte. Ich begehre Dich, Alexa, chérie. Deine Lust. Deinen Schmerz. Und ich möchte Dir eine andere Seite von mir zeigen. Eine Seite, die Dir bestimmt gefallen würde ...*

Das Angebot war verlockend. Nahezu unwiderstehlich. Außerdem reizte sie die Vorstellung, einen neuen Sacha kennenzulernen. Ihr war klar, was es mit seinem Angebot auf sich hatte. In dem Moment, als sie den Brief berührte, hatte sie an einen Rollentausch gedacht. Sie selbst dominant, vielleicht ganz in Leder gekleidet; Sacha unterwürfig und nackt, wartend auf den ersten Hieb. Die Vorstellung erregte sie, doch sie war noch nicht so weit. Sie musste noch eine Menge lernen, bevor sie Sacha D'Aronville wiedersah. Bevor sie ihn ebenso dominieren konnte wie er sie, musste sie erst selbstsicherer werden. In der neuen Beziehung mit Tom konnte sie üben, doch sie spürte, dass er im Grunde ein ungeeigneter Testkandidat war.

Als sie gepackt hatte – im Koffer waren nur ein paar Toilettenartikel und etwas Wäsche –, wusste sie noch immer nicht, wohin sie jetzt sollte. Ihre wenigen langjährigen Freundinnen waren auch mit Tom befreundet, und von ihnen erwartete sie kein Verständnis für ihre Lage. Die neue Alexa kannten sie nicht, und da sie eher konventionell gestrickt waren, würden sie womöglich ein Monster in ihr sehen.

Natürlich hätte sie sich für den Übergang auch ein Hotelzimmer nehmen können – Geld genug hatte sie jetzt. Doch erst, als sie im Wagen saß und in südlicher Richtung durch die City fuhr, wurde ihr bewusst, wohin sie unterwegs war. Zu einem Ziel, das ihr längst hätte in den Sinn kommen sollen …

Obwohl sie bei Beatrice geklingelt hatte, öffnete Drew die schwarzlackierte Tür. Er musterte sie über die Schwelle hinweg, sein muskulöser, nur mit Läufershorts und T-Shirt bekleideter Körper eine noch größere Einladung als sein Lächeln.

«Komm rein», forderte er sie auf und nahm ihren Koffer. «Beatrice erwartet dich schon.» Er stockte, als ihre Finger sich am Koffergriff berührten. «Wir alle haben dich erwartet …»

Alexa stutzte. War das Häme? Waren er und seine Herrin sich ihrer so sicher? Sie krampfte die Finger um den Griff und versuchte, ihm den Koffer zu entreißen.

«Hey! Sei nicht so», sagte er, ohne seinen Griff zu lockern. «Du bist hier willkommen. Niemand will dich vereinnahmen. Wenn du bleibst, ist das deine Entscheidung.» Auf einmal ließ er den Koffer los.

«Ich bin nicht Beatrices Marionette, weißt du», erklärte Alexa trotzig und strafte ihre eigenen Worte Lügen, indem sie über die Schwelle in den Flur trat, als Drew ihr Platz machte.

«Ich auch nicht», meinte Drew gelassen. «Komm mit ... Ich zeige dir dein Zimmer. Beatrice hat es vorsorglich schon mal hergerichtet.»

Alexa betrachtete ihn aufmerksam, und auf einmal blieb er mitten im Flur stehen und hob die Schultern. «Okay ... ich stehe in ihrer Schuld. Wir wissen beide, dass ich gewisse Verpflichtungen habe. Aber das heißt nicht, dass ich ihr Spielzeug wäre. Das kannst du mir ruhig glauben.»

«Wenn du es sagst», erwiderte Alexa sarkastisch, obwohl sie ihm seine Erklärung eigentlich abnahm. Auch dann, wenn er anderen diente, bewahrte er sich einen ungezähmten Rest. Diese Eigenschaft bewunderte sie an ihm am meisten, den stahlharten Kern, der vornehm und erregend war. Er hatte Sacha D'Aronvilles Befehle ausgeführt, hatte ihm wie ein Sklave die perversesten Wünsche erfüllt und war gleichwohl unberührt davon geblieben. Sie überlegte, ob er heute Morgen wohl zu tun gehabt hatte, musterte die glänzenden Arme und die Konturen seiner kräftigen nackten Beine.

«Und wo ist die gute Ärztin?», fragte sie, als Drew sich zur Treppe wandte. «Wenn sie sicher war, dass ich aufkreuzen würde, weshalb begrüßt sie mich dann nicht?»

Den Fuß auf die erste Stufe gesetzt, wandte Drew den Kopf zu ihr herum. «Sie hat zu tun. Nach dem kleinen Ausflug von vergangener Woche hat sie einiges aufzuholen ... Sie hat nämlich auch ganz normale Patienten, weißt du», sagte er mit einem Grinsen und zwinkerte ihr hinter den Brillengläsern zu. «Ich weiß, sie ist nicht ... Na ja, sie ist nicht gerade die typische Hausärztin, aber sie behandelt auch Kranke und verschreibt ihnen Medikamente.» Er hob die breiten Schultern und stieg mit für einen so großen, schweren Mann erstaunlich grazilen Bewegungen die Treppe hoch. «Jedenfalls in einem Teil ihrer Zeit.»

«Sicher», murmelte Alexa und dachte an ihre eigene «Behandlung». Sie glaubte beinahe, wieder das rote Leder an der Haut zu spüren und die federleichte Berührung einer streichelnden Frauenhand.

Als sie Drew in den ersten Stock hinauffolgte und an den schon vertrauten Bildern, Möbeln und Antiquitäten vorbeikam, wurde Alexa von einer Woge wollüstiger Erregung überflutet. Dieses Haus, dieses wundervoll eingerichtete Haus, war geprägt von der Persönlichkeit seiner Besitzerin. Sie spürte, dass Beatrice sich ganz in der Nähe aufhielt – drang vom Flur her nicht ihre leise Stimme heran? –, und meinte sie beinahe zu schmecken und zu fühlen. Sie war umgeben von den Besitztümern der Ärztin: von den sinnlichen Gemälden der romantischen Viktorianischen Epoche und luxuriösen, prächtigen Möbeln. Es war, als bargen selbst die nackten Wände Echos. Beatrices spöttisches Lachen und ihr kehliges Stöhnen. Als Alexa an Frankreich dachte und an das Gefühl, eine weibliche Brust zu lecken, wäre sie fast gestolpert.

«Alles in Ordnung?», fragte Drew und brachte sie damit unvermittelt wieder in die Gegenwart zurück. Sie standen vor einer Tür.

«Äh, ja», antwortete Alexa rasch. «Ich glaube, ich bin zu schnell die Treppe hochgestürmt. Ich bin nämlich nicht so fit wie du. Ich sitze die meiste Zeit am Computer.»

«Also, vielleicht können wir ja was dagegen tun», meinte Drew verschmitzt, öffnete die Tür und ließ sie aufschwingen. «Sobald du dich eingelebt hast, fangen wir an. Ich werde ein Fitness-Programm ausarbeiten … Training, Diät, Massage. Halt so was.»

«Ich kann mir gut vorstellen, wie das aussehen würde», erwiderte Alexa spitz und trat in das hübsche und sehr weiblich eingerichtete Schlafzimmer. Unter anderen Umständen hätte sie sich Zeit gelassen und ihre neue Umgebung ausgiebig bewundert, doch Drew beanspruchte ihre ganze Aufmerksamkeit für sich. Sie dachte daran, wie er sie vor ihrer Cabana auf Barbados zum ersten Mal massiert hatte. Damit hatte alles angefangen.

Er sprang nicht auf den Köder an, sondern stellte den Koffer einfach auf dem Bett ab. «Dann lass ich dich erst mal allein. Wenn du irgendwas brauchst – Kaffee, etwas zu essen, was auch immer –, Beatrices Hausangestellte ist in der Küche im Erdgeschoss. Du brauchst auf dem Haustelefon nur die Zwei zu wählen.» Er deutete zu dem weißen Telefon auf dem Nachttisch hin. «Und solltest du andere Wünsche haben» – er zuckte mit den Schultern, als hätte er keine Ahnung, wie diese Wünsche aussehen könnten –, «ich bin hinten im Garten. Von hier aus solltest du mich eigentlich sehen können.» Er zeigte auf das Fenster mit Spitzenvorhang, das Ausblick bot auf den großen Garten der Ärztin.

«Und welche Wünsche könnten das deiner Meinung nach sein?», entgegnete sie schnippisch, denn er hatte sie verletzt. Glaubte er etwa, sie werde sich gleich auf ihn stürzen, obwohl sie eben erst angekommen war? Dass sie ihre Habseligkeiten auspacken und dann denken würde: Hey, ich bin scharf, wo steckt Drew? Dabei stimmte es tatsächlich; sie spürte die Spannung in Bauch und Brüsten, doch es ärgerte sie, dass er sie für so berechenbar hielt.

«Das weiß ich doch nicht!», fauchte er sie an. «Vielleicht möchtest du ja mit jemandem reden. Ich hab mir gedacht, du würdest vielleicht Gesellschaft haben wollen; Bea wird wahrscheinlich den ganzen Vormittag über beschäftigt sein.»

«Tut mir leid», murmelte Alexa; auf einmal schämte sie sich ihrer Gedanken. «Ich bin ein bisschen von der Rolle. Ich brauche Zeit zum Nachdenken.» Sie lächelte nervös, als sie an ihre Begegnungen in Frankreich und auf Barbados dachte. «Irgendwie weiß ich gar nicht, was ich hier soll.»

«Ist schon okay», sagte Drew einfühlsam und trat einen Schritt vor. Alexa, die glaubte, er wolle sie in die Arme schließen, erbebte bis ins Mark. Doch dann lächelte er nur und musterte sie mit seinen grauen Augen voll eigentümlicher Zärtlichkeit, dann ging er langsam und geschmeidig zur Tür. «Wie ich schon sagte, wenn du mich brauchst, weißt du ja, wo du mich findest.»

Und dann war er weg, und Alexa fühlte sich auf einmal hilflos und ein wenig veralbert. Als sie hergekommen war, hatte sie nicht unbedingt Sex im Sinn gehabt, doch jetzt, da sie in die sinnliche Aura des Hauses eingetaucht war und eben einen attraktiven, leicht bekleideten Männerkörper vor sich gesehen hatte, wollte sie Sex. Sie wollte Drew, wurde ihr bewusst. Ganz speziell ihn, und das ganz dringend. Und während sie sich den Tatsachen stellte, wurde sie von Erinnerungen überwältigt.

Sie sah ihn nackt auf Barbados, in der weißen, sonnendurchfluteten Cabana über ihr stehend. Sie sah ihn in Frankreich, ganz in Schwarz gekleidet und zusammengesunken im Terrassensessel sitzend. Sein Glied war entblößt und erschlaffte gerade, noch feucht von ihrem Mund. Sie sah seinen ausladenden, aber tröstlichen Schatten, wie sie ihn in der Nacht gesehen hatte, als sie glaubte, er sei heimlich zu ihr gekommen, um ihr Lust zu schenken.

Sie gab einen Laut von sich, eine Mischung aus sehnsuchtsvollem Seufzer und frustriertem Stöhnen, öffnete den Koffer und machte sich ans Auspacken.

Wäre es denn so falsch, jetzt nach unten zu gehen und den ersten Schritt zu tun? Sie warf Unterwäsche in eine Schublade, dann trat sie wieder ans Fenster und blickte hinaus. Drew war tatsächlich im Garten und schnitt mit irgendeinem Gerät die Rasenkanten. Das T-Shirt hatte er ausgezogen, und er wirkte gesund und durch und durch männlich. Alexa wurde von Verlangen überwältigt. Er war kein hirnloser, zweidimensionaler Hengst, das wusste sie. In Frankreich hatte er gezeigt, dass er sich auch mit verfeinertem Sex auskannte, doch er hatte auch etwas Männlich-Geradliniges an sich. Eine Art Würde, die schon früher einen großen Eindruck auf sie gemacht hatte …

«Geh schon zu ihm», gurrte jemand hinter ihr.

Alexa schreckte zusammen und drehte sich um. Sie war so in ihre Gedanken und Gefühle versunken gewesen, dass sie Beatrice gar nicht hereinkommen gehört hatte. Die Ärztin, noch in ihrem weißen Kittel, stand einen Meter entfernt und musterte sie mit ihren wissenden braunen Augen. Sie blickte zum Garten hinunter, dann sah sie wieder Alexa an und schenkte ihr ein strahlendes Lächeln.

«Ich ... ich habe Tom verlassen», begann Alexa stockend, dann wurde ihr bewusst, wie kühn es von ihr war, in diesem Haus aufzutauchen, das sie erst einmal besucht hatte. «Ich wusste nicht, wohin ich sollte. Ich wollte dich fragen, ob ich ein paar Tage hier unterkommen könnte. Wenn es dir Umstände macht, kann ich auch in ein Hotel gehen.»

«Den Teufel wirst du tun», sagte Beatrice mit Nachdruck, trat einen Schritt vor und legte Alexa liebevoll den Arm um die Schultern. «Du bist hier willkommen.» Sie drückte Alexa an sich, ließ ihre langen Finger über ihre Rippen spielen und brachte ihr Gesicht so dicht an sie heran, als wollte sie sie küssen. «Du kannst hierbleiben. Ich wollte dir das in Frankreich schon hundertmal vorschlagen, hielt es aber für klüger, die Entscheidung dir zu überlassen.» Ihre Lippen streiften Alexas Wange, dann ging sie wieder auf Abstand und setzte ein bezauberndes Lächeln auf.

Alexa wandte benommen den Blick ab. Beatrice hatte sie mühelos überwältigt, hatte sie nicht nur mit Hand und Arm berührt, sondern tief drinnen. Alles an der Ärztin war verführerisch: das hübsche Gesicht, der sinnliche Mund, ihr üppiges feuerrotes Haar. Heute war sie eher zurückhaltend gekleidet – unter dem Kittel trug sie eine Herrenweste und Hose sowie ein Nadelstreifenhemd mit strenggeknoteter Krawatte –, doch das vermochte ihre Wirkung kaum zu dämpfen.

Alexa brachte kein Wort heraus. Sie lächelte zaghaft, worauf Beatrice sie abermals auf die Wange küsste.

«Das ist mein Haus, Alexa. Mein Zuhause», sagte die Ärztin mit einem aufreizenden Funkeln in den Augen. «Und wie die Spanier sagen: Mi casa es su casa. Fühl dich ganz wie zu Hause.» Anmutig nickte sie zum Garten hin, den der halbnackte Mann gerade pflegte. Gleichzeitig ließ sie eine Hand tiefer gleiten und drückte Alexas Po durch das Kleid hindurch.

Die Geste war unmissverständlich. Beatrice billigte Alexas Interesse an Drew. Sie erlaubte ihr, mit ihrem Geliebten zu schlafen. Es war eine freundliche Geste, aber auch unglaublich arrogant.

«Es steht dir nicht zu, über ihn zu verfügen», erwiderte Alexa kühn und ließ den Po langsam kreisen.

«Stimmt», sagte Beatrice leichthin, obwohl es ihr offenbar ernst war. «Aber ich glaube, selbst wenn es so wäre, könntest du ihn bekommen. Und zwar ganz mühelos … Du bist jung. Intelligent. Eine Individualistin. Wenn du ihn haben wolltest, wäre er auf der Stelle dein. Und ich könnte nichts dagegen tun.»

«Das würde ich niemals tun! Ich begehre ihn, das ja … aber nicht auf deine Kosten, Beatrice», erklärte Alexa entschlossen, wandte den Blick von Drew und vom Garten ab und schaute Beatrice tief in die funkelnden Augen.

«Gut», meinte die Ärztin, schob ihre Finger in der Pospalte vor und strich von hinten über ihr Geschlecht. «Dann werden wir ihn uns teilen. Und da ich jetzt weg muss und schon heute Morgen mit ihm geschlafen habe, würde ich sagen, jetzt bist du dran …»

«Jetzt gleich?», fragte Alexa erschreckt und drängte sich den tastenden Fingern entgegen, während sie zum Garten hinausschaute. Drew hatte mit der Arbeit innegehalten, nahm die Brille ab und wischte sich den Schweiß von der Stirn. Das Ganze wirkte so ungekünstelt und doch so sinnlich, dass Alexas Blut augenblicklich in Wallung geriet.

«Aber ja, meine Liebe, jetzt gleich», gurrte Beatrice und schob sie zur Tür. «Du bist doch richtig scharf auf ihn. Ich kann durch das Kleid hindurch spüren, wie feucht du bist.» Sie ließ die andere Hand an Alexas Bauch hinuntergleiten, dann öffnete sie durch die dünnen Stoffschichten hindurch ihre Schamlippen.

«Geh schon, Alexa», meinte sie schmeichelnd. «Geh zu ihm. Den Garten kann niemand einsehen, du kannst es gleich dort mit ihm treiben. Da drüben auf dem Rasen. Stell dir vor, Sex im Sonnenschein … Erinnerst du dich noch, wie gut dir das auf Barbados gefallen hat?»

Alexa schwankte, ebenso verzaubert von Beatrices Worten wie von ihrer Berührung. Sie wand sich krampfhaft zwischen den liebkosenden Händen der Ärztin, dann stand sie zitternd und wehrlos da, während ihr Rock angehoben und ihr Slip hinuntergestreift wurde.

«Den brauchst du nicht mehr», sagte Beatrice und ließ Alexa aus dem Slip heraustreten. Sie warf das Baumwollhöschen in die Ecke, dann berührte sie die feuchte Spalte, die es bedeckt hatte. Ein Finger bewegte sich quälend, bis Beatrice aufkeuchend ihre Hand wegriss. «Verflixt nochmal! Du bist einfach eine zu große Versuchung, weißt du das?», meinte sie vorwurfsvoll und schob Alexa benommen von sich weg. «Geh schon runter! Geh und fick ihn, bevor ich so scharf werde, dass ich nicht mehr an mich halten kann!»

Alexa setzte sich im Laufschritt in Bewegung, blickte sich in der Tür aber hilflos nach Beatrice um.

Die Ärztin lächelte lasziv und scheuchte sie wortlos weiter. Alexa zögerte kurz, dann gehorchte sie, während Beatrice sich zwischen die Beine fasste …

Als Alexa Drew erreichte, kniete er auf dem Rasen.

Er jätete am Rand des Rasens Unkraut und warf es auf einen Haufen. Nach einer Weile schaute er hoch, als hätte er ihre zögernden Schritte gehört, und setzte sich auf die Fersen, während sie näher kam.

«Alles okay?», fragte er mit ruhiger Stimme, sie aufmerksam musternd.

Alexa wurde bewusst, dass sie nach der Begegnung mit Beatrice bestimmt erhitzt und zerzaust wirkte. Sie fuhr sich durchs Haar; auf einmal fühlte sie sich befangen und längst nicht mehr so selbstsicher wie eben noch. Auf welche Weise sollte sie den ersten Schritt tun? Sie brachte es einfach nicht über sich, ihn offen zu fragen ...

Drew grinste. «Sieht so aus, als wärst du mit Beatrice aneinandergeraten», bemerkte er und streifte die dicken Arbeitshandschuhe ab.

«Was zum Teufel soll das heißen?», blaffte Alexa; es ärgerte sie, dass er sie so mühelos durchschaute. Dabei sollte eigentlich doch *sie* auf diesem Gebiet Expertin sein.

«Also, ich habe den Eindruck, dass Beatrice etwas angefangen hat ... und dann hat sie beschlossen, es *mir* zu überlassen, die Sache zum Abschluss zu bringen.»

«Ich habe keine Ahnung, wovon du redest», erwiderte Alexa leichthin und machte Anstalten, sich von ihm zu entfernen.

Ehe sie den ersten Schritt tun konnte, hatte Drew sie auch schon gepackt und ihr seine kräftigen Arme um die Schenkel gelegt. Er zog sie zu sich heran und rieb durch den Rock hindurch Nase und Mund an ihrem Bauch, als hätte er einen jungen Hund vor sich.

Alexa legte unwillkürlich die Hände um seinen Kopf und grub die Finger in sein seidiges schwarzes Haar.

Seine Haut roch nach Eau de Toilette, aber vor allem nach Schweiß. Sein Körper und sein Duft waren ebenso verführerisch wie die Frau, für die er arbeitete; als ihr schwindelig wurde, schob Alexa alle Bedenken beiseite und ergab sich der von ihm ausgehenden Verlockung. Unwillkürlich schob sie den Unterleib vor.

«O ja», murmelte sie, als sie spürte, wie er zurückwich und an dem dünnen Baumwollrock zu zerren begann. Als er ihre Knie streifte, spreizte sie bereits einladend die Beine, und als er ihr den Rock über die Hüften zog, schob sie ihre Möse instinktiv seinem Gesicht entgegen.

Im vollen Sonnenschein stehend, war Alexa sich bewusst, welch einen lüsternen Anblick sie bieten musste – mit weit gespreizten Beinen und feuchtem, klaffendem Geschlecht –, doch das war ihr egal. Außerdem wusste sie, dass die Ärztin – auch wenn sie behauptet hatte, sie müsse weg – vom Fenster aus zusah … Bei dieser Vorstellung schmolz sie endgültig dahin.

«Leck mich!», forderte sie, legte den letzten Rest von Zurückhaltung ab; presste ihre pulsierende Möse an Drews hübsches Gesicht und stöhnte lustvoll auf, als er ihr seine lange Zunge hineinsteckte. «O ja, mach weiter! Weiter!», keuchte sie, hob den Rock hoch, damit er ihr nacktes Hinterteil packen konnte, und ließ die Hüften kreisen, während die Lust sich immer weiter aufschaukelte.

Das ist es! Das bin ich … Das ist es, was ich brauche!, dachte die neugeborene Alexa, als sie von den Wellen der Lust geschüttelt wurde.

Und als sie kam, lachte der Teufel in ihrem Leib …